TWENTIETH-CENTURY FRENCH READER

TWENTIETH-CENTURY FRENCH READER

COMPILED BY

L. C. HARMER, M.A., Ph.D., L. ès L.

UNIVERSITY TUTORIAL PRESS LTD
CLIFTON HOUSE, EUSTON ROAD, LONDON, N.W.1

Published 1953
Reprinted 1957

PRINTED IN GREAT BRITAIN BY UNIVERSITY TUTORIAL PRESS LTD, FOXTON
NEAR CAMBRIDGE

PREFACE

This book has been compiled primarily to meet the needs of schools, and the extracts, although inevitably varying a little in linguistic difficulty, should be within the scope of anyone who, having studied the language for three or four years, is familiar with its structure, but held up in reading by lack of vocabulary.

The book is what its title indicates: it is not intended to be an anthology representative of every kind of modern French writing. The selection is, however, a catholic one and most of the passages have a general appeal. A small amount of verse has been included, and, for this reason, together with the fact that the extracts are nearly all short stories or incidents complete in themselves, the book will also meet the needs of the general reader who would like to read some modern French but for whom a full-length modern French novel is too difficult or too dull.

The guiding principle in the preparation of the very full glossary provided has been its practical use, and all but the very commonest words and those whose spelling is so similar to that of their English counterparts that their meaning is obvious, have been included. Where the English equivalent of any word is the same whether it is a verb or a noun (e.g. *sourire*), whether it is a verb with a reflexive and a non-reflexive form with different functions in French (e.g. [*se*] *noyer*), or whether it is an adjective which alters in meaning in French according to its position (e.g. *pauvre*), there is only the one gloss. Specific page references are given where a word varies widely in meaning, although it should be remembered that such references are not exhaustive. Explanations and renderings of passages likely to cause difficulty have been included in the glossary.

The compiler would like to express his sincere thanks to all those who kindly gave permission for the reproduction of copyright material. The source of each of the extracts is individually acknowledged in the text.

CONTENTS

	PAGE
AUGUSTE ANGELLIER: La fuite de l'hiver	1
GUILLAIN DE BÉNOUVILLE: Crossing the frontier	2
GABRIEL CHEVALLIER: A motoring exploit	11
GABRIEL CHEVALLIER: Colonel Rampion's bluff, or the force of personality	16
COLETTE: Le manteau de spahi	20
FRANCIS DE CROISSET: Monkeys' acrobatics	23
FRANCIS DE CROISSET: Getting a suit made in China	24
ANDRÉ DEMAISON: Tân, l'antilope	26
GEORGES DUHAMEL: "Il faut qu'une porte soit ouverte ou fermée"	35
GEORGES DUHAMEL: Return from a German prison	36
ANDRÉ DUMAS: Le village	40
ANDRÉ FOULON DE VAULX: Rentrée de barques au crépuscule	42
FRANC-NOHAIN: Le petit prince malade	43
FRANC-NOHAIN: Les skis dans l'escalier ou la difficulté vaincue	47
FRANC-NOHAIN: L'écolier et le microscope	49
FRANC-NOHAIN: Le nageur et les poissons	51
FRANC-NOHAIN: La pie et l'épouvantail	53
FRANC-NOHAIN: Les moulins	55
FRANC-NOHAIN: Le chien qui portait la canne de son maître	57
A. FRANÇOIS-PONCET: Hitler's "fastness" at Berchtesgaden	59
AUGUSTE-PIERRE GARNIER: La roulotte	61
ALAIN GERBAULT: Crossing the Atlantic single-handed on a yacht	62
ANDRÉ GIDE: Two little children saved from fire	76
ANDRÉ GIDE: A music-master finds it hard to rise	78
ANDRÉ GIDE: Hospitality is offered a benighted traveller	79
FERNAND GREGH: "I had . . . a golden pear"	82
FERNAND GREGH: The cod-liver oil parade at school	83
FERNAND GREGH: Il pleut	84
FERNAND GREGH: "Certain stars shot madly from their spheres"	85
FERNAND GREGH: Chemineau	86
SACHA GUITRY: A small boy's memories of his actor father	87
SACHA GUITRY: Mon premier amour	89
SACHA GUITRY: A small boy's practical way of doing his arithmetic homework	90

CONTENTS

	PAGE
Sacha Guitry: "I used your soap two years ago: since then I have used no other"	91
Sacha Guitry: A little country station	91
Sacha Guitry: The elastic nature of the possessive, or "what is thine is mine"	92
Sacha Guitry: The rehearsal of "L'Aiglon" with Lucien Guitry in the role of Flambeau and Sarah Bernhardt in that of "L'Aiglon"	93
Emile Henriot: Nature morte	97
Jacques de Lacretelle: The Silbermann affair	98
Roger Martin du Gard: Seeking shelter for the night	108
Roger Martin du Gard: An emergency operation in a thunderstorm	110
André Maurois: Lion-hunting	122
André Maurois: A narrow escape	123
Pierre Moinot: A night march of Moroccan infantry in the Abruzzi in winter during the Italian campaign in the Second World War	125
Paul Morand: Le confort et ses ravages	132
Paul Morand: Talk of the devil, or voodoo in Brazil	134
Paul Morand: A bird's-eye view of New York	135
Paul Morand: The lights of Broadway	137
Odette Pannetier: J'ai défilé dans Nuremberg derrière Hitler	139
H. de Régnier: Ville de France	141
Romain Rolland: A small boy turns on his tormentors	143
Jules Romains: A traveller on the Paris Underground mislays his ticket	149
Amédée Rouquès: Nuit	154
Antoine de Saint Exupéry: An aeroplane crash in the desert	155
Georges Simenon: Les trois Rembrandt	169
André Spire: La poussière (Chanson de servante)	175
Glossary	177

TWENTIETH-CENTURY FRENCH READER

LA FUITE DE L'HIVER

SENTANT le vent tiède proche,
   L'hiver, que la peur harcèle,
Lance la dernière grêle
Qui reste dans sa sacoche.

Il a vidé la besace
Où, lorsqu'il vient de Norvège,
Il met ses flocons de neige
Et ses pendillons de glace.

Mais les poches pendent flasques,
Il en tire, mal gelées,
Des débris de giboulées
Dans des restes de bourrasques.

Il s'en retourne à son pôle
Remplir son sac de froidure,
Qu'à la saison âpre et dure
Il reprendra sur l'épaule ;

Et, vieux vagabond morose,
Vieux bourru, semeur de rhumes,
Il reviendra de ses brumes,
Aux premiers jours de nivôse,

Pour jeter à mains ouvertes,
En sacrant dans ses rafales,
Ses récoltes boréales
Sur nos pauvres plaines vertes.

      AUGUSTE ANGELLIER, *Le Chemin des Saisons*,
            1903, Hachette.

CROSSING THE FRONTIER

(*A member of the French "Résistance" during the Second World War succeeds in crossing the frontier into Switzerland and, his task accomplished, in returning safely to France.*)

JE pris le train, le soir, en gare de Cannes, à destination d'Annemasse. Je portais mon pli dans la doublure déchirée de mon gilet et j'étais muni de quelques milliers de francs. J'allais vraiment vers l'inconnu. J'ignorais absolument comment je pourrais franchir la frontière.

A la sortie de la gare d'Annemasse (une des villes que j'ai le plus fréquentées dans cette guerre et une des villes les plus tristes de France) des gendarmes et des inspecteurs contrôlaient les papiers avec rigueur. Grâce à ma carte de journaliste, je passai sans difficultés.

De tous côtés, dans Annemasse, les bornes et les panneaux indicateurs disaient que la frontière était proche. Mais on comprenait vite que celle-ci n'était pas facilement accessible. Sur toutes les routes, des postes de gendarmerie et de douane multipliaient les rondes. On ne tardait pas, d'ailleurs, à constater que les polices allemande et française avaient délégué là un bon nombre de leurs représentants. A chaque pas, on croisait de grands hommes blonds à lunettes cerclées d'or, vêtus de longs imperméables, coiffés de chapeaux verts et portant par la poignée des serviettes toutes identiques. Les agents de Vichy, à d'autres signes, n'étaient pas moins reconnaissables. En outre, des gardes mobiles en uniforme sombre, le fusil en bandoulière, arpentaient lentement les rues, eux aussi guettant et surveillant.

Dès l'abord, on sentait qu'on était suspect et qu'on ne pourrait pas se promener longtemps dans cette ville microscopique sans être interpellé et sans doute fouillé. Je déjeunai hâtivement dans un petit restaurant et pris la décision d'aller sans plus tarder me promener le plus près possible de la frontière, afin d'étudier la situation. Si l'on m'interpellait, je prétexterais une enquête journalistique sur la frontière franco-suisse. J'en rédigeai hâtivement un semblant de début que je mis dans ma poche. Puis je m'engageai dans une campagne qui me parut plate et triste, cernée de tous côtés par de lourdes et courtes montagnes. La frontière entre la Suisse et la France est tracée par une rivière qui s'appelle le Foron. Dès le début des hostilités, en 1939, les Français avaient garni leur rive d'un épais réseau de barbelés. Les Suisses, qui n'avaient pas voulu ne pas répondre à cette mesure, en avaient fait autant. De leur côté, en outre, ils avaient doublé la frontière naturelle d'un cordon de troupes. Tous les cent mètres, en territoire helvétique, un soldat, l'arme à la bretelle, veillait. Je pus rapidement me rendre compte de la situation, car en différents endroits la route que je suivais, en feignant d'être un promeneur indifférent, côtoyait le réseau de barbelés qui lui-même longeait le Foron à quelques mètres près. A plusieurs reprises, je fus interpellé par des patrouilles. Dès que j'en avais quitté une, je retombais sous les yeux attentifs d'une autre. Si j'esquissais le moindre geste suspect vers les barbelés, les douaniers ou les gardes mobiles ne manqueraient pas d'ouvrir le feu.

C'était le début de l'automne. La nuit tombait vite. Je me fis la promesse que dès qu'elle serait un peu plus épaisse, là où je me trouverais, je me jetterais dans les barbelés. Je devais être le lendemain à Genève.

J'entendais derrière moi les pas lourds d'une patrouille marchant dans la même direction que moi. Je ralentis mon allure. Lorsqu'elle fut à ma hauteur, la patrouille s'arrêta pour me demander mes papiers. Je montrai de nouveau ma carte de journaliste. Le sous-officier l'examina en silence, puis, après un instant d'hésitation, salua et repartit avec ses quatre hommes. Ils n'avaient pas fait cinquante mètres que je percevais déjà, dans le lointain, les pas d'une autre patrouille. L'ombre me dissimulait encore. Je n'avais pas une seconde à perdre. Empoignant à pleines mains les fils de fer plantés en quinconce et qui donc se croisaient de point en point, régulièrement, je me mis, le cœur battant, à escalader les rangs nombreux qui me séparaient de la rivière. J'étais comme brûlé intérieurement par une hâte farouche. Les pas se rapprochaient. Mes vêtements s'accrochaient aux pointes de fer. Les fils que je maniais de mes mains gantées crissaient et chantaient lugubrement. Il me sembla maintenant que les pas étaient tout proches. Mais j'arrivais enfin à la rivière. Je ne pris pas la précaution de chercher un gué. Je pénétrai dans le Foron avec la seule préoccupation de faire le moins de bruit possible. J'avais de l'eau jusqu'aux genoux. Lentement, pour ne pas alerter les Suisses, qui, de l'autre côté, veillaient, je m'acheminai vers l'autre rive. Lorsque, trempé, je me hissai sur la berge helvétique, je fus stupéfait de n'y trouver personne. Tapi dans l'ombre, à l'abri d'un buisson, j'entendais seulement, à une vingtaine de mètres de moi, la patrouille française qui, de son pas lourd et mesuré, passait sur la route que je venais de quitter, au point même où un instant auparavant j'avais décidé de sauter. Le chef de patrouille, qui marchait en tête, avait allumé une lampe électrique sans doute accrochée à un bouton de sa capote. J'en voyais le balancement régulier. Les hommes parlaient entre eux. Ils n'avaient rien remarqué. Je venais de gagner la première partie. Allais-je réussir à pénétrer dans Genève sans être vu?

Je m'avançais à travers champs, mais la nuit était si sombre que je ne pouvais distinguer de quel côté j'aurais des chances de trouver une route. Par cette nuit sans lune, je trébuchais chaque fois que je quittais le sillon de terre labourée où j'étais engagé.

Soudain, je me trouvai devant un mur qui clôturait une propriété. D'autres maisons profilaient leurs masses sombres à droite et à gauche. Derrière le mur, pas un bruit, bien que la maison ne fût pas éloignée. Après un instant de réflexion, plutôt que de contourner le village, je me décidai à sauter le mur; je trouverais sans doute ainsi plus vite un chemin. Me hissant lourdement, je retombai dans une cour dont la porte cochère était grande ouverte sur une route que je distinguais confusément, à la lueur de la lampe allumée au-dessus du perron: j'étais sauvé. J'oubliais déjà mes pieds trempés et mon angoisse, lorsque, sortant sur le perron, deux seaux à la main, je vis venir à moi, me regardant d'un air étonné, un *soldat allemand*. La terre se déroba sous moi. En un instant, je pensai que j'avais dû passer le Foron dans un des coudes où il est français sur les deux rives. J'étais sans doute dans une maison, occupée par des officiers allemands dont cet homme devait être l'ordonnance.

Je me ramassais sur moi-même pour lui sauter à la gorge, lorsque je vis l'homme sourire. Ce n'est qu'alors que je reconnus un soldat suisse. Ceux-ci ont, en effet, des uniformes assez semblables à ceux des Allemands. L'homme me regardait d'un air bonasse. Il m'annonça que j'étais chez le curé du village.

Ce curé était un gaillard de haute taille et fort en couleurs, qui m'accueillit très courtoisement à l'entrée d'une grande cuisine de campagne dont les murs, tapissés de gris, étaient recouverts d'une quantité d'objets de cuivre qui luisaient doucement dans l'ombre. Il m'expliqua qu'il comprenait fort bien ma situation. Je devais être un évadé de France, et trouverais chez lui aide et refuge. Mais son devoir était de m'annoncer aux autorités helvétiques, qui enverraient certainement quelqu'un pour m'interroger. En attendant, devant la cheminée, il me fit avaler une soupe brûlante et, après avoir donné des ordres, en suisse-allemand, au soldat qui m'avait conduit jusqu'à lui, me dit à brûle-pourpoint:

— On m'appelle Abraham.

Abraham, pour meubler le silence, me parla de lui pendant que je me restaurais. Je n'étais pas inquiet outre mesure et je me résignais assez bien à avoir une explication avec les Suisses.

— Je ne me suis sauvé de la solitude de mon ministère, me dit Abraham, le plus gravement du monde, que par la contrebande. Sans compter qu'elle me permet de faire vivre la Conférence de Saint-Vincent-de-Paul et mon patronage. Vous ne pouvez vous imaginer, cher Monsieur, ce que les chrétiens sont rats par les temps qui courent! Et puis, que voulez-vous, j'ai une nature qui ne saurait se contenter du jardinage.

Il franchissait la frontière plusieurs fois par semaine et ramenait de ses voyages tout ce qu'il pouvait. Il se chargeait aussi bien des enveloppes de renseignements que des paquets de tabac. Mais j'avais terminé mon potage. Mes vêtements étaient secs. Peut-être que si je partais, Abraham, qui visiblement me témoignait de la sympathie, me laisserait faire. Je me levai pour me diriger vers la porte.

— Minute, me dit Abraham. Je vous ai dit, cher Monsieur, que j'avais dû prévenir le Service de Renseignements de votre aimable visite. On va vous interroger dans un petit instant. Ces messieurs vont arriver d'une minute à l'autre, et puis, ensuite, nous aviserons. Ne soyez pas impatient.

Le bonhomme, tout en parlant, se rapprochait de la porte. Il souriait, mais me montrait, de toute évidence, qu'il ne saurait être question pour moi de la franchir sans son autorisation la plus expresse. Je regagnai donc ma place en souriant moi aussi.

Soudain nous entendîmes une voiture freiner devant la grille. Elle avait dû juste s'arrêter au bas du perron. Des pas, maintenant, gravissaient les marches. La porte de la salle fut poussée par une main vigoureuse. Deux hommes, sans se presser, vinrent nous rejoindre devant le feu. L'un d'eux, qu'Abraham salua du titre de capitaine, était de taille moyenne, l'œil vif et gris. L'autre, plus grand qu'Abraham et plus fort, avait un de ces masques romains qu'on rencontre assez fréquemment en Suisse. C'étaient deux officiers du Service de Renseignements de l'armée. Je leur donnai sans tarder mes références genevoises qu'ils pourraient vérifier par téléphone. J'avais dans le pays un certain nombre de parents et d'amis qui se porteraient garants de moi. Je venais, dis-je, pour voir ma famille. Ils donnèrent plusieurs coups de téléphone, vérifièrent mes papiers et voulurent bien, en définitive, accepter mes explications sur la seule garantie de mes références. Une heure après j'étais conduit par eux jusqu'à Genève, ébahi par les lumières de cette ville qui ne connaissait pas le black-out avant onze heures du soir, et je pus aller me coucher chez un ami fidèle dont je leur indiquai l'adresse, et chez qui ils me conduisirent sous prétexte de ne pas me laisser me perdre dans les rues.

On ne dira jamais tout ce qu'un mot de passe, pour stupide qu'il puisse sembler à première vue, peut contenir de poésie pour celui qui se le répète, sachant qu'il va lui ouvrir des portes closes, comme pour celui qui l'entend et qui comprend que l'inconnu en face de qui il se trouve n'est autre que celui qu'il attendait.

Le lendemain de mon arrivée, en longeant le quai Wilson, je me dirigeai de bonne heure vers le confortable immeuble où habitait l'Anglais avec qui je devais prendre contact, M. Jackson. Je répétais, tout en marchant, « *Louis XIV dira non à Vercingétorix* ». Sur le pas de la porte, la concierge, qui balayait, me remarqua à peine. Ronronnant, l'ascenseur s'éleva rapidement dans le silence de la cage de l'escalier. Je sonnai enfin à la porte de l'appartement. J'entendis la sonnette grelotter dans un couloir, où bientôt claquèrent les mules de quelqu'un qui, sans se presser, venait ouvrir. Une seconde après je me trouvai en face d'un homme grand, mince, dégingandé, la taille serrée dans une robe de chambre à ramages qui laissait passer deux longues jambes poilues. Ses cheveux blonds et bouclés étaient ébouriffés. Mais une si évidente stupidité était peinte sur son visage que je me demandai avec appréhension ce qu'il pourrait bien faire des renseignements que j'allais lui remettre.

— Monsieur Jackson ? interrogeai-je avec anxiété.

— C'est moi-même, me répondit-il, avec une telle absence dans le regard que je sentis mon inquiétude croître.

Alors, comme on se jette à l'eau, je m'approchai plus près de lui et lui dis à mi-voix : « *Louis XIV dira non à Vercingétorix* ». Au même instant, le visage de M. Jackson se transforma et ses yeux gris vert, dont le calme de mort m'avait tellement impressionné, sourirent avec une joie spontanée. D'un geste vif, il me saisit la main et m'attira à l'intérieur de l'appartement, cependant que de l'autre il refermait la porte.

— Enfin, vous voilà, me dit-il, métamorphosé. J'avais peur que vous n'arriviez pas ce matin. Le train part tout à l'heure. Mettons-nous au travail pour que vous puissiez emmener vous-même vos télégrammes à Berne.

Nous travaillâmes donc. Nous étions installés dans un studio classique d'appartement meublé. Un lit défait disait que mon arrivée avait dû réveiller mon interlocuteur. Pas un livre dans cette pièce, pas une photographie, ni un objet intime. Peut-être, après tout, M. Jackson n'habitait-il cet appartement que les jours où il attendait des visites. M. Jackson était non seulement intelligent, mais rapide. Nous expédiâmes notre ouvrage en un peu moins de trois quarts d'heure. « Courez vite à la gare, me dit-il presque sans transition pendant que je pliais mes papiers ; mais surtout n'oubliez pas que c'est une très bonne chose que d'avoir l'air d'un imbécile. Tout le monde ici me considère comme un aimable crétin. Et tout le monde me voit sans déplaisir parce que je suis inoffensif. »

Le voyage de Genève à Berne, dans un wagon chauffé, le spectacle de bourgeois cossus, vêtus de vêtements neufs, après celui d'une grande et belle ville en paix, aux larges avenues bordées d'immeubles spacieux, le sentiment de ne plus courir comme risque grave que celui de me faire interroger par les libérales autorités helvétiques : tout cela me procurait une légère et constante ivresse. Je me rendis à l'adresse que Jackson m'avait donnée. Avec l'aide des occupants de la maison isolée où je fus introduit, je rédigeai mes derniers télégrammes, qu'ils codèrent. Puis on m'installa dans une sorte de boudoir où je pus m'étendre sur un divan et dormir jusqu'à l'heure du dîner.

Le lendemain, on me remit les réponses de Londres que j'attendais. Comme elles ne me satisfaisaient pas entièrement, je rédigeai de nouveaux télégrammes. Trois jours passèrent ainsi, entièrement occupés par une sorte de dialogue où toutes les réponses qui me parvenaient ne dataient jamais que de vingt-quatre heures. Ma mission s'achevait. Je repartis donc pour Genève après avoir rencontré des banquiers. Je retrouvai les officiers qui m'avaient interrogé lors de ma première nuit. Je leur expliquai que, de toute évidence, il me faudrait revenir, et qu'en échange de la sécurité qu'ils voulaient bien me donner sur leur territoire je leur offrais de leur communiquer l'ordre de bataille des divisions allemandes stationnées en France. Je savais que cette offre ne manquerait pas de les intéresser, car la Suisse prévoyait et redoutait toujours non sans raison une attaque allemande ; ils m'avouèrent en riant qu'ils avaient dès l'abord à peu près percé mon jeu, et qu'ils devinaient à peu près où j'étais allé ... Nous nous félicitâmes de ne nous être mutuellement rien dit jusqu'au moment où nous pouvions enfin nous rendre de véritables services. Ils m'offrirent toutes les facilités dont ils pouvaient disposer pour pénétrer sur leur territoire, puis, en voiture, m'approchèrent de la frontière, par de petites routes qui coupaient les champs et passaient devant de paisibles maisons bourgeoises respirant l'abondance et la paix. A la sortie d'un village, nous nous arrêtâmes derrière le mur d'un cimetière.

— Au fond de ce cimetière, me dit l'un des officiers, vous ne serez plus qu'à une centaine de mètres du territoire français.

Les soldats suisses qui gardaient la frontière avaient été alertés. Ils s'étaient un peu écartés de l'endroit où je devais passer et, non loin de là, surveillaient l'autre rive. Seul l'un d'entre eux nous accompagnait. Je fis mes adieux aux officiers suisses, puis, de tombe en tombe, je me glissai jusqu'à l'autre extrémité du cimetière, dont j'escaladai le mur. J'étais de nouveau dans un champ et à quelques pas seulement du Foron que me cachaient partiellement de minces arbustes et des buissons. Derrière la rivière, la berge française était longée par une petite route qui en épousait les contours. Cette route bordait des champs qui, entre la rivière et les premières maisons françaises, étalaient en un glacis cinq ou six cents mètres de terrain par où il me faudrait passer et d'où, évidemment, l'on pouvait être repéré. A plat ventre dans l'herbe, je vis passer plusieurs patrouilles. En imaginant que je franchisse le Foron et les barbelés sans difficultés, si j'étais pris au retour, interpellé en traversant ces champs, mes prétextes ne me serviraient plus de rien. On ne manquerait pas de me demander où j'avais passé la dernière nuit et à quelle heure j'étais arrivé à Annemasse. Enfin je me décidai, un peu haletant. Je me laissai glisser jusqu'à la rivière. Par un gué que m'avait désigné le douanier, j'abordai rapidement la rive française, j'enjambai laborieusement les barbelés et me trouvai d'un coup sur la route française. Comme une patrouille faisait déjà entendre dans le lointain le martèlement régulier de ses pas, je décidai d'abandonner tout de suite la route et de couper par les champs jusqu'aux maisons que je voyais à quelques centaines de mètres de moi. Un paysan qui travaillait baissé releva la tête au moment où je le dépassais. Loin de s'imaginer que j'arrivais de Suisse, il sembla croire, au contraire, que j'avais en vain tenté d'y passer et que c'était la patrouille qui, en me faisant peur, m'avait contraint de m'engager dans les champs.

— Pas de chance! me dit-il avec un bon sourire. Ce sera pour cette nuit . . .

Et, mettant ses outils sur son épaule, il m'accompagna en direction du village où, grâce à lui, je fis l'entrée la plus naturelle du monde.

From *Le Sacrifice du Matin*, by GUILLAIN DE BÉNOUVILLE, 1946, Robert Laffont, Publisher, Paris.

A MOTORING EXPLOIT

(*A daredevil driver is useful during the French retreat from the advancing Germans in France in* 1940.)

IL faut utiliser les êtres comme ils sont et en tirer tout le parti possible. C'est une meilleure méthode que de prétendre changer leur nature. Seul de nos chauffeurs, Raph Marcherie nous avait rejoints, sur une voiture cabossée mais ronflante, qu'il était capable de guider à travers les plus inextricables dédales. Avec un volant entre les mains, c'est le garçon le plus hardi qu'il m'ait été donné de rencontrer. Il se sent invulnérable tant qu'il peut accélérer, et toujours et partout il accélère ...

Je l'avais chargé de missions de reconnaissance. Il se faufilait à contre-courant de la retraite pour aller guetter l'approche de l'ennemi et contrôler quels débris d'unités avaient encore à se replier. Remonter vers le nord, c'était une tentative à peu près insensée, dont il se tirait pourtant à son honneur ... Lorsqu'il devait abandonner une voiture, par suite d'avarie ou d'accident, il faisait preuve d'un flair étonnant pour se procurer rapidement un nouvel engin à moteur. Il reparut un jour sur l'Aisne en pilotant une chenillette d'infanterie, juste pour nous annoncer qu'il avait les blindés à ses trousses. Avec son audace, sa rapidité de réflexes et les renseignements qu'il rapportait, Raph accomplit d'étonnants exploits. Des milliers de Français lui durent de pouvoir repasser les ponts à temps, évitant ainsi de tomber aux mains de l'ennemi.

La destruction des ponts tournait à la manie hallucinatoire. Tout ce qui enjambait un cours d'eau devait être détruit à un instant critique, qui aurait dû être fixé par l'autorité supérieure, mais en fait était laissé à l'appréciation de quelques subalternes isolés. Comme les abords des ponts étaient très visés par les stukas, ces subalternes avaient hâte d'en finir. Et l'on avait tellement parlé des fameux ponts de la Meuse demeurés intacts (Paul Reynaud *dixit*) par lesquels s'était engouffrée l'avalanche allemande, face à l'armée Corap (Paul

Reynaud re-*dixit*) qu'on faisait maintenant sauter la moindre passerelle de bois, les moindres planches jetées sur un ruisseau. Tout cela se faisait un peu au petit bonheur. Il y avait peu de gens pour aller reconnaître la position exacte de l'ennemi et risquer de se trouver nez à nez avec ses avant-gardes.

Pour cette raison, le colonel Rampion me détachait souvent à l'arrière avec mission de veiller à ce que les ponts ne fussent détruits qu'au bon moment. Moi-même je détachais en éclaireur Raph Marcherie, coiffé d'un béret anodin et recouvert d'un imperméable, qui prenait la mine d'un civil étonné quand il se heurtait à une colonne allemande. Lorsque Raph nous rejoignait il était généralement temps d'allumer les mèches de mise à feu. Il fallait ensuite se replier à toute allure, dans les camionnettes et les voitures, jusqu'au pont suivant, où l'on vérifiait les préparatifs de destruction. Ça nous donnait l'impression de faire sauter peu à peu toute la France, l'impression d'un monstrueux gaspillage de tout ce qui était bon, solide, utile, coûteux et vaillant : les troupes, le matériel, les munitions, les usines, les villages, les petites villes déjà déchiquetées.

Les ponts sautaient dans notre secteur, je peux m'en porter garant. Mais j'ignore ce qui se passait sur nos flancs. Le bruit courait constamment que nous étions tournés. Et un jour ce fut vrai. Des colonnes motorisées avaient débordé latéralement notre petit groupe, pendant que nous protégions et surveillions des hommes du génie occupés à détruire un ouvrage d'art. D'après la règle du jeu—un jeu dont on abusait—nous n'avions plus qu'à nous rendre. Mais ça ne faisait pas notre affaire.

Nous disposions de deux camionnettes et de deux voitures. Il fut décidé que chaque véhicule prendrait séparément son risque : mieux valait s'échapper par infiltration qu'en nombre. Les camionnettes partirent les premières, par des chemins de terre qui serpentaient à travers une campagne où la guerre grondait par bouffées. Des avions ennemis tournaient dans le ciel limpide, où ils évoluaient avec des grâces de meeting… Quelques-uns s'étaient penchés sur notre groupe avec une curiosité inquiétante, en passant des bandes de mitrailleuse. Il ne fallait pas s'endormir.

Nous avions avec nous un colonel du génie égaré dans ces parages, un homme bienveillant, méticuleux et myope, qu'on avait envoyé s'assurer sur place que les ponts sautaient convenablement. Ou peut-être était-il venu de son plein gré, par scrupule. Il ne comprenait rien à ce qui se passait. Cette guerre bouleversait ses conceptions de l'art militaire. Elle bouleversait bien d'autres choses, mais ce n'était pas le moment d'en dresser l'inventaire !

Le colonel disposait d'une voiture. Mais je le dissuadai d'y monter pour donner la préférence à une superbe 20 CV, une décapotable rouge vif, que Raph Marcherie pilotait depuis trois jours (c'était sa dernière prise). Le colonel me demanda naïvement :

— Ce garçon aurait-il une compétence adaptée aux circonstances présentes ?

— En un sens, oui. Il a du flair, du cran et de la chance, mon colonel. C'est à quoi il vaut le mieux se fier. A moins que vous n'ayez l'intention d'attendre sur place des instructions personnelles du commandement ?

— Je crains, me dit sérieusement le colonel, que le commandement ne soit un peu débordé. Voyez-vous, nous avons été surpris. Les premiers engagements n'ont pas tourné en notre faveur. Il n'y a pas de quoi s'étonner : ce sont les vicissitudes de la guerre. Mais je trouve ce désordre anormal !

C'était un type parfait, ce colonel ! Dans le genre philosophe placide et technicien fermé à tout ce qui n'était pas sa spécialité.

— Croyez-vous, me demanda-t-il encore, qu'il y ait une réelle urgence à fuir ? On viendra sans doute nous dégager. M. Weygand est un grand capitaine, le disciple de Foch.

Je lui montrai l'azur aveuglant où tournoyaient les avions gammés.

— Le ciel, mon colonel, ne nous aidera guère, ni le G.Q.G. Il faut que nous comptions résolument sur nous-mêmes.

— Bien, bien, si vous pensez... Je suis prêt à vous suivre, capitaine, dans la bonne et la mauvaise fortune des armes.

Mais dites-moi, ils sont donc partout ces Poméraniens de malheur?

— Ça m'en a l'air, mon colonel.

— Est-ce que vous ne trouvez pas cela singulier? Et déplacé? Dans l'autre guerre ...

Encore un qui avait vingt-cinq ans de retard. L'autre guerre, c'était son dada. Il attendait le coup du retournement français légendaire, qui stupéfierait la Wehrmacht ...

Nous avions retiré casques et vareuses, afin de dissimuler notre qualité de militaires. Nous avions déposé sur le plancher de la voiture quelques armes: un F.M., deux carabines et les revolvers. La capote baissée, nous ressemblions à six touristes, cheveux au vent, dans cette rutilante machine.

Une route s'ouvrait devant nous, une belle route droite et unie, qui traversait un moutonnement de prairies piquées de fleurs et plantées d'arbres fruitiers. A l'horizon les coteaux portaient de tranquilles maisons de campagne et des vignobles qui rissolaient leurs grappes au soleil. Le moteur rendait merveilleusement. On l'entendait à peine, comme le sillage d'un glissement sur l'eau. Cette randonnée au centre de la guerre avait quelque chose d'irréel, presque d'absurde. Un Messerschmidt étonné piqua sur nous. Raph lui fit de la main un signe joyeux, signifiant que tout allait bien, qui dut tromper le pilote. Il nous laissa filer.

Nous filions vraiment à l'allure où Raph Marcherie se plaît à conduire. C'était d'ailleurs une vitesse convenable pour une aventure pareille, puisque nous risquions le tout pour le tout. Comment serait-il venu à l'idée des soldats allemands, réputés pour avoir la comprenote un peu lente, qu'une grosse voiture décapotée, marchant à cent-vingt sur une belle route française, pût ne pas être dans son droit? Je me gardais d'intervenir, confiant à Raph notre chance entière. Le petit colonel, toujours parfait, s'abstenait de poser de vaines questions. Nous ne savions où pouvait se trouver l'ennemi. Nous dépassions du matériel abandonné, des canons muets, des camions massacrés. Un trou de bombe, au milieu de la route, faillit nous faire capoter. Raph l'évita de justesse, par un changement de main de grand style et un sec dérapage.

— Peut-être que la route est libre... que les tanks ne sont pas encore ici...

Et nous débouchâmes en plein sur la sacrée métallurgie allemande. Les blindés nazis, en belle colonne disciplinée, arrivaient sur notre droite, à un carrefour, et s'engageaient sur la route que nous suivions. Au centre du carrefour, pied à terre, se tenait un motocycliste muni d'un disque rouge, qui dirigeait la circulation. Nous étions encore lancés à cent.

Tout se passa en quelques secondes, qui représentèrent pourtant un interminable délai de temps suspendu et de blocage des cœurs au cran d'arrêt. Nous étions à la merci d'un hasard, d'un encombrement, d'une gâchette et de la moindre hésitation de notre conducteur. Raph Marcherie n'en eut aucune : il avait jugé la situation d'un coup d'œil infaillible et vu le trou. Il aborda de flanc le motocycliste allemand, avec un coup d'accélérateur qui l'envoya net dans le décor. Sur cette reprise sensationnelle, la 20 CV fit un bond terrifiant pour se glisser, à dix centimètres près, entre un mur et les tanks, qu'elle dépassa vertigineusement. Nous n'eûmes pas le temps de nous y reconnaître, et les types d'Hitler encore bien moins. Quand ils se décidèrent à lâcher une rafale, nous étions loin, engagés dans un virage qui nous dérobait à leurs coups. Et nous plongions dans une pente, ce qui accélérait encore notre allure. On sentait Raph pleinement à son affaire, au sommet de l'euphorie automobile. Cette satisfaction s'exprima spontanément. S'adressant au colonel assis à côté de lui, sans quitter des yeux la route :

— Qu'est-ce que tu dis de ce coup-là, mon petit père ?

Le colonel fut très à la hauteur. Il encaissa le tutoiement sans broncher.

— Formidable ! dit-il enthousiasmé. Je vous colle une citation, mon garçon !

GABRIEL CHEVALLIER, *Le Petit Général*,
1951, Presses Universitaires de France.

COLONEL RAMPION'S BLUFF, OR THE FORCE OF PERSONALITY

NOUS retrouvâmes le colonel, flanqué de notre petit général, le lendemain à S... sur la Loire, au milieu du plus indescriptible et accablant embouteillage qui se pût voir. C'était incroyable ce qui avait pu s'amasser en un faible espace d'artillerie tractée, de camions, camionnettes, carrioles et automobiles de tout genre. La fin de l'exode parisien passait par là, ce qui n'était pas pour arranger les choses. Aucune organisation, bien entendu.

Nous étions faits à ce désordre titanesque. Mais à S... nous fûmes témoins d'une scène curieuse. Une grande Mercédès grise déboucha sur la place où, devant les derniers officiers rassemblés, le général et le colonel étaient en train d'examiner la situation.

De la Mercédès descendit un colonel allemand, ma foi superbe d'allure, d'autorité et de décision. Il distingua le général au premier coup d'œil. Après l'avoir salué, comme seuls les Allemands savent le faire, il dit en excellent français :

— Je crois, mon général, que ni vous ni moi ne pouvons continuer à faire la guerre dans cette pagaille!

Il était difficile à un général embouteillé, démuni de tout, de retourner à ce colonel victorieux une réplique à la mesure de son impertinence. Le général Fachot ne trouva rien.

Le type de Potsdam enchaîna aussitôt, en homme pressé et habitué à conclure vite :

— Nos troupes vont arriver et j'ai besoin du passage. Que comptez-vous faire?

— Nous en discutions justement...

— C'est vous qui commandez à cet endroit?

— Toutes les unités ne dépendent pas de moi. Mais je suis le plus élevé en grade. Par conséquent...

— Voici, dit le colonel allemand, ce que je décide. Je prends le pont de droite, que je fais dégager, et je vous abandonne celui de gauche. Êtes-vous d'accord?

— Je n'ai pas le choix, dit le petit général.

Le colonel allemand salua.

— Parfait ! Je vous laisse à vos dispositions, mon général. Et je vais prendre les miennes.

Il se tourna vers les motocyclistes qui l'encadraient et commença de donner ses ordres. Il avait déplié une carte sur laquelle il semblait parfaitement se reconnaître.

Le moins qu'on peut dire, c'est que nous nous trouvions, Français, à des centaines de kilomètres de nos frontières violées, dans une situation fausse devant cet envahisseur avancé. Notre Rampion ne pouvait tolérer cela. Il s'avança, salua :

— Colonel Rampion !

L'autre rendit le salut et se nomma gutturalement.

— Vous désirez sans doute, demanda notre colonel, que les ponts ne sautent pas ?

— Mais, dit l'Allemand, nous présents, qui pourrait les faire sauter ?

— Moi ! dit tranquillement notre Rampion.

— Oh, dit l'Allemand, avec une morgue contenue mais rageuse, vous n'êtes pas le plus fort ! Je n'aurais qu'un ordre à donner . . .

— Le mien est déjà donné ! riposta notre colonel. Les ponts vont sauter d'un instant à l'autre. Voulez-vous un arrangement dont je fixerai les termes ? Mais faites vite !

Immobiles, indéchiffrables, ils se regardaient intensément. Il y avait lutte d'ascendant entre ces deux hommes si dissemblables, l'Allemand d'une correction froide mais trop apprêtée, le Français un peu ironique, avec l'air malgré tout d'être chez lui et de donner une leçon d'éducation. Le premier, plus jeune, impeccable dans sa tenue sobre, conscient de la supériorité de ses armes, de l'importance de sa mission, entouré de ses guerriers qui avaient la nuance du bronze et de la poussière, une nuance de métal dur, fait pour broyer (ce n'était pas le moins saisissant, de ces divisions pullulantes de conquérants, que leur aspect funèbre et mat, du casque de leurs soldats aux croix noires de leurs avions). Devant ce vainqueur, le colonel Rampion, vieux don Quichotte desséché, l'uniforme boueux et déchiré, portant sur lui les stigmates du délabrement et de l'infortune, conservait pourtant son allure de grand monsieur et de superbe casse-cou. Un Ney d'arrière-garde, aux témérités fulgurantes.

L'examen dura quelques secondes, le temps de s'évaluer mutuellement. Et le colonel Rampion prit barre sur l'autre, par le magnétisme d'une personnalité plus forte, alors que l'Allemand tirait son autorité d'une discipline stricte et de la soumission aveugle aux ordres reçus. En présence d'un cas non prévu par son règlement, il perdait pied:

— Alors? demanda l'homme à la Mercédès.

— Voici ma proposition, dit notre colonel. Si je ne fais pas sauter les ponts, j'entends qu'avant deux heures vous n'entrepreniez rien contre nous. Suspension de toute activité de votre part, et liberté pour nous de nous retirer.

— Et si je refuse?

Le colonel tenait sa montre à la main. Il avait fait signe à un jeune sous-lieutenant de se placer à son côté. Il trancha:

— Il vous reste moins de deux minutes pour vous décider. Ensuite il sera trop tard.

— Je peux vous faire fusiller, dit l'Allemand.

— Aucune importance! Est-ce oui ou non? Il faut que j'envoie le contre-ordre à l'instant même.

Sur le cadran de la montre, l'aiguille des secondes courait comme la flamme sur une mèche de fulmicoton. L'Allemand était hypnotisé par cette aiguille.

— C'est oui! dit-il, pâle.

— J'ai votre parole d'officier allemand?

— Vous l'avez, dit l'autre, en prenant instinctivement le garde à vous.

— Courez! dit notre colonel au sous-lieutenant, en lui remettant un papier sur lequel il avait griffonné quelques mots.

Nous sûmes plus tard qu'il avait écrit: « Faire passer rapidement les ponts. Se regrouper de l'autre côté, mitrailleuses braquées. L'ennemi peut déboucher ». Il n'y avait pas un mot de vrai dans l'histoire des ponts, improvisée par le colonel. Il devait nous le dire lorsque nous fûmes à l'abri.

— Je ne me serais pas pardonné de m'être laissé posséder par un breveté de Berlin. A la guerre, il faut avoir la cervelle fertile et la décision prompte.

— Pensez-vous, mon colonel, que les Allemands aient la cervelle plus fertile que nous?

— Jamais de la vie! Mais ils se donnent, vingt ans d'avance, des principes rigoureux qui leur tiennent lieu de réflexes. En France, nous attendons toujours le dernier moment. Vous voyez le résultat: nous ressemblons à peu près aux troupes de Vercingétorix devant les légions de Jules César.

GABRIEL CHEVALLIER, *Le Petit Général*,
1951, Presses Universitaires de France.

LE MANTEAU DE SPAHI

LE manteau de spahi, le burnous noir lamé d'or, la « parure » composée de trois miniatures ovales—un médaillon, deux boucles d'oreilles—entourées d'une guirlande de petites pierres fines, le morceau de « véritable peau d'Espagne » indélébilement parfumé . . . Autant de trésors auxquels s'attachait autrefois ma révérence, en quoi je ne faisais qu'imiter ma mère.

— Ce ne sont pas des jouets, déclarait-elle, et d'un tel air que je pensais justement à des jouets, mais pour les grandes personnes.

Elle s'amusait, parfois, à draper sur moi le burnous, à me coiffer du capuchon à gland; alors elle s'applaudissait de m'avoir mise au monde.

— Tu le garderas pour sortir du bal, quand tu seras mariée, disait-elle. Rien n'est plus seyant, et au moins c'est un vêtement qui ne passe pas de mode. Ton père l'a rapporté de sa campagne d'Afrique, avec le manteau de spahi.

Le manteau de spahi, rouge, et de drap fin, dormait plié dans un drap usé, et ma mère avait glissé dans ses plis un cigare coupé en quatre et une pipe d'écume culottée, « contre les mites ». Les mites se blasèrent-elles, ou le culot de pipe perdit-il, en vieillissant, sa vertu insecticide? Au cours d'une de ces débâcles ménagères qu'on nomme nettoyages à fond, et qui rompent dans les armoires, comme les fleuves leurs glaces, les scellés de linge, de papier et de ficelles, ma mère, en dépliant le manteau de spahi, jeta le grand cri lamentable :

— Il est mangé !

La famille accourut, se pencha sur le manteau où le jour brillait par cent trous, aussi ronds que si l'on eût mitraillé le drap fin.

— Mangé! répéta ma mère. Et ma fourrure de renard doré, à côté, intacte.

— Mangé, dit mon père avec calme. Eh bien! voilà, il est mangé.

Ma mère se dressa devant lui comme une furie économe.

— Tu en prends bien vite ton parti!
— Oh! oui, dit mon père. J'y suis déjà habitué.
— D'abord, les hommes ...
— Je sais. Que voulais-tu donc faire de ce manteau?

Elle perdit d'un coup son assurance et montra une perplexité de chatte à qui l'on verse du lait dans une bouteille au goulot étroit.

— Mais ... je le conservais! Depuis quinze ans il est dans le même drap. Deux fois par an je le dépliais, je le secouais et je le repliais ...

— Te voilà délivrée de ce souci. Reporte-le sur le tartan vert, puisqu'il est entendu que ta famille a le droit de se servir du tartan rouge à carreaux blancs, mais que personne ne doit toucher au tartan vert à carreaux bleus et jaunes.

— Le tartan vert, je le mets sur les jambes de la petite quand elle est malade.

— Ce n'est pas vrai.
— Comment? à qui parles-tu?
— Ce n'est pas vrai, puisqu'elle n'est jamais malade.
— Ne déplace pas la question. Que vais-je faire de ce manteau mangé? Un si grand manteau! Cinq mètres au moins!

— Mon Dieu, ma chère âme, si tu en as tant d'ennuis, replie-le, épingle sur lui son petit linceul, et remets-le dans l'armoire—comme s'il n'était pas mangé!

Le sang prompt de ma mère fleurit ses joues encore si fraîches.

— Oh! tu n'y penses pas! Ce n'est pas la même chose! Je ne pourrais pas. Il y a là presque une question de ...

— Alors, ma chère âme, donne-moi ce manteau. J'ai une idée.

— Qu'en vas-tu faire?
— Laisse. Puisque j'ai une idée.

Elle lui donna le manteau, avec toute sa confiance, lisible dans ses yeux gris. Ne lui avait-il pas affirmé successivement qu'il savait la manière de faire certains caramels au chocolat, d'économiser la moitié des bouchons au moment de la mise en bouteille d'une pièce de bordeaux, et de tuer les courtilières qui dévastaient nos laitues? Que le vin mal bouché se fût gâté en six mois, que la confection des caramels eût entraîné l'incendie d'un mètre de parquet et la cristallisation, dans le sucre bouillant, d'un vêtement entier; que les laitues, intoxiquées d'acide mystérieux, eussent précédé dans la tombe les courtilières—cela ne signifiait pas que mon père se fût trompé...

Elle lui donna le manteau de spahi, qu'il jeta sur son épaule, et qu'il emporta dans son antre, nommé aussi bibliothèque. Je suivis dans l'escalier son pas rapide d'amputé, ce saut de corbeau qui le hissait de marche en marche. Mais dans la bibliothèque il s'assit, réclama brièvement que je misse à sa portée la règle à calcul, la colle, les grands ciseaux, le compas, les épingles, m'envoya promener et s'enferma au verrou.

— Qu'est-ce qu'il fait? Va voir un peu ce qu'il fait, demandait ma mère.

Mais nous n'en sûmes rien jusqu'au soir. Enfin, le vigoureux appel de mon père retentit jusqu'en bas et nous montâmes.

— Eh bien! dit ma mère en entrant, tu as réussi?
— Regarde!

Triomphant, il lui offrait sur le plat de la main—découpé en dents de loup, feuilleté comme une galette et pas plus grand qu'une rose—tout ce qui restait du manteau de spahi: un ravissant essuie-plumes.

COLETTE, *La Maison de Claudine*, 1928, J. Ferenczi et Fils.

MONKEYS' ACROBATICS

JE viens de voir mon premier singe.

J'ai aussitôt arrêté l'auto, à l'exaspération du capitaine qui m'explique que, des singes, j'en verrai bientôt par milliers.

Mais cela m'est égal. Il n'y a que le premier singe qui compte, et celui-là me ravit : il est chauve, fourré de gris, avec des dents de petite fille et d'étincelants yeux actifs. Il est accroché à une branche, son trapèze, et grimace dans une courte barbe de vieillard.

L'une de ses mains fouille sa bouche ; une troisième pend, balancée ; et de la quatrième, il se gratte.

En nous voyant, il pousse un cri aigu, fait un rétablissement, tombe comme une pierre, et sa queue le rattrape. J'ai envie d'applaudir.

Mais la femelle survient, puis quatre petits. Et la représentation commence.

Le plus gros, sa queue nouée à une branche, coule à pic et, la tête en bas, attend. Le second dégringole sur le premier, le troisième croule sur le second, et enfin le quatrième plonge. La grappe pend et grignote, au hasard des mains libres.

Mais l'acrobate du bas, creusant les reins, se projette en avant, en arrière, en arrière, en avant, et maintenant la grappe bat comme un métronome. Le rythme s'accentue, s'accélère, s'emporte, et les parents, la bouche pleine, jugent.

Le balancé de gauche à droite, de droite à gauche, se précipite si haut, à gauche, si haut, à droite, qu'il va boucler la boucle. Mais soudain, les parents poussent un cri d'approbation, et plus rien : la grappe est escamotée.

Abridged from FRANCIS DE CROISSET, *La Féerie cinghalaise*, 1926, Grasset.

GETTING A SUIT MADE IN CHINA

MON boy s'appelle Jean-Pierre et il est chrétien. Il a une quarantaine d'années. Il est grand, avec un visage osseux, de grosses lunettes sur des petits yeux brillants, des mains soignées et des poignets douteux. Je ne l'entends jamais entrer. Il semble que le seul fait d'avoir un valet chinois huile les portes . . .

Contemplant ce matin-là le ciel où s'amoncelaient des nuages d'un noir électrique, je dis, sceptique, à Jean-Pierre:

— Il ne pleuvra peut-être pas tout de suite, mais cet après-midi, vers trois heures?

Jean-Pierre soupire, lève d'un geste las ses longues mains qui tremblent un peu—des mains de fumeur d'opium—et ne répond pas.

Mais je comprends son silence. Il signifie: « Contente-toi du provisoire. Et pourquoi vouloir connaître à dix heures du matin les ennuis qui ne surviendront qu'à trois heures du soir? . . . »

— Master mettre costume neuf? me demande-t-il.

Je me suis, en effet, fait faire à Pékin deux complets de tussor par un protégé de Jean-Pierre. Les deux costumes me coûtent cent soixante-quinze francs;

— Je mettrais, dis-je, l'un des costumes neufs s'ils étaient là.

— Costumes là, avec tailleur.

Je me retourne: c'est vrai. Souriant, le tailleur en longue robe crème est entré sans que je m'en aperçoive et a disposé sur le lit les costumes, ainsi qu'un vieux complet délabré après trois mois de voyage que je lui avais remis comme modèle et dont le pantalon accuse un trou causé par la brûlure d'une cigarette.

Jean-Pierre qui, à Pékin du moins, me sert d'interprète, avait, sur mon ordre, spécifié que le tailleur copiât exactement ce complet. Comme le veston ne possédait qu'une poche intérieure, j'avais demandé que l'on me fît le plus de poches possible, entendant par là deux poches intérieures, deux poches extérieures et une troisième pour le mouchoir, ce qui faisait cinq poches.

J'essaie le veston. Il est parfait, mais il a huit poches, dont deux poches pour deux mouchoirs, et, à droite et à gauche, une double poche superposée. L'effet est désastreux.

— Pourquoi, dis-je horrifié, ce veston a-t-il huit poches?
— Master commandé plus de poches possible.
— Et pourquoi ce pantalon neuf a-t-il déjà un trou?
— Master commandé copier exactement vieux complet.

Je m'assieds, découragé.

— C'est bien, dis-je, demande la note.

La note marque cent quatre-vingt-cinq francs, ce qui n'est pas cher, surtout pour deux complets et tant de poches, mais ce qui dépasse de dix francs le prix convenu.

Jean-Pierre, indigné, entame une orageuse discussion avec le tailleur. Au bout de cinq minutes, tous deux s'apaisent.

— Master donner cent quatre-vingts francs, tailleur fera nouveau veston avec cinq poches pour cinquante francs de plus.

J'accepte, résigné; le tailleur sort. Jean-Pierre, souriant, me demande:

— Master content?
— Content? Que vais-je faire de deux vestons à huit poches. Je ne peux pas les porter.
— Non, me répond Jean-Pierre, en souriant, mais moi même taille que master, master m'en fera cadeau.

Abridged from FRANCIS DE CROISSET, *Le Dragon blessé*, 1936, Grasset.

TÂN, L'ANTILOPE

MALGRÉ la chaleur, le Toubab chassait. Tout contre une muraille de hautes herbes, il guettait un bruit, un froissement, une sortie prudente ou désordonnée.

Soudain, à un jet de pierre devant lui, le Toubab vit les panaches des herbes s'écarter en ligne droite et arma sa carabine. Si soigneusement graissée qu'elle fût, elle rendit un petit cliquetis de métal. Les herbes s'immobilisèrent. En même temps, un cri s'infiltrait à travers les panaches :

— Houlou ! Houlou ! Houlou !
— Qui est là ? cria le Toubab.
— Ne tire pas, ce n'est que moi . . . N'abîme pas une cartouche . . . J'arrive . . . Attends-moi . . . Je ne peux pas marcher plus vite, la fatigue me tue . . . Mais je porte dans mes bras quelque chose qui te donnera de l'étonnement . . .

La voix n'avait pas fini de parler, que Nagô Konaté apparut aux yeux du Toubab, les bras chargés d'un bébé-antilope : un petit mâle, qui se débattait de toute la force de ses reins et de son cou, avec la peur rageuse que des milliers d'années de brousse avaient mise dans ses pattes, minces et pointues, bien que celles-ci fussent présentement amarrées à quatre avec un chiffon.

Sorti des hautes herbes, Nagô s'arrêta en face du Toubab.
— As-tu passé la nuit en paix, Toubab ? demanda-t-il poliment.
— En paix seulement, Nagô !
— As-tu tiré quelque chose ?
— Je n'ai rien vu qui ait de l'importance, Nagô.
— Peut-être méprises-tu les perdreaux et les lièvres . . .
— Et toi ? Où as-tu pris ce fils d'antilope ?
— Sa mère est couchée là-bas. J'allais approcher ma pirogue pour l'enlever. C'est une « grosse viande ». De loin, je t'ai vu. Je t'apportais son petit, quand je t'ai rencontré . . .

Et il déposa aux pieds du Toubab un jeune animal semblable à un chevreau de deux mois, maigre, au poil touffu, ébouriffé, roux sur le dos, beige sous le ventre, blanc au derrière, avec de grands yeux et un mufle tout noirs, qui s'agita de plus belle et chercha à se relever pour s'enfuir dès qu'il eut touché terre.

Le Toubab se pencha pour le flatter de la main.

— C'est un coba, dit-il. Mais... il a l'oreille percée.

— Un des plombs qui a manqué la mère, dit le chasseur noir. Je te quitte et poursuis mes besoins... Je t'ai donné ce petit d'antilope, possesseur de quatre pieds rapides.

Comme le chasseur noir allait s'éloigner, le Toubab dit:

— Tu porteras chez moi une cuisse de ton gros gibier...

Et il tendit à Nagô trois fois la valeur du morceau.

— Par la vérité toute claire, dit ce dernier, faire un cadeau à ton semblable rafraîchit le cœur! A la paix, Toubab!

— Paix et paix, Nagô!

Quand il eut disparu, le Toubab regarda son petit d'antilope, essaya de le flatter—impossible, il avait encore son caractère de brousse—le chargea sur ses bras, tout contre la courroie de son fusil, et prit le plus court chemin pour rentrer à la maison, assez satisfait d'augmenter sa famille d'un animal farouche et distant, dont un coup de patte ou de corne vous ouvre proprement le ventre ou la cuisse.

Arrivé à la maison, le Toubab délivra les pattes de la bête et la déposa toute frémissante dans le parc clos de bambous tressés. On lui donna le nom de Tân. C'était sonore, d'un appel facile, et cela signifiait quelque part dans le monde: antilope...

Tân passait les journées d'avril, écrasées de chaleur, dans le parc ombreux qui séparait la maison du jardin potager, rôdant sous les ébéniers, dormant à l'ombre des prodigieux bananiers. Il glissait son mufle noir et ses grands yeux par les trous des clôtures, envieux de l'herbe qu'il ne pouvait atteindre, contemplant la maison à étages, ses arcades et son toit de tuiles rouges. Pendant des heures, il suivait ainsi le travail du jardinier qui sarclait des radis, des choux et des salades,—méprisables à son sens—et qui arrosait des tomates convoitées du peuple nègre tout entier.

Tân surveillait aussi les courses du chien, et prenait un intérêt aux allées et venues des gens de toute sorte que le besoin ou le métier amenait chaque matin dans l'escale, ne se doutant pas que ces hommes, qui le considéraient avec douceur (à cause du Toubab) étaient capables d'attendre, du lever au coucher du soleil, une antilope à l'entrée d'un bois et de lui envoyer une charge de pieds de marmite à travers le corps.

A cette époque, son maître s'était emparé de Tân, jour par jour, heure par heure. Il avait commencé à le gratter autour des yeux, sous le ventre, le long des cuisses, sous la mâchoire. Tân, effrayé tout d'abord de ces caresses, s'y était peu à peu habitué, surtout lorsqu'il avait reconnu que la main qui le grattait était aussi la main qui lui donnait de l'herbe et des nourritures savoureuses. A la rébellion du début avait succédé un complet abandon. Avec l'homme blanc, que docilement suivaient les hommes noirs, Tân avait conclu un pacte d'amitié. Au petit jour, il pénétrait dans la chambre de son maître, à l'heure matinale du café, délaissant pour le pain grillé l'herbe qu'entassaient devant lui les serviteurs. Dans la cervelle de la bête, une pensée, celle de son maître, avait peu à peu remplacé la pensée de l'herbe jaillie du sol et les ébats de la harde au creux d'un vallon quand les antilopes croient avoir distancé leurs ennemis. Les regards de ses grands yeux noirs ne caressaient plus le monde, mais enveloppaient le maître, devenu le centre de tout, plus précieux que la teinte des jours, le bienfait des saisons et la saveur de l'eau.

Cet attachement, chaque jour plus obstiné, ce besoin de protection à tout instant manifesté, cette aveugle confiance, lassaient parfois le maître. Alors, celui-ci usait de bourrades pour écarter l'animal trop familier; mais il finissait toujours par se reprocher les coups qu'il donnait, quand les grands yeux sombres continuaient à le regarder à travers les longs cils et que la langue bleutée recommençait à le lécher. L'impatience calmée, Tân s'emparait à nouveau et sans rancune de la véranda blanchie à la chaux, encombrée de tables, de fauteuils et de plantes, broutait le livre de son maître et lui dérobait sa cigarette au bout des doigts ...

Au début d'un hivernage, quand les tornades amènent la fièvre et les moustiques, le maître de Tân rentra en France.

Il prenait quelques mois de congé et laissa la bête à son remplaçant.

L'homme nouveau rudoya Tân et interdit aux serviteurs de perdre des heures à couper de l'herbe pour un animal « bien capable d'aller tout seul la chercher pour son propre compte ».

Plus de pain ni de sucre, plus de biscuits, de tabac ni de caresses : Tân devint triste. Il restait des heures entières au pied d'un arbre, immobile—pensif.

Un matin, des chèvres passaient et il se joignit au troupeau. Les chèvres reculèrent, craignant les jeux robustes d'un faux frère qui les dominait de beaucoup, s'enfuirent dans la plaine qui entoure les abords de la ville et se réfugièrent dans la broussaille, entre les champs et la forêt. Mais Tân les rattrapa et se mit à paître fort paisiblement parmi elles.

Les jeunes garçons, auxquels rien des petits événements n'échappait, se dirent entre eux :

— L'heure est venue où nous allons manger la « viande » du Toubab...

Et ils sortirent en hâte leurs petits arcs et leurs petites flèches, et s'armèrent des vieux fusils à pierre abandonnés par les chasseurs. Et ils partirent. Les chiens roux qui gardent les cases les suivirent, tout heureux d'échapper aux injures familiales et de se divertir hors de leur quartier.

Mais comme ces chiens sans odorat courent après tout ce qu'ils voient, tels des fous furieux ils chargèrent le troupeau de chèvres qui contenait Tân. Celui-ci, en quelques bonds, les lâcha, traversa la broussaille, la brousse, et pénétra dans la forêt qui sépare entre eux les districts habités.

La nuit tomba. Tân ne revint pas.

L'hivernage passa, et Tân ne rentra pas dans la maison des hommes.

Le Toubab revint de France. Il fit appeler Nagô et lui dit :
— *Ils* ont fait partir le petit d'antilope que tu m'avais donné. Fais tout ce que tu pourras pour m'en rapporter un autre.

— Avec l'oreille percée ? dit le chasseur en riant.

— Méfie-toi, Nagô! Toutes les balles n'ont pas la même ruse ni le même esprit.

— Alors ... il avait réjoui ton cœur? ajouta le Noir.

— Apporte-m'en un autre, et tu seras davantage mon ami.

Vers la fin de la saison sèche, comme le moment était venu de préparer les cultures annuelles, des étrangers arrivèrent du Soudan et dirent aux anciens d'un village qu'une dizaine de lieues séparaient de la ville habitée par le Toubab:

— Si nous suivions notre désir, c'est près de vous que nous espérerions nos prochaines récoltes ...

Le lendemain, ces jeunes fous se mirent à considérer l'étendue de la brousse à défricher, le nombre des arbres à couper. Ils palpèrent la paille qui craquait sous leurs doigts, les feuilles des arbres racornies par une longue sécheresse, et dirent simplement:

— Comme le feu nettoierait bien les endroits dont nous avons besoin!

L'un d'eux, fatigué d'avance de manier la hache, alluma les herbes en plusieurs points:

— Il n'y a pas de vent, dit-il. Tout ça va brûler tranquillement pendant que nous nous reposerons.

Au crépitement des tiges, les enfants du village accoururent. Et comme les herbes flambaient avec lenteur, les enfants chantaient: « Le feu! Oh! le feu! » avec la joie des premiers hommes noirs qui virent la fumée jaillir entre deux bois frottés.

Cependant, comme le soleil se refroidissait et que les lumières s'allumaient dans les maisons des hommes, un vent d'Est s'éleva; vent hors de saison, sur lequel on ne comptait plus, qui avait dû s'attarder quelque part derrière les monts du Fouta-Djallon.

La colère du feu s'éveilla.

La flamme sautilla d'une touffe à l'autre, se répandit sur un front qui dépassa vite les hommes et les champs qu'ils désiraient. Et les enfants, qui riaient et dansaient tout à l'heure, se mirent à trépigner et à pleurer lorsque furent détruites les petites cases qu'ils avaient bâties en bordure des champs, à l'imitation de celles de leur père, et qui abritaient le secret de leurs jeux.

Les hommes du village voisin commencèrent à s'effrayer : dans leurs champs se trouvaient encore les herbes desséchées qui avaient succédé aux récoltes. Pour écarter la menace de leurs habitations, ils allumèrent un contre-feu dont la fumée se maria bientôt avec les autres fumées.

Alors, à mesure que le feu s'éloignait des hommes, noircissait la terre et pénétrait dans la broussaille jaunie, de tous les fourrés, des jungles minuscules créées par les roseaux et les arbustes épineux, du sein de la terre et des touffes de bambous, sortirent les petits animaux que rien à l'ordinaire ne décèle à la vue, tant leur prudence est grande et la lumière du jour pénible...

Aussi loin que pouvait porter la vue, la flamme et la fumée devinrent maîtresses de la terre, maîtresses du ciel que le jour abandonnait.

Et devant la flamme et la fumée, sortirent en nombre des espèces de bêtes que des générations humaines avaient perdu leur temps à dénommer : les animaux dont les anciens parlaient avec importance, ceux que les chasseurs avaient rencontrés au cours de leurs randonnées, et d'autres inaccessibles qui faisaient l'objet de leur désir et fréquentaient seulement leurs rêves.

Un à un se mirent ainsi en marche tous les animaux qui font le sujet des fables immortelles que les vieillards enseignent aux enfants. Du sommet des arbres géants qui, par orgueil, protégeaient des tornades leurs frères moins élevés, les oiseaux s'échappaient, aveugles, les plumes ébouriffées. Et tout le peuple de la brousse et de la forêt fuyait à travers ces arbres qui demain se dessécheraient et plus tard deviendraient des squelettes tout blancs au clair de lune.

Le vent d'Est portait maintenant le feu en tous sens. Feu et terre : ces deux éléments s'unissaient avec un éclat impudent. Le feu riait, crépitait, hurlait. La terre gémissait.

Et le feu pénétra dans une autre plaine où s'était réfugiée une harde d'antilopes. En tête, un vieux mâle aux cornes lourdes et cintrées. A la même hauteur, un jeune mâle se tenait à peu de distance, fier des quatre anneaux de ses cornes, droites encore, mais hautement plantées. Son flanc portait la trace de récents combats. Son oreille gauche était percée d'un trou, à moitié chemin de l'extrémité.

Ils prirent le trot, sans inquiétude, encadrant la harde. Derrière eux, le vent apportait la fumée et les flammèches. Mais tout ce qui est antilope sait que ses pattes sont plus rapides que les feux de la terre: il suffit de trouver le bon chemin . . .

A la troupe des antilopes se joignirent les biches essoufflées qui étaient parties au début, des sangliers et aussi un porc-épic.

Autour d'eux, ramassés par l'immense filet, surgissaient encore de derrière les pierres et du creux des arbres, toutes sortes de bêtes et de bestioles rampantes, bondissantes, sautillantes. Le feu rassemblait là des animaux qui d'ordinaire se redoutaient. Et dans leur dos le feu grimpait aux arbres, mangeait les étoiles, recréait dans la nuit un jour sinistre et sanglant.

Et ils allaient, trottant, sautant, galopant, pour échapper au feu.

En avant, l'antilope à l'oreille percée accélérait l'allure et dépassait le vieux mâle en tête de la harde. Au loin, trop loin encore pour les yeux des autres antilopes et des fous qui suivaient, il venait d'apercevoir de minuscules points brillants, que d'un coup il reconnut pour ces petites flammes allumées par les hommes dans leur maison et qui ne brûlent personne. Une force qui s'emparait de sa cervelle obtuse le poussait du côté des petites lumières pâles et immobiles qui avaient marqué leur souvenir dans ses yeux de jeune antilope, vers ces lumières qui avaient éclairé ses premiers sommeils et qu'il voyait maintenant bien distinctes des étoiles. Et les fous de toute taille et de toute force qui fuyaient le feu, haletants, épuisés, le suivaient,—parce qu'une troupe suit toujours celui qui sait où il va et qui le sait fortement.

Il venait en effet de repérer des odeurs de bœufs, des sentiers foulés par les hommes qui coupent les bois et remuent la terre. A mesure qu'il avançait, il se souvenait aussi du nom que lui avait autrefois donné un homme... Tân... Tân... Cette sonorité lui redevenait familière... Tân!... Tân!... Ah! il savait maintenant où il allait, vers qui il allait, il ne craignait plus ce feu qui les pourchassait, lui et ses semblables, ni la cendre qui tombait sur la trace de leurs pas.

Et, loin de la flamme qui tuait et sautait sur de nouvelles proies attachées au sol, attardées dans le sable ou la rocaille, il entraînait les amis et les ennemis, audacieux ou couards, rageurs ou craintifs; sur le chemin dont les bêtes libres s'écartent, Tân conduisait toute la horde de la brousse vers la maison des hommes...

Ce soir-là, le maître de Tân était au Cercle. Il jouait au bridge avec ses amis. En voyant les proportions du feu, l'un d'eux avait dit:

— Ces Noirs sont fous!... Ils vont tout détruire!...

— On verra plus clair dans la brousse, dit un autre joueur...

Vers dix heures, les joueurs levèrent la tête, entendirent meugler, siffler, hurler, bêler, mais ne se rendirent pas très bien compte s'il s'agissait d'un tam-tam de noces, de bœufs volés ou échappés, ou encore de panthères en train d'enlever un troupeau. Seul, le *boy* du Cercle manifesta quelque émotion en marmonnant des prières.

Le lendemain, les cultivateurs qui sortaient de la ville pour préparer leurs champs, trouvèrent aux abords immédiats des faubourgs le sol trituré, les clôtures renversées, les arbustes aplatis comme par le passage d'une cavalerie. Ils rencontrèrent des bergers qui couraient après leurs troupeaux: « Tout s'était détaché dans la nuit, criaient-ils, éparpillé dans le voisinage »...

Nul ne sut au juste ce qui s'était passé. Seul Nagô Konaté, arrivé dans la journée, quand il se présenta dans la cour du Toubab reconnut Tân et son oreille percée. Il resta un moment pensif, se mordit les doigts de dépit, et « regretta, dit-il, un voyage de plaisanterie qui l'avait éloigné d'une chasse au feu sans pareille ».

Les autres Noirs de l'escale ne cherchèrent pas à le contredire ni à comprendre le sens de ses paroles, et préférèrent la bienheureuse paix que donne l'ignorance.

Toutefois, en voyant le Toubab se pencher sur la grande antilope, rude et soumise à la fois, promener la main sur son poil dru, Nagô et quelques familiers détaillèrent leur admiration et leur surprise.

Le Toubab, lui, paraissait impassible, comme si le retour de Tân eût été chose naturelle, attendue. Non point qu'il ne fût grandement troublé lui-même; mais il gardait ses impressions, et s'étonnait en dedans,—afin d'augmenter son prestige.

Et négligemment, il passait un doigt dans le trou de l'oreille de Tân, que l'âge avait agrandi.

Abridged from ANDRÉ DEMAISON, *Le Livre des Bêtes qu'on appelle sauvages*, 1929, Grasset.

« IL FAUT QU'UNE PORTE SOIT OUVERTE OU FERMÉE »

JE suis arrivé sur le quai de la gare comme le dernier train de nuit s'ébranlait et j'ai sauté, au hasard, dans un wagon de seconde classe, d'ailleurs comble. J'étais horriblement fatigué. Le wagon dans lequel j'avais sauté se trouvait être une vieille voiture, avec des portières tout le long, face à chaque compartiment. Je me tenais, faute de place, dans le couloir, et debout. Soudain, passe un employé qui traversait la voiture de bout en bout. Pour lui livrer passage, je me laisse aller, du dos, contre la paroi du wagon. Et je sens la paroi qui cède et s'efface, sous mon poids : c'était une des portières et qui n'était pas verrouillée. Le train roulait alors à toute allure, sous le tunnel de l'Estaque. Il y avait, non loin de moi, dans le couloir, quatre ou cinq personnes qui ont vu la chose et qui ont poussé un hurlement. Que s'est-il passé ? Je crois que j'ai, d'instinct, étendu les bras, comme un homme qui va se noyer, et je me suis trouvé presque suspendu dans le vide, crispant mes ongles sur le chambranle de la portière. Dix mains m'ont agrippé par la peau du ventre. Tout cela n'a duré qu'une seconde. Et, de nouveau, j'étais debout, dans le couloir, debout et vivant. Un monsieur verrouillait la portière. Un autre insistait pour me faire boire un verre de rhum, que j'ai bu . . . Je suis resté, toute la nuit, au bout du couloir, assis près d'une fenêtre ouverte, et j'ai chanté, toute la nuit.

GEORGES DUHAMEL, *La Nuit d'Orage*,
1932, Arthème Fayard.

RETURN FROM A GERMAN PRISON

(*A Jew who has been held as a prisoner by the Germans arrives at the laboratories of a friend, who is a manufacturing chemist in Paris, just before the liberation of the city in 1944.*)

IL était à peu près onze heures quand je me résolus à tenter l'aventure du sommeil. J'étais en pyjama, debout au milieu de ma chambre, qui donne sur le boulevard, et je ruminais quand il me sembla soudain qu'on venait de crier mon nom. La bouche ouverte, l'oreille tendue, j'attendis quelque nouvel et bien invraisemblable appel. Et pourtant, une fois encore, la voix traversa la nuit. C'était une voix très misérable qui criait, mais sourdement. Un cri tout semblable à une lamentation. Un gémissement angoissé, craintif. Cette voix disait mon nom : « Félix ! Êtes-vous là, Félix ? »

Les persiennes en tôle étaient fermées, conformément aux ordonnances ; mais la fenêtre était ouverte, car il faisait très chaud. J'eus alors la certitude que ce faible cri venait de la rue et montait vers moi en suivant la muraille. J'entrouvris doucement les persiennes et j'entendis alors de nouveau la voix, sinon plus forte, du moins plus pressante. « Félix ! Mon cher Félix ! ouvre-moi la porte ! » Je saisis mes clefs. Je venais de reconnaître cette voix et mille pensées, dont certaines étaient illuminantes, bouillonnaient dans mon esprit. Je saisis mes clefs et descendis l'escalier en hâte. Une minute plus tard, Winterberg était assis ou plutôt écroulé sur une chaise, devant moi, dans la faible lueur de ma lampe de chevet.

— Êtes-vous poursuivi ? lui dis-je, car alors, il n'y a pas de temps à perdre et je peux vous faire sortir par la rue Chuquet et le boulevard Berthier.

Winterberg leva vers moi ses yeux et me jeta un regard épouvanté.

— Me faire sortir ! s'écria-t-il. Mais il est plus de onze heures, et où puis-je aller ? Je n'ai plus de maison. Je n'ai plus rien. Je n'ai pas même d'argent sur moi.

— Pourquoi n'avez-vous pas appelé mon frère ?

— Mais, soupira-t-il, sa chambre ne donne pas sur la rue. Vous le savez bien. Je peux aller le voir.

— Il n'est pas là. Il est devenu comme fou, à cause de ces événements. Il couche chez des amis à lui, que je ne connais même pas. Êtes-vous libéré ?

Winterberg secoua la tête :

— Non, non, dit-il. Mais... mais... puis-je manger un petit morceau de pain ? Et boire, surtout, boire un peu d'eau.

Il n'y avait plus à reculer. L'homme était là, chez moi...

— Venez avec moi, dis-je, m'efforçant d'adoucir ma voix. Nous sommes seuls, absolument seuls. La sentinelle allemande est partie depuis ce matin. Le veilleur de nuit, Bernouilly, couche dans le bâtiment du nord et il ne fait jamais de rondes. Moi, j'en fais, et je ne l'ai jamais rencontré. Descendez avec moi.

Je le conduisis dans la cuisine et lui montrai les restes de mon repas.

— Mangez toujours cela, lui dis-je. Nous verrons plus tard.

Il se jeta sur la nourriture. Quand il commença d'être rassasié, ce qui ne fut quand même pas long, il entreprit de me raconter son histoire. C'était une histoire mal narrée, faite de beaucoup d'allusions à des choses et à des gens que je ne connaissais pas. Je finis toujours par comprendre que le magasin-prison où avait vécu Winterberg pendant de longs mois était, depuis quelques jours, en proie à l'effervescence et au désordre. Les Allemands se hâtaient de déménager leur butin. Les camions arrivaient, étaient chargés et partaient sans relâche. Les Allemands emmenaient aussi leurs captifs. Dans la gigantesque baraque, ce n'étaient que cris, sanglots, appels et bousculades. Il ne semblait pas, lui, Winterberg, figurer sur les premières listes. On le tenait au travail. Il avait été employé, deux jours durant, à vider des caves où se trouvaient empilés des tableaux, des caisses, des malles, des objets d'art. La dernière cave d'un couloir ainsi nettoyée, comme il s'apprêtait à soulever le dernier paquet, la lumière du couloir s'était éteinte et il avait entendu qu'un soldat fermait la porte à clef. Il n'avait eu ni la force, ni le courage de proférer le moindre appel. Il était demeuré seul, oublié, abandonné. Qui songerait même à lui dans ce tumulte de déroute ? On le croirait parti avec un des derniers convois. Et il allait mourir là, de soif, de faim, d'épuisement.

Il y était resté deux jours pleins, et deux nuits. Pour finir, il avait, à tâtons, ouvert le dernier colis qu'il n'avait pas eu le temps d'emporter. C'était une machine à coudre portative. Il avait, toujours à tâtons, deviné la présence d'un petit tiroir et trouvé un tournevis. Alors, comprenant, au silence de la bâtisse, qu'une nouvelle nuit commençait, il avait dévissé la serrure qui se trouvait, régulièrement, à l'intérieur du réduit. Il s'était avancé dans le couloir, les mains tendues. Il avait rencontré les marches d'un escalier, monté ces marches et heurté une petite porte qui n'était pas même fermée et qui donnait sur la rue. Comme un fantôme, rasant les maisons, fuyant les lumières qui filtraient de place en place, il avait gagné les boulevards extérieurs et, de là, notre maison. Il avait bien, en route, rencontré des soldats allemands; mais ils semblaient soucieux, pressés, inquiets, à son dire, et il y avait, dans la rue, d'autres pauvres gens mal vêtus. Alors il était arrivé boulevard Pereire, puis il avait appelé . . . Il était là. Il ne pouvait aller ailleurs. De ses autres amis, il ne savait plus rien depuis longtemps. Mais les laboratoires . . . c'était une certitude. Et j'avais ouvert la porte.

Il me regardait avec des yeux qui ne savaient même plus pleurer.

Je l'avais écouté fort attentivement; je commençais, dans le secret de mon esprit, de construire un plan de bataille.

— Je vais vous garder, lui dis-je, et je vais, d'abord, vous cacher. Les Allemands doivent quitter Paris. Ils l'ont en partie quitté dès maintenant. C'est une affaire de quelques jours. Je vais vous cacher, mais non chez moi, où le mouvement du personnel et des visiteurs est trop actif, même en ces jours de folie. Non, je vais vous cacher dans une chambre du sous-sol, derrière les réservoirs à mazout. C'est une cave où jamais personne n'a la moindre raison d'aller, surtout ces jours-ci.

Je crus qu'il allait se mettre à genoux. Il balbutiait des remerciements confus, et j'étais étonné à la pensée qu'un homme aussi malheureux pouvait encore tenir à la vie. Mais, maintenant, j'avais mon plan, et je pensais bien, en définitive, tirer parti de ce périlleux événement.

Je pris la lampe électrique de poche, et je chargeai Winterberg d'un broc plein d'eau. Là-dessus, nous gagnâmes le sous-sol.

C'était tout un voyage. Les couloirs étaient bordés de caisses vides et empilées que l'on gardait dans l'espérance d'un retour à la vie normale, au travail normal. Enfin nous aperçûmes les réservoirs à mazout et je sortis la clef de ma poche.

— Encore une cave! ne pus-je m'empêcher de dire.

Mais Winterberg bégayait de reconnaissance. Pour échapper à ses tourmenteurs, pour être sauvé, il aurait accepté de vivre dans une sentine, avec les cloportes, les serpents et les crapauds. Je lui montrai la vieille pancarte, l'enseigne de la maison, que nous avions descellée, après son départ, et remisée dans ce réduit. Du faisceau de ma lampe, je la lui montrai, posée à plat, parfaitement propre et je lui dis : « Elle vous servira de lit. Je vous apporterai toutes les nuits, de la nourriture. Non, ne me remerciez pas. Attention, pas de lumière et pas de bruit! Bernouilly, le veilleur de nuit, pourrait venir. Il ne fait presque jamais ces rondes qu'il devrait faire. Imaginez seulement qu'il s'en avise, un de ces soirs. Donc, soyez sage! »

J'étais debout et Winterberg, qui, jusque là, s'était fort bien contenu, perdit soudain le contrôle de sa misérable carcasse. Il me prit par les épaules, m'entoura de ses bras maigres et commença de gémir en pleurant. Il disait : « Sarah! Pauvre Sarah! Maurice! François! mes deux enfants! Ma femme! Oh! Oh! Oh! »

— Je sais, dis-je. Nous avons appris tout cela.

— Oui, continua-t-il, maîtrisant mal ses sanglots. Je sais que vous savez. Mais je pense qu'ils auraient pu être sauvés, les miens, aussi. Moi, moi, je ne suis plus bon qu'à souffrir.

— Soyez raisonnable! dis-je. Et tenez les consignes. Je reviendrai la nuit prochaine et je me procurerai de la nourriture en quantité suffisante.

Je refermai la porte à clef.

GEORGES DUHAMEL, *Cri des Profondeurs*,
1951, Mercure de France.

LE VILLAGE

LE village, là-bas, sur le bord du coteau,
　　Sourit dans l'air du soir avec ses maisons blanches,
Et dresse vers les cieux, parmi les hautes branches,
Le clocher d'une église et la tour d'un château.

Transparence du ciel ! Sérénité de l'heure !
Seule un peu de fumée ondule à l'horizon,
Un mince filet gris sort de chaque maison
Comme pour révéler sa vie intérieure.

Et la cloche du soir s'ébranle dans la tour.
Et son tintement monte à travers la fumée.
Et l'ombre à pas de loup descend sous la ramée,
Comme si l'Angélus hâtait la fin du jour.

Que de cœurs ont battu dans cet humble village !
Que de bonheurs cachés que je ne connais pas !
Que de couples muets sont rentrés pas à pas
Par ce même chemin, sous ce même feuillage !

C'est l'heure où les maris, le travail achevé,
Reviennent, et la paix du soir emplit les âmes.
Ils inclinent le front vers le baiser des femmes,
Et chacun est heureux de s'être retrouvé.

Et l'on s'assemble autour de la table servie.
On se couche dans les grands lits silencieux.
On se lève au matin, du sommeil plein les yeux.
Et c'est là du bonheur, et c'est là de la vie.

Et tous, jeunes et vieux, ont leurs jours de douleurs,
Et le village est plein d'histoires arrivées.
Les peines dont je souffre, ils les ont éprouvées,
Et mes émotions sont pareilles aux leurs.

Ils vivent et mourront dans la petite ville
Sans vouloir rien de mieux, sans rêver rien de plus.
Ils se signent très bas quand tinte l'Angélus,
Sentant confusément veiller le ciel tranquille.

Et voici que s'éteint la dernière rumeur,
S'efface la fumée et se taisent les cloches.
On pourrait ignorer que des maisons sont proches
Où l'on vit, où l'on aime, où l'on souffre, où l'on meurt.

Et dans la grande paix que chaque nuit ramène,
Le village, noyé par l'ombre, disparaît,
Et je vais partir seul, plein du vague regret
De rester étranger à tant de vie humaine.

ANDRÉ DUMAS, *Paysages*, 1901, Lemerre.

RENTRÉE DE BARQUES AU CRÉPUSCULE

Il est tard ; la mer monte et l'obscurité fraîche
S'épeure de la voix plus houleuse du vent.
Au bout de la jetée, assis seul et rêvant,
Je regarde rentrer les barques de la pêche.

Sur l'eau calme du port elles filent sans bruit,
Déployant leurs carrés de grosse toile brune.
Elles glissent, oiseaux s'envolant à la brune,
Qui regagnent leur gîte en hâte avant la nuit.

Elles passent, et dans chacune je remarque
Deux silhouettes, l'homme et son gars, déplaçant
Des cordages, pliant les voiles, saisissant
Les rames, pour conduire au fond du port leur barque.

Elles s'égrènent, lent et grave chapelet.
Elles passent et n'ont plus forme et, tache sombre,
Chacune s'annihile et s'absorbe dans l'ombre,
Et dans l'eau se dissout leur fantomal reflet.

Et déjà les voilà très loin, images brèves
Par qui fut le miroir de l'eau du port ridé.
Et je regarde, au bord de mon âme accoudé,
Au fil du souvenir rentrer aussi mes rêves.

André Foulon de Vaulx, *La Statue mutilée*,
1907, Lemerre.

LE PETIT PRINCE MALADE

ON m'a parlé d'un pays où
    Il n'y avait pas de joujoux.
Et pourtant le Roi et la Reine,
Ceux qui régnaient sur ce pays,
Avaient un enfant très gentil
De quatre ans, quatre ou cinq, à peine...
Et ce petit prince n'avait
    Pas de jouet?
    Mais non, vous dis-je!
  Dans le pays nul ne savait,
Prince ou manant, pauvre ni riche,
— Un jouet, un joujou, prodige!...—
Nul ne savait ce que c'était.
Or donc ce Roi et cette Reine
(Que leur cœur, leur cœur eut de peine!...)
Voilà-t-il pas, voilà qu'ils virent
Leur petit garçon dépérir :
D'abord une simple migraine,
Puis l'enfant ne pouvait dormir,
    Parler, courir,
    Ni se nourrir,
Même de confitures de groseille,
  Pourtant une pure merveille,
    Ces confitures!...
Plus aucun appétit, et quelle
Si pauvre petite figure!...
Est-ce qu'il dort? Est-ce qu'il veille?
    Pâle et hâve,
    Yeux creux, joues caves,
Immobile sur l'oreiller,
Que c'était vraiment grand'pitié!...
Et ce qu'il y a de plus triste,
Les plus fameux spécialistes,—
Est-ce le cœur, le foie ou l'estomac?
  Qu'est-ce qu'il a? Qu'est-ce qu'il a?—
Durent donner leur langue au chat.

Enfin, du fin fond du royaume
Un jour vint un vieux médecin;
Médecin, sorcier, c'est tout comme,
     Du moins
    Dans ces temps très anciens:
Son bonnet en forme de cône,
    (Turlututu
     Chapeau pointu!...)
Disait sa science et sa vertu;
Il portait une robe jaune,
Sur son nez de grosses besicles,
    Et, dans la main,
     Comme il convient,
Tenait sa baguette magique...
   — Monsieur, Monsieur, lui dit le Roi,—
    Et la Reine
    Disait de même,—
Ah! Monsieur, pour que je revoie
Je revoie ainsi qu'autrefois,
Mon petit garçon rose et gai,
    Je donnerais
    Tous mes sujets,
    Mes trésors
    Et mes châteaux forts,
Et mes habits chamarrés d'or,
Tout ce qui pousse et ce qui paît dans mes prairies,
   Les chevaux de mes écuries,
   Mes soldats de cavalerie,
     D'infanterie,
     D'artillerie,
  Bref toute ma gendarmerie,
  Pour que mon enfant coure et rie,
  Joyeux comme par le passé,
  Et qu'il recouvre la santé,
  Je donnerais tout, de bon gré,
  Et vous par-dessus le marché!...
  Le sorcier avec sa baguette
    Esquisse un geste

Mystérieux,
Prononce des mots spécieux :
Et c'est d'abord
Le château fort
Qui devient petit, si petit,
Qu'on l'apporte, dans une boîte,
Couvert de papier et d'ouate,
Au petit garçon sur son lit ;
Près du château, voici les fermes,
Avec leurs bœufs et leurs moutons,
Qui prennent
Des proportions
D'une exiguïté extrême ;
Les chevaux font des cavalcades
Sur le lit du petit malade ;
Et maintenant toute l'armée
En des boîtes est enfermée,
La flotte, les chemins de fer,
Voyez, c'est extraordinaire !...
Voyez ces mignonnes
Personnes
Equipées
Comme des poupées,
Toutes de soie et de velours,
C'étaient les dames de la cour ;
Les courtisans, avec leurs jabots de dentelles,
Ne sont plus que polichinelles ;
Et lui-même, le médecin,
D'un coup de baguette suprême,
Lui-même,
Il s'est transformé en pantin !
Alors, sortant du mauvais rêve,
Oubliant la méchante fièvre,
Le petit garçon se soulève,
Il tend les bras, il bat des mains...
— Ah ! dit le Roi,—Ah ! dit la Reine,
Notre royaume aujourd'hui tient
Dans quatre ou cinq boîtes à peine,

A peine la demi-douzaine !
Notre royaume est aujourd'hui
Considérablement réduit,
    Oui . . .

Mais à quoi bon régner sur la terre et sur l'onde ?
Que sert une grandeur à nulle autre seconde ?
    Notre petit garçon sourit,
      Il est guéri :

La santé d'un enfant chéri
Vaut tous les royaumes du monde.

Franc-Nohain, Fables, 1931, Grasset.

LES SKIS DANS L'ESCALIER OU LA DIFFICULTÉ VAINCUE

C'EST à une vente aux enchères,
  Parmi de vieux chiffons, de vieux habits aussi,
    (Les temps sont durs, la vie est chère)
    Qu'un amateur avait acquis,
    Tenté par la modicité du prix,
      Acquis cette paire
      De skis.
    Bien entendu, ajoutez-y
    Des tas d'objets hétéroclites,
    Qui, dans le lot, étaient compris.
  Chromo représentant le Siège de Paris,
  Disques cassés de phonographe, en ébonite . . .
    Mais ce sont les skis surtout, qui
    Avaient notre amateur séduit;
    Il veut les mettre tout de suite . . .
    — Mais quoi! y pouvez-vous songer?
      Pour marcher
      Avec des skis, il faut qu'il ait neigé! . . .
      — Alors, si jamais il ne neige,
  Ces skis, que j'ai payés cependant, qu'en ferai-je?
    Voilà de mauvaises raisons!
  J'entends me servir d'eux, et en toute saison,
  Pour économiser le cuir de mes semelles:
    Qu'il neige ou non, qu'il gèle ou qu'il dégèle,
  Je ne rentrerai pas sans eux à la maison!—
  Ainsi dit, ainsi fait: sur les skis il se juche,
      Trébuche,
    Et ramasse plus d'une bûche,
      Plus qu'à moitié
      Estropié,
    Risque de se rompre la tête,
    Et, chaque fois, se relève, s'entête,
    Tant bien que mal, et plutôt mal que bien,
      Atteint
    Son escalier; mais c'est en vain

Qu'une fois là notre homme tâche
D'en gravir la première marche :
Le ski a près de deux mètres de long,
Et comment le poser d'aplomb
Sur la marche beaucoup moins large ?
L'homme déconcerté se désespère, enrage :
— Au diable les skis !—Mais voici
Qu'un autre locataire, alpiniste averti,
De monter avec eux lui a fait le pari ;
Devant l'autre qui le regarde,
Parallèlement aux marches de l'escalier,
Il a d'abord placé son pied,
Et tourné vers le mur commence l'escalade . . .

Si tu veux triompher d'une difficulté,
Autrement que de front apprends à l'aborder.

FRANC-NOHAIN, *Fables*, 1931, Grasset.

L'ÉCOLIER ET LE MICROSCOPE

DES frais vallons de l'Helvétie,
   Chacun connaît le mets délicieux,
Digne de figurer sur la table des Dieux,
   Que Gruyère nous expédie.
     Un jeune enfant, pour son goûter,
    Pour son « quatre heures », à l'école,
     Mieux que friandises frivoles
    Avait coutume d'emporter,
Par les soins attentifs de sa prudente mère,
    Un petit morceau de gruyère ;
    Gruyère, ici, en bref est mis,
    Ainsi qu'il se comprend du reste,
Non point pour désigner cette contrée alpestre,
   Mais le fromage exquis qu'elle produit.
    Ce jour-là, à ses condisciples,
Le maître de l'enfant, son maître de physique,
    D'un microscope, envoi récent
Du ministère de l'Instruction publique,
Cherchait à expliquer le pouvoir grossissant.
Et comme, en pareil cas, rien ne vaut la pratique.
    Chaque enfant était invité
        A tenter
       Une expérience :
   Notre écolier, sans méfiance,
       A l'examen
      Microscopique
    Soumet le fromage helvétique,
Dont il avait un morceau dans la main ;
   Lorsque soudain, du microscope,
   Il voulut approcher les yeux,
   Il faillit tomber en syncope :
   Eh ! quoi, tous ces monstres hideux
     Qui, sous la lentille,
       Fourmillent,
      Se tortillent
       En mille

>   Culbutes,
>   C'est donc là ce régal choisi,
>   Que lui a ménagé le maternel souci?
>   Merci!...
> On dirait d'un festin préparé par Locuste!
>
> Trop de savoir, parfois, nous gâte des plaisirs
>   Que mieux vaudrait ne pas approfondir.
>   D'une apparence qui le flatte
>   Goûtant l'immédiat attrait
>   De jouir le sage se hâte:
>   N'y regardons pas de trop près.

Franc-Nohain, Fables, 1931, Grasset.

LE NAGEUR ET LES POISSONS

QUELQUES nageurs, une vingtaine,
    Traversaient la Seine
      A la nage,
Et les poissons sur leur passage,—
Dans la Seine il y a, bien plus que n'imaginent
  Communément les pêcheurs à la ligne,
    Des poissons, oui, il y en a,
    Il y en a des tas, des tas.—
    C'étaient précisément ceux-là
    Qui, tout le long, faisant la haie,
      Se moquaient
Des efforts des nageurs à gagner l'autre quai;
    Car il faut qu'on le sache bien,
    Si les poissons ne disent rien,
    Croyez qu'ils n'en pensent pas moins.
Donc, se clignant de l'œil, se poussant des nageoires:
    — Quoi! pensaient-ils, est-ce besoin
      De tant d'histoires,
      Et de témoins,
    Et d'entraînement, et de soins?
La Seine à traverser, est-ce la mer à boire?
    Tous les jours, nous la traversons.—
Ainsi, pleins d'ironie, ont pensé les poissons.
    Mais voici que le Dieu du Fleuve
  A réuni ses humides sujets,
    Et leur propose une autre épreuve:
      — Vous jugez
    Que, pour accomplir ce trajet
    Comme vous, nager est commode?
    Eh bien! à votre tour, tâchez
    Comme les hommes de marcher:
    Poissons, il s'agit de longer
    A pied le pont de la Concorde,
    De le longer de bout en bout,
    Dessus, s'entend, et non dessous,
A pied sec, des humains imitant la méthode.

— A pied?—
Objectent les poissons vaguement inquiets :—
　　A pied ?　Nous n'avons pas de pieds...—
Dans sa barbe (la barbe étant obligatoire
　　Pour les Fleuves toujours barbus)
Notre Fleuve sourit, et leur a répondu :
Vous n'avez pas de pieds ? L'homme a-t-il des nageoires ?
D'en avoir, pour nager, a-t-il donc attendu ?

D'eau de mer ou d'eau douce, ou brochet ou barbue,
　　S'il arrive un jour qu'un poisson
　　Gagne un prix de natation,
　　Evidemment nous ne saurions
　　Y prêter grande attention ;
　　C'est la difficulté vaincue
　　Qui nous émerveille d'abord :
Un homme dans le fleuve, un poisson dans la rue.
　　Et qu'on y voit battre un record,
　　　　Ça, oui, alors,
　　　　Ça, c'est du sport.

　　　　　FRANC-NOHAIN, *Fables*, 1931, Grasset.

LA PIE ET L'ÉPOUVANTAIL

Dans les branches d'un cerisier,
    Un jardinier avait hissé
Un mannequin difforme, énorme,
Coiffé d'un chapeau haute forme.
Il pensait par ce procédé
      Ecarter
Le vol audacieux des moineaux effrontés,
    Et garder de leur gourmandise
        La chair exquise
        De ses cerises :
Car d'un épouvantail le but incontesté
    Est avant tout d'épouvanter.
    Notre jardinier comme amie
    Avait, dès longtemps, une pie,
    Qui l'assistait dans son travail :
    — Ça, dit-elle, un épouvantail ?...
    Permettez-moi que je m'étonne
    D'un détail, un simple détail,
    Mais qui ne peut tromper personne :
    Je veux parler de ce chapeau,
        Car il n'est grive
          Si naïve,
      Il n'est moineau
      Si étourneau,
    Qui voudra trouver vraisemblable
    Qu'un homme grimpe dans un arbre,
    Affublé d'un chapeau semblable !...
Les oiseaux à coup sûr n'ont qu'un petit cerveau,
    Et leur ignorance est profonde
  De la plupart des usages du monde ;
    Tout de même il ne faut pas trop
        Qu'on les méprise,
        Et qu'on leur dise
        Qu'un tel chapeau
          Haut
        Est de mise

Pour aller cueillir des cerises!...
Bref (la pie est bavarde et son discours peu bref),
Voulez-vous que vraiment votre farce soit prise
    Au sérieux, et terrorise?
    Enlevez-moi ce couvre-chef!
    — Vous me faites là, ma commère,
Un étrange et plaisant grief!...
Et comment les oiseaux, vos frères,
Trouveraient extraordinaire
Dans ce jardin mon mannequin
En chapeau de cérémonie,
Lorsqu'on vous voit soir et matin,
Par une étrange fantaisie,
Vous promener à travers champ
En habit noir et plastron blanc,
Qui est l'équipage des pies?...

Le jardinier avait raison,
La pie aussi, comme je pense;
Chacun comprend les convenances,
    Et l'élégance,
    A sa façon.

                  FRANC-NOHAIN, *Fables*, 1931, Grasset.

LES MOULINS

    Tout courant,
      Et soufflant,
        Le Vent
   Passait au long de la Rivière :
   — Qui donc vous presse ainsi, compère ?
Vous me gênez, vous troublez mes roseaux,
Et vous ridez la face de mes eaux.
Le pêcheur effaré craint pour son jonc flexible :
Respectez d'un rêveur le divertissement :
    Vous transformez brutalement
En un sport hasardeux ce passe-temps paisible.
    La barque amarrée à mes bords,
    Et par moi mollement bercée,
    Voit sa carcasse fracassée
    Par votre rage et ses transports ;
    Soufflez, de grâce, un peu moins fort ! . . .
Ainsi, tout en suivant sa route mesurée,
Parlait au compagnon farouche de Borée
    La Rivière au cours nonchalant.
    De violence redoublant :
    — Chacun, ma chère, a ses talents,
Dit l'autre, et c'est un art charmant que la paresse.
    Mais voyez le moulin, là-bas,
    Qui m'appelle et me tend les bras :
    Il faut, vers lui, que je m'empresse,
    Le blé à moudre n'attend pas . . .
Un sourire à ces mots passe et glisse sur l'onde :
    — Le blé ? Il est déjà moulu,
Et nous avons déjà fait pour nos sacs pansus
De la farine blanche avec la moisson blonde ;
    On ne vous a pas attendu.
Ce n'est point pour vouloir contester vos mérites ;
    Lorsque vous êtes bien luné,
    Vit-on jamais moulin tourner
    Mieux que les vôtres, et plus vite ?
Mais vous êtes changeant ; plein de fougue au matin,

Vous flânerez ensuite une journée entière,
Cependant que mon eau va toujours au moulin,
    A petit bruit, tranquille et régulière.
Ainsi nous entassons la farine au grenier,
    Et la femme de mon meunier
(C'est un triste moulin qui serait sans meunière)
    Peut à bon droit se montrer fière
De sa robe de soie et de son beau collier;
Quant au meunier, le meilleur vin rougit sa trogne.

Qui mène grand fracas et s'agite le plus,
    Ne fait pas le plus de besogne,
Et rien ne vaut un effort lent mais continu.

        FRANC-NOHAIN, *Fables*, 1931, Grasset.

LE CHIEN QUI PORTAIT LA CANNE DE SON MAITRE

D'AUCUNS,—j'entends d'aucuns humains,—
    La canne à la main
      Se promènent,
Mais vous comprenez bien qu'un chien,
Fût-il même un chien phénomène,
La canne en main ne peut se promener ;
  Ce chien qui, donc, une canne tenait,
La tenait, en effet, de la façon, la seule,
Dont un chien peut tenir sa canne : dans la gueule.
Cependant d'autres chiens, tant dogues qu'épagneuls,
  Chiens au poil long, chiens au poil ras,
    S'ameutent sur ses pas,
      Ricanent :
— Voyez ce faiseur d'embarras ! . . .
    L'air qu'il vous a
     Avec sa canne ! . . .—
A ces propos désobligeants,
   Le chien diligent
    Veut répondre,
Et, pour ce faire, il desserre les dents :
    Au même instant
    La canne tombe ;
Le maître de la canne (et du chien) s'en saisit,
  Et se tournant vers l'ironique escorte,
   Des chiens, à tour de bras, il frotte
   Avec la canne, sans merci,
     Les côtes . . .
     Mais à qui
     La faute ? . . .
Si par leurs sarcasmes jaloux,
Ils ne l'avaient poussé à bout,
Leur camarade, bonne bête,
Portant docilement la canne de son maître,
  Leur en eût évité les coups . . .

Sachons au moins reconnaître
Les efforts qu'on fait pour nous,
Et soyons moins enclins à nous moquer de tout.

FRANC-NOHAIN, *Fables*, 1931, Grasset.

HITLER'S "FASTNESS" AT BERCHTESGADEN

EN m'invitant, dans la soirée du 17 octobre, à aller le voir le plus tôt possible, le Chancelier Hitler avait mis à ma disposition l'un de ses avions personnels. Je suis donc parti, le lendemain, par la voie des airs, accompagné du Capitaine Stehlin, pour Berchtesgaden. J'y suis arrivé vers trois heures de l'après-midi. De là, une automobile m'a conduit, non pas à la villa de l'Obersalzberg où habite le Führer et où il m'a déjà reçu, mais en un lieu extraordinaire où il aime à passer ses journées, quand le temps est beau.

De loin, ce lieu apparaît comme une sorte d'observatoire ou de petit ermitage, perché à 1,900 mètres d'altitude au sommet d'une arête de rochers. On y accède par une route en lacets d'une quinzaine de kilomètres, hardiment taillée dans la pierre et dont le tracé audacieux fait autant d'honneur au talent de l'ingénieur Todt qu'au labeur acharné des ouvriers qui ont, en trois ans, achevé ce travail gigantesque. La route aboutit à l'entrée d'un long souterrain qui s'enfonce dans le sol et que ferme une lourde et double porte de bronze. A l'extrémité de ce souterrain, un large ascenseur, dont les parois sont revêtues de plaques de cuivre, attend l'étranger. Par un puits vertical de 110 mètres creusé dans le roc, il monte jusqu'au niveau de la demeure du Chancelier. Ici, la surprise atteint à son comble. Le visiteur a devant lui, en effet, une construction trapue et massive, qui comporte une galerie à piliers romans, une immense salle vitrée en rotonde, garnie d'une vaste cheminée où flambent d'énormes bûches et d'une table entourée d'une trentaine de chaises, et plusieurs salons latéraux, meublés avec élégance de confortables fauteuils. De tous côtés, à travers les baies, le regard plonge, comme du haut d'un avion en plein vol, sur un immense panorama de montagnes. Au fond du cirque, il aperçoit Salzbourg et les villages environnants, dominés, à perte de vue, par un horizon de chaînes et de pics, de prairies et de forêts qui s'accrochent aux pentes. A proximité de la maison, qui paraît suspendue dans le vide, se dresse, presque en surplomb, une muraille abrupte de rochers nus. L'ensemble, baigné dans la pénombre d'une fin de journée d'automne, est grandiose, sauvage, presque hallucinant. Le visiteur se demande s'il est éveillé ou s'il rêve. Il voudrait savoir où il se trouve. Est-ce le château de Monsalvat qu'habitaient les chevaliers du Graal, un Mont-Athos abritant les méditations d'un cénobite, le palais d'Antinéa dressé au cœur de l'Atlas ? Est-ce la réalisation d'un de ces dessins fantastiques, dont Victor Hugo ornait les marges du manuscrit des Burgraves, une fantaisie de milliardaire, ou seulement un repaire où des brigands prennent leur repos et accumulent des trésors ? Est-ce l'œuvre d'un esprit normal, ou celle d'un homme tourmenté par la folie des grandeurs, par une hantise de domination et de solitude, ou, simplement, en proie à la peur ?

Un détail attire l'attention, et pour qui cherche à fixer la psychologie d'Adolphe Hitler, il n'a pas moins de prix que les autres : les rampes d'accès, les débouchés des souterrains, les abords de la maison sont organisés militairement et protégés par des nids de mitrailleuses.

A. FRANÇOIS-PONCET in *Documents diplomatiques 1938-1939*, 1939, Imprimerie Nationale.

LA ROULOTTE

CAHOTANT aux pavés, sortant on ne sait d'où,
    La roulotte des gueux vient, entre chien et loup,
Prendre à l'abri des murs sa place au champ de foire.
L'homme détèle sa rosse, la mène boire,
Cependant que, noirauds, effrontés, mal peignés,
Les gosses du chemin vont offrir leurs paniers.
Ils en ont pris l'osier flexible au bord des routes.
Les femmes l'ont tressé près des chèvres qui broutent...
Mais la roulotte a mis la bourgade en émoi.
Devant le mauvais œil le peureux se tient coi.
On brode sur leur dos contes de toutes sortes.
Les bourgeois vont ce soir bien verrouiller leurs portes.

        Auguste-Pierre Garnier, *Les Corneilles sur la Tour*,
            1920, Garnier Frères.

CROSSING THE ATLANTIC SINGLE-HANDED ON A YACHT

(Alain Gerbault crosses the Atlantic single-handed on a small cutter eleven metres in length and drawing six feet.)

J'ACHETAI le *Firecrest* dans un port anglais, et je conduisis mon bateau immédiatement au sud de la France, quittant l'Angleterre au moment où Shackleton partait pour son dernier voyage. Mon bateau supporta fort bien les tempêtes terribles du golfe de Gascogne. Dès lors, je ne pouvais concevoir une tempête capable d'arrêter le *Firecrest*.

Ce fut pour mon plaisir et pour me prouver à moi-même que je pouvais le faire que j'entrepris mon voyage d'Amérique. Pendant plus d'un an, je m'entraînai physiquement, croisant par tous les temps, me préparant à manœuvrer seul les voiles. Ce n'est que lorsque je me sentis prêt et que je fus certain de pouvoir supporter la fatigue morale et physique, que je partis pour la grande aventure.

Enfin le jour du départ arriva. Le joli port de Cannes était inondé de soleil; c'était le printemps. D'un côté la vieille ville et ses deux grandes tours carrées qui dominent le port. De l'autre, l'arrière amarré au quai, cinquante petits yachts aux voiles blanches.

A côté de mon *Firecrest*, se trouve *Perlette*, un petit bateau de sept mètres de long appartenant à deux jeunes filles qui en constituent tout l'équipage. Leur audace est très admirée de tous les pêcheurs et les flâneurs le long du quai s'attardent à les contempler, grimpant pieds nus dans la mâture.

Un peu plus loin, le *Lavengro*, un ketch de 120 tonneaux, se prépare à faire voile pour Gibraltar. C'est également ma première étape. J'ai bien peu de chances de battre un bateau dix fois plus grand que le mien et dont l'équipage compte sept hommes, mais je ne veux pas être battu au départ. Je réussis à lever l'ancre le premier et à prendre le vent toutes voiles dehors.

Voici quelques extraits de mon journal de bord:

26 avril.—Deux heures, le vent hale nord-ouest et je reprends ma route, fuyant devant la tempête ... Je fais à ce moment, la meilleure vitesse de mon passage. Mon loch enregistre 30 milles en trois heures. Le baromètre baisse. Le vent augmente; à 18 heures, il devient dangereux de fuir plus longtemps devant l'orage. Le *Firecrest* va presque à la vitesse des vagues, et quand une vague brise à bord, l'eau reste longtemps sur le pont avant de s'écouler...

27 avril.—Tempête continue, vagues brisent à bord toute la nuit. Baromètre baisse encore...

28 avril.—Quatre heures, reprends ma course; vers midi le vent tombe...

29 avril.—Mer démontée; très fatigué; essaie dans l'après-midi de reprendre ma route, mais dans une mer aussi heurtée, je ne fais qu'un chemin très faible contre le vent...

30 avril.—Fin de la tempête...

Le 1er mai, sixième jour de mon départ de Cannes, je devais, d'après mes observations, me trouver à proximité de la terre. Quoique ce fût loin d'être ma première expérience, j'étais très intéressé. Après quelques jours entre le ciel et l'eau, un atterrissage est toujours passionnant. Il semble miraculeux que la vue de la terre vienne confirmer les calculs et que la terre soit exactement où elle doit se trouver.

Montant au haut de la mâture, j'aperçus vers midi un petit cône, puis plusieurs autres sortir de l'eau exactement où ils devaient apparaître. C'était la terre. Ma navigation était correcte... Là, à quarante milles de distance, était Minorque, la deuxième des îles Baléares...

De nombreux jours de calme suivirent...

Enfin, le 15 mai, je vis, sortant de la brume, un roc monstrueux coupé de lignes géométriques. C'était la face de Gibraltar, qu'on ne peut contempler de la mer sans un sentiment de stupeur, tant le travail de l'homme a modifié la nature...

Pendant les quinze jours que je passai à Gibraltar, je travaillai dur, préparant ma longue traversée. Les autorités britanniques furent fort obligeantes et me donnèrent la permission d'utiliser les ouvriers de l'arsenal.

Enfin, tout fut prêt, j'étais « paré ». Avant d'appareiller, j'envoyai à quelques amis la carte postale suivante:

300 litres d'eau;
40 kilos de bœuf salé;
30 kilos de biscuit de mer;
15 kilos de beurre;
24 pots de confiture;
30 kilos de pommes de terre;

avec une petite flèche pointée vers un but mystérieux et cette vague indication: 4.500 milles.

Je désirais qu'en cas d'insuccès ma tentative demeurât ignorée, et si quelques amis savaient que j'étais parti pour une longue croisière, deux intimes seuls connaissaient mon projet de tenter la traversée de l'Atlantique sans escale.

Ce fut le 6 juin à midi que je levai l'ancre ... Il faisait très beau. Laissant derrière moi le port, et poussé par une brise légère, j'étais étendu sur le pont, rêvant des jours qui allaient venir.

J'avais une confiance absolue dans mon vaillant navire et ma navigation. J'envisageais avec joie mon passage dans les vents alizés où je trouverais un soleil ardent et les poissons volants des mers tropicales. Je jetai mes derniers regards à la terre, au roc de Gibraltar étincelant de soleil ...

Vers le soir, la brise augmenta, et vers 10 heures c'était une véritable tempête ... Puis vint une pluie torrentielle. Etant fatigué par mes préparatifs de départ, je mis à la cape et décidai de prendre une bonne nuit de repos. Le vent soufflait furieux, mais le *Firecrest* se conduisait merveilleusement, la barre attachée, dans les eaux si heurtées du détroit, pendant qu'en bas, dans ma cabine, je dormais confiant dans mon navire ...

J'eus bientôt la satisfaction de rencontrer les vents alizés, qui furent une légère brise d'est le premier jour, et soufflèrent ensuite très frais du nord-est. Depuis le départ, j'attendais avec impatience l'apparition des premiers poissons volants. Aussi, je fus joyeux quand, le 10 juin, un petit poisson éblouissant de lumière sortit de l'eau et vola une centaine de mètres en avant de mon bateau avant de disparaître ...

Voici quelle était la routine de ma vie dans ces premiers jours de vents alizés. Le matin, à 5 heures, je sautais de ma couchette pour cuire mon déjeuner, qui comportait invariablement du porridge, du lard, du biscuit de mer, du beurre salé, du thé et du lait stérilisé.

Je découvris bien vite que j'avais été volé par certains fournisseurs de Gibraltar qui m'avait vendu un baril de bœuf salé dont la partie supérieure contenait d'excellents morceaux, mais dont le reste n'était qu'os et graisse. De même, j'avais commandé une marque connue de thé, et le thé qu'on me livra était un mélange de très pauvre qualité...

Je faisais la cuisine sur un réchaud Primus à pétrole dans le poste d'équipage...

Il était, dans une tempête, souvent très difficile de faire la cuisine. Il y avait loin de la coupe aux lèvres, et le bœuf salé couvrait maintes fois le plancher, et dans un bateau si étroit qu'un gros marin ne pourrait s'y retourner qu'avec peine, il est difficile de se mouvoir sans entrer parfois fort brutalement en contact avec les parois du navire.

A six heures, j'allais sur le pont... Pendant douze heures consécutives, je tenais la barre et, dans les vents alizés, je couvrais de 50 à 90 milles marins par jour. Cette moyenne est excellente pour un yacht de 8 tonneaux...

Quand venait la nuit, j'étais mort de fatigue. Je réduisais la surface de voilure de la grand'voile, mettant mon navire à la cape, attachant la barre. Je préparais mon deuxième repas de la journée, qui consistait habituellement en bœuf salé et en pommes de terre bouillies dans l'eau de mer, dont elles prenaient une délicieuse saveur. L'air marin me donnait un appétit féroce et naturellement, je ne pouvais me plaindre de mon cuisinier.

Enfin, je tombais épuisé dans ma couchette et dormais durement bercé par les vagues.

17 *juin*.—D'après mes observations, je suis à environ six cent vingt milles de Gibraltar et quarante milles au sud-ouest de Madère, que je ne peux apercevoir.

La mer devient calme et le ciel se dégage. J'en profite pour faire sécher mes vêtements et ma literie.

Le lendemain, par une mer d'huile et calme plat, je suis occupé toute la journée à réparer mes voiles. Après quelques jours de fort temps, il y a toujours beaucoup de travail à bord. C'est un cordage à épisser, une manœuvre à changer. Le travail du matelot est beaucoup plus important que celui du navigateur. Sans connaître la navigation, j'aurais pu très bien traverser l'Atlantique. Si j'avais été un marin inexpérimenté, incapable de réparer mes voiles et mes cordages, je n'aurais pu atteindre d'autre port que celui des navires perdus; et toutes mes connaissances astronomiques n'auraient pu me servir à rien.

25 juin.—Légère brise du nord, route W.-S.-W. J'aperçois de nombreuses méduses tricolores que les Anglais appellent *portuguese men of war* ... Je suis maintenant à dix-neuf jours de Gibraltar et j'ai couvert plus du quart de la distance vers New York ...

Le 4 juillet fut fort mouvementé. Montant sur le pont à 2 heures du matin pour parer à un très fort grain du Sud-Ouest, je découvris sur le pont deux poissons volants mesurant une dizaine de centimètres de long. Peu après ils sautaient dans ma poêle à frire et je pouvais apprécier leur délicate saveur ...

Dans l'après-midi du 5 juillet, la tempête devint moins forte ... Le lendemain, je retrouvai enfin les vents alizés.

De nombreuses algues flottaient tout autour de mon navire, ce qui ne me surprit pas, car mes cartes m'apprenaient que je venais d'entrer dans la mer des Sargasses. J'aperçus aussi un morceau de bois rongé par les vers et incrusté de coquillages, peut-être l'épave d'un naufrage au milieu de l'Atlantique.

Je suis heureux, le ciel est de nouveau clair, j'ai retrouvé les vents alizés et me vois déjà près de la côte d'Amérique, quand je fais soudain une découverte alarmante. La plus grande partie de ma réserve d'eau douce est devenue imbuvable.

A mon départ de Gibraltar, j'emportais trois cents litres d'eau douce contenus dans deux réservoirs en fer galvanisé et trois barils de chêne. Ayant épuisé l'eau de mes réservoirs en fer, je découvris que l'eau de deux barils de chêne avait pris une teinte rouge sombre, était devenue saumâtre et, même bouillie et filtrée, absolument imbuvable. Ces deux barils étaient construits en bois trop neuf et l'acide tannique du chêne avait complètement corrompu l'eau.

Il me restait environ 50 litres d'eau et j'étais à 2.500 milles de New-York. Si j'avais fait cette découverte trois jours plus tôt, il pleuvait à torrents et j'aurais pu laver et remplir mes barils avec de l'eau de pluie. J'étais maintenant presque sous les tropiques et pouvais fort bien rester plus d'un mois sans pluie.

J'estimai le nombre maximum de jours que pouvait durer ma traversée et décidai de ne boire dorénavant qu'un verre d'eau par jour et de faire toute la cuisine possible à l'eau de mer.

Je possède bien un petit appareil à distiller, mais mon combustible m'est nécessaire pour cuire mes repas. Le soleil, à midi, est presque au zénith et ses rayons me brûlent. Tout est maintenant sec à bord, ma gorge me fait très mal et j'ai constamment soif.

Je scrute anxieusement l'horizon, cherchant des nuages de pluie, mais le ciel est clair et le baromètre très haut. Ne pleuvra-t-il jamais ?

Quelques albatros suivent mon navire et les vers du fameux poème de Coleridge hantent ma mémoire :

De l'eau, de l'eau tout autour
Et rien, rien à boire.

Le 7 juillet, je me rasai, sans eau ni savon, et me coupai les cheveux ...

Les sargasses sont de plus en plus nombreuses et s'enroulent autour de mon loch. Les poissons volants ont complètement disparu. Il fait chaud, trop chaud ; ma soif augmente ; j'ai la fièvre et ma gorge est très enflée. Du baril de bœuf salé monte une odeur insupportable. Vais-je aussi manquer de viande ?

Ce fut seulement plus de trois semaines après la découverte de ma perte d'eau potable que je pus attraper un tout petit peu d'eau dans mes voiles. Dans la nuit du 17 juillet, une petite pluie tomba, et je pus recueillir environ un litre d'eau. Je pris un bain sous la pluie dont je goûtai fort la fraîcheur...

Le jour suivant, ma gorge enfla si fort que je ne pus rien avaler qu'un peu d'eau et de lait condensé. Pendant quatre jours, ce mal continua. Le 26 juillet, j'étais si faible et fiévreux que j'amenai tout, sauf les voiles d'avant, et me couchai dans la cabine, laissant le *Firecrest* prendre soin de lui-même...

Le matin du 29 juillet, j'étais un peu mieux, mais extrêmement faible après quatre jours de diète. Le maniement de mes voiles me prenaient quatre fois plus de temps que de coutume en raison de ma faiblesse. Je fis route droit vers l'ouest ce jour-là et la nuit je pus trouver un sommeil réparateur, car le vent était tombé, la mer calme...

Enfin, vint la pluie. Je n'ai pas de mots pour dire ma joie à l'approche de l'orage.

Des nuages sombres se rassemblèrent vers l'Occident, la nuit du 4 août. Dans la pénombre, ils se levaient majestueusement au-dessus de la mer comme d'immenses montagnes noires, semblant vouloir écraser mon petit navire dans un affreux désastre.

Mais je pouvais rire en face d'eux, car je connaissais la robustesse de mon vaillant *Firecrest*. Qu'importe la tempête, si je peux avoir de l'eau!... Des éclairs zigzaguaient parmi les amas de nuages et éclairaient par moments l'océan d'une lumière sinistre.

J'étais assis sur le pont, admirant le déploiement de ces forces naturelles. Aussi impressionnant que cela pût être pour un marin, je n'avais aucune crainte de ce qui allait venir. Après les longs jours torrides et sans vent, j'envisageais avec joie le changement qui se préparait.

Le grand rideau de nuages arrivait en roulant de l'Occident, éteignant les étoiles les unes après les autres, comme pour cacher une tragédie qui allait se jouer dans cette petite partie du monde et dont le *Firecrest* et moi attendions le dénouement. Il n'y avait rien à faire que réduire ma voilure et me préparer à attraper la pluie qui devait tomber. Bientôt j'entendis le bruit des gouttes précipitées sur le pont et je me souvins du vieux proverbe de marin qui recommande de se méfier quand la pluie arrive avant le vent; mais le *Firecrest* était prêt à tout. L'orage arriva comme un tourbillon et coucha presque entièrement mon navire; mais, quand le premier coup de vent passa, je fus capable, en utilisant ma grand'voile comme une sorte de poche, de recueillir l'eau de pluie que je laissai s'écouler dans un baril au pied du mât. Les grains continuèrent toute la nuit. Je parvins à recueillir plus de 50 litres. C'était plus important pour moi que la pêche. Je me sentais maintenant assuré de ne jamais manquer de nourriture ni d'eau, car le ciel et la mer m'apportaient l'un et l'autre...

Le 8 août, le vent et la mer augmentent, mais à midi j'avais couvert 66 milles dans les dernières vingt-quatre heures, ce qui n'était pas mal...

Deux mois s'étaient écoulés depuis que j'avais quitté Gibraltar, le 6 juin. Jusque là mon voyage s'était déroulé comme je l'avais prévu, chaque jour quelque chose de nouveau arrivait et la vie n'était jamais monotone. Les privations que j'endurais n'étaient que celles qu'un ancien marin considérait comme faisant partie de la journée de travail dans la vieille marine à voile.

J'avais trouvé que je pouvais bien manier mon navire. Nous étions bons compagnons. Il faisait sa part du travail et moi la mienne. Je me sentais de plus en plus attaché à lui et admirais sa vaillance.

A vrai dire, 1.500 milles me séparaient encore du port de New-York, mais j'avais suffisamment de nourriture et d'eau.

Je ne savais pas quel temps j'allais rencontrer vers la côte nord d'Amérique, mais je gardais pleine confiance quoi qu'il pût arriver. Les tempêtes et l'ouragan qui attendaient la venue de mon petit cotre et de ses vieilles voiles allaient pourtant dépasser en violence tout ce que j'avais pu prévoir...

Le 9 août (soixante-quatre jours de Gibraltar) trouva le *Firecrest* à environ 500 milles Est des îles Bermudes et, approximativement, 1.200 milles de New-York, mon port de destination. Si je devais en croire mon expérience, il me faudrait environ un mois pour terminer mon voyage. Mais je savais que le passé n'était pas une indication certaine pour l'avenir.

Je pressentais que de fortes tempêtes d'Ouest se trouvaient entre ma position présente et la côte américaine, prévision qui fut pleinement justifiée par la suite.

En fait, j'eus, dès ce jour, une indication de ce qui allait arriver.

Il y avait eu des orages et une forte mer toute la nuit . . . L'après-midi, le vent avait atteint la force d'une tempête.

Les vagues étaient hautes et déferlaient à bord. Le pont était constamment sous l'eau, le cotre étroit se couchait sous la force du vent et plongeait dans la mer, ensevelissant le pont.

Celui-ci avait l'inclinaison du toit d'une maison, et je devais faire très attention pour me déplacer. Une glissade, et j'aurais été par-dessus bord, tandis que mon navire, sans maître désormais, s'en serait allé au loin, me laissant pour nourriture aux requins . . .

Si, dans un moment d'inattention, je posais une tasse ou un plat, il roulait immédiatement par terre du côté opposé. Mon réchaud avait aussi la mauvaise habitude de renverser de l'eau bouillante sur mes jambes et mes pieds nus; je devais garder une attention constante pendant que mon navire roulait dans les vagues . . .

La tempête continua toute la nuit. J'avais changé de bord, me dirigeant vers le nord-nord-ouest, et, après avoir établi les voiles de manière que le *Firecrest* conservât sa route, je dormis dans une couchette qui semblait vouloir se sauver sous moi.

J'étais debout à 4 heures, le lendemain matin . . .

Il faisait un sale temps, vraiment . . . Les vagues étaient si hautes qu'il était difficile de prendre une observation; quand, par brefs moments, l'écran de nuages s'entr'ouvrait pour laisser apparaître le soleil, je devais attendre d'être au sommet d'une vague avant d'apercevoir l'horizon . . .

Le lendemain, la tempête diminua, mais la mer était toujours très forte; pendant environ vingt-quatre heures, le temps fut plus calme, et j'en profitai pour réparer toutes mes voiles.

Le lundi 13 août, mes observations me montrèrent que j'avais couvert 45 milles en vingt-quatre heures. Je ne pouvais faire beaucoup de chemin ouest contre ces tempêtes qui me transportaient au nord des Bermudes ; je ne pouvais désormais que couper le courant du Gulf-Stream trop à l'est.

L'après-midi de ce lundi, le *Firecrest* tanguait violemment dans un nouveau vent de tempête et une mer démontée...

Des mers furieuses se brisaient à bord toute la nuit ; le lendemain matin tout était mouillé dans le poste d'équipage. A 4 heures du matin je trouvai le *Firecrest* qui plongeait dans une forte mer et essayait de battre son chemin contre une tempête d'ouest...

Le 18 août, la tempête revint très forte. Ma pompe était hors d'usage ; les vagues étaient très fortes et très hautes et, à la nuit, j'étais froid-mouillé et exténué de fatigue ; je pris de la quinine pour prévenir les refroidissements. Après avoir été à court d'eau pendant un mois, j'en avais tant maintenant que je ne pouvais plus la garder hors de mon navire ; il était impossible d'empêcher la forte pluie et l'écume de mer de trouver un passage à travers les toiles qui fermaient la soute aux voiles.

L'eau était maintenant au niveau du plancher dans la cabine, et, quand le *Firecrest* s'inclinait sur un bord, elle sautait dans les tiroirs et les couchettes, mouillant et gâtant tout.

Au dehors, maintenant, soufflait un véritable ouragan. Le ciel était entièrement obscurci de nuages noirs si bas et si épais que le jour semblait être la nuit. J'eus à rouler ma grand'voile jusqu'à ce que rien ne se montrât que la corne et fort peu de toile. La pluie tombait à torrents, lancinante, poussée par la force de l'orage et m'aveuglant presque ; je pouvais à peine ouvrir mes yeux et, quand je le faisais, je voyais à peine d'une extrémité à l'autre du navire...

Dès le matin du 20 août, je compris que ce jour allait voir le point culminant de toutes les tempêtes que j'avais rencontrées. Le *Firecrest* fut, en effet, tout près d'aborder au port des navires perdus. Aussi loin que l'œil pouvait voir, il n'y avait rien qu'un furieux tourbillon d'eau que surplombait une armée de nuages noirs comme de l'encre, poussés par la tempête . . .

Tout d'un coup, un désastre sembla m'engloutir; il était juste midi. Soudain, je vis arriver de l'horizon une vague énorme, dont la crête blanche et rugissante semblait si haute qu'elle dépassait toutes les autres. Je pouvais à peine en croire mes yeux. C'était une chose de beauté aussi bien que d'épouvante. Elle arrivait sur moi avec un roulement de tonnerre.

Sachant que, si je restais sur le pont, j'y trouverais une mort certaine, car je ne pouvais pas ne pas être balayé par-dessus bord, j'eus juste le temps de monter dans le gréement et j'étais environ à mi-hauteur du mât quand la vague déferla, furieuse, sur le *Firecrest* qui disparut sous des tonnes d'eau et un tourbillon d'écume. Le navire hésita et s'inclina sous le choc et je me demandai s'il allait pouvoir revenir à la surface.

Lentement il sortit de l'écume et l'énorme vague passa. Je glissai du mât pour découvrir que la vague avait emporté la partie extérieure du beaupré . . .

La tempête dura encore quatre jours et, le 22 août, je lis dans mon livre de bord:

« Trois heures, grain; cinq heures, le vent augmente, vagues déferlent à bord; huit heures, la mer augmente; dix heures, fort coup de vent et pluie; midi, mer très agitée. Trois heures, fort coup de vent; quatre heures, vent de tempête, mer démontée; navire se conduit admirablement . . . Sept heures, ouragan. Le vent hurle et siffle furieusement. Suis obligé de me mettre à la cape. Ciel très sombre et menaçant vers l'ouest . . . La mer est plus chaude maintenant et je dois être dans le Gulf-Stream.»

Quand je me remémore tous ces événements, je pense que si une seconde vague semblable à celle du 20 août s'était abattue sur le *Firecrest*, il aurait pu être laissé comme une épave à des centaines de milles de la route des paquebots . . .

Mais l'énorme vague fut, en réalité, comme disent les marins, une vague de beau temps. Elle marquait le point culminant de la tempête et annonçait l'approche d'un temps plus favorable . . .

Le 28 août, j'aperçus pour la première fois, un bateau passant vers l'ouest avec toutes ses lumières. Après plusieurs mois de solitude, c'était une sensation étrange de trouver d'autres navires sur la mer. Je ne me sentais plus maître sur l'océan, et je considérais ce paquebot avec un sentiment un peu triste.

J'étais réellement dans la route des vapeurs, car le matin suivant j'en aperçus un autre. Je hissai les couleurs nationales, fier de montrer aux étrangers qu'il y avait encore des marins en France. Le *Firecrest* avait accompli un vaillant voyage ; j'en désirais partager les honneurs, avec mon pays. Quand le vapeur fut suffisamment près, je fis des signaux avec les bras. Voici le message que j'envoyai :

« Yacht *Firecrest*, 84 jours de Gibraltar. »

Il était très difficile de signaler, car la houle était forte et je devais me tenir dans le gréement avec les jambes et les pieds pendant que j'agitais mes bras. Le vapeur ne sembla pas comprendre mon message, mais ralentit ses machines et se rapprocha.

De la passerelle de commandement, le capitaine se servant d'un mégaphone me demanda en mauvais français et anglais ce que je désirais ; je n'avais pas de porte-voix, mais je lui criai que je ne voulais pas l'arrêter et lui demandais seulement de me signaler à New-York ; j'ajoutai que j'étais parti pour une promenade à la voile, que j'étais parfaitement heureux et que je n'avais besoin de rien. Mais comme un millier d'émigrants parlaient tous à la fois, je ne pouvais me faire comprendre.

Les passagers semblaient très excités et surpris de voir un petit navire et son solitaire équipage, et ils parlaient avec bruit, tous ensemble. Quand je me souviens maintenant que je ne portais presque aucun vêtement et étais entièrement bruni par le soleil, je comprends leur étonnement.

En vain, j'essayai de leur signaler de poursuivre leur route, que je n'avais pas besoin d'eux, mais le vapeur s'approcha dangereusement près et stoppa ses machines. Sa grande coque m'abritait du vent, je ne pouvais plus avancer et nous dérivions ensemble. La houle poussait le *Firecrest* contre les flancs d'acier du vapeur.

Le *Firecrest* était maintenant en plus grand danger d'avoir des avaries que dans aucune des tempêtes qu'il avait rencontrées. Ils me jetèrent un câble et je l'amarrai au mât. Je leur demandai de me tirer un peu en avant pour sortir de leur dangereux voisinage, mais fus très étonné de voir qu'ils avaient remis leurs machines en marche et essayaient de remorquer le *Firecrest*. En vain je leur criai que je ne désirais pas d'aide pour atteindre New-York. Finalement, je fus obligé de couper l'amarre avec un couteau. Mais maintenant, avec l'élan, mon gouvernail put avoir de l'action, et je parvins à m'écarter du vapeur.

Je croyais être tranquille, mais je découvris qu'ils mettaient une embarcation à la mer; je mis mon navire en panne et attendis. Deux jeunes officiers grecs, couverts d'or comme des généraux sud-américains, s'approchèrent; ils étaient très effrayés de monter à bord avec la houle assez forte, mais, finalement, prirent leur élan et roulèrent à mes pieds.

L'un d'eux me demanda pourquoi je ne gouvernais pas quand le *Firecrest* était contre le vapeur et me dit qu'un capitaine devait toujours rester à la barre. Je lui répondis que s'il était un réel marin au lieu d'un mécanicien à bord d'un train sur l'eau, il saurait qu'un bateau à voiles ne peut gouverner sans vent dans les voiles, et que je n'avais pas traversé seul l'Atlantique pour recevoir des leçons sur la manière de conduire mon bateau.

Je leur dis ensuite que je n'avais pas voulu les arrêter mais seulement leur demander de transmettre un message à New-York, et je leur traçai mon nom et le nom de mon navire sur un morceau de papier.

L'un d'eux me dit qu'il avait apporté de l'eau et des vivres et me demanda si j'en avais besoin. Je leur répondis que j'avais suffisamment de vivres, mais que néanmoins j'acceptais ce qu'ils avaient eu l'amabilité de m'apporter ...

Comme mes visiteurs regagnaient leur bord, je découvris que les vivres qu'ils m'avaient apportés ne pouvaient m'être d'aucune utilité. C'étaient trois bouteilles de cognac et des boîtes de conserves que je n'aime pas.

Quelques instants après le vapeur s'éloignait, tous ses

émigrants acclamant le *Firecrest*. Je répondis en saluant de mon pavillon.

Ce fut le matin du 10 septembre que je découvris l'Amérique et l'île de Nantucket ; la première terre aperçue depuis la côte africaine, quatre-vingt-douze jours auparavant. Contrairement à ce que tout le monde pourrait croire, je me sentis un peu triste. Je comprenais que cela annonçait la fin de ma croisière, que tous les jours heureux que j'avais vécus sur l'océan seraient bientôt terminés et que je serais obligé de rester à terre pendant quelques mois. Je n'allais plus être maître à bord de mon petit navire, mais parmi les humains, prisonnier de la civilisation.

J'avais décidé de m'approcher de New-York par le détroit de Long-Island, car je ne voulais pas passer à travers la rivière d'Est. Pour la première fois depuis trois semaines, je trouvai une forte brise près des îles Block, le 12 septembre, et, le soir, j'étais entré dans le détroit, quittant l'océan avec regret.

Il y avait de nombreux vapeurs maintenant. Les bateaux de passagers avec leur pont très élevé étincelant de lumière passaient toute la nuit. Pour un solitaire voyageur, ces vapeurs possèdent une grande fascination.

Il était impossible pour moi, maintenant, de quitter la barre comme au large ; j'étais trop près de terre et je devais suivre le chenal entre les bouées pour ne pas échouer le *Firecrest*.

Tout près du but, j'avais maintenant peur de ne pas réussir.

Pendant deux jours, je fis voile le long de l'île Longue, admirant les magnifiques maisons de campagne et leurs pelouses vertes.

Le détroit se rétrécissait : j'étais maintenant à l'embouchure d'East River ; A 2 heures, le matin du 15 septembre, je jetai l'ancre devant le fort Totten ; je n'avais pas quitté la barre ni dormi depuis soixante-douze heures La croisière du *Firecrest* était terminée : cent un jours auparavant j'avais quitté le port de Gibraltar.

J'avais accompli ce que je voulais accomplir.

Abridged from ALAIN GERBAULT, *Seul, à travers l'Atlantique*, 1924, Grasset.

TWO LITTLE CHILDREN SAVED FROM FIRE

LAFCADIO connaissait ce quartier et l'aimait. Comme il tournait la rue de Babylone il vit des gens courir : près de l'impasse Oudinot un attroupement se formait devant une maison à deux étages d'où sortait une assez maussade fumée.

Pénétrant, traversant cette tourbe comme une anguille, Lafcadio parvint au premier rang. Là sanglotait une pauvresse agenouillée.

— Mes enfants ! mes petits enfants ! disait-elle.

Une jeune fille la soutenait, dont la mise simplement élégante dénonçait qu'elle n'était point sa parente ; très pâle, et si belle qu'aussitôt attiré par elle Lafcadio l'interrogea.

— Non, Monsieur, je ne la connais pas. Tout ce que j'ai compris, c'est que ses deux petits enfants sont dans cette chambre au second, où bientôt vont atteindre les flammes ; elles ont conquis l'escalier ; on a prévenu les pompiers, mais, le temps qu'ils viennent, la fumée aura étouffé ces petits . . . Dites, Monsieur, ne serait-il pourtant pas possible d'atteindre au balcon par ce mur, et, voyez, en s'aidant de ce mince tuyau de descente ? C'est un chemin qu'ont déjà pris une fois des voleurs, disent ceux-ci ; mais ce que d'autres ont fait pour voler, aucun ici, pour sauver des enfants, n'ose le faire.

Lafcadio n'en écouta pas plus long. Posant sa canne et son chapeau aux pieds de la jeune fille, il s'élança. Pour agripper le sommet du mur il n'eut recours à l'aide de personne ; une traction le rétablit ; à présent, tout debout, il avançait sur cette crête, évitant les tessons qui la hérissaient par endroits.

Mais l'ébahissement de la foule redoubla lorsque, saisissant le conduit vertical, on le vit s'élever à la force des bras, prenant à peine appui, de-ci de-là, du bout des pieds aux pitons de support. Le voici qui touche au balcon, dont il empoigne d'une main la grille ; la foule admire et ne tremble plus, car vraiment son aisance est parfaite. D'un coup d'épaule, il fait voler en éclats les carreaux ; il disparaît dans la pièce . . . Moment d'attente et d'angoisse indicible . . . Puis on le voit reparaître, tenant un marmot pleurant dans ses bras. D'un drap de lit qu'il a déchiré et dont il a noué bout à bout les deux lés, il a fait une sorte de corde; il attache l'enfant, le descend jusqu'aux bras de sa mère éperdue. Le second a le même sort.

Quand Lafcadio descendit à son tour, la foule l'acclamait comme un héros.

André Gide, *Les Caves du Vatican*, 1922,
(Copyright by Gallimard, Paris.)

A MUSIC-MASTER FINDS IT HARD TO RISE

CES leçons prirent fin brusquement sur une scène affreuse. Voici ce qui la motiva : Schifmaker était corpulent, je l'ai dit. Ma mère, craignant pour les petites chaises du salon, avait été chercher dans l'antichambre un robuste siège, hideux, recouvert de molesquine et qui jurait étrangement avec le mobilier du salon. Elle mit ledit siège à côté du piano, et écarta les autres, « pour qu'il comprît bien où il devait s'asseoir », disait-elle. La première leçon tout alla bien, la chaise tenait bon et résistait à l'oppression et à l'agitation de ce gros corps. Mais la fois suivante il se passa quelque chose d'épouvantable : la molesquine, amollie sans doute à la leçon précédente, commença de lui coller aux chausses. On ne s'en aperçut, hélas ! qu'à la fin de la séance, au moment qu'il voulut se lever. Vains efforts ! Il tenait à la chaise, et la chaise tenait à lui. Son mince pantalon (nous étions en été), si l'étoffe en était un peu mûre, le fond allait y rester ; il y eut quelques secondes d'angoisse . . . Et puis, non ! sur un nouvel effort, ce fut la molesquine qui céda, doucement, doucement, comme par conciliation. Je maintenais la chaise, encore trop consterné pour oser rire ; lui, tirait de l'avant, disait :

— Mon Dieu ! Mon Dieu ! qu'est-ce que c'est encore que cette invention d'enfer ?—et tâchait, par-dessus son épaule, de surveiller le décollement, ce qui rendait sa face plus rouge encore.

Tout se passa sans déchirure, heureusement, et sans dommage, que[1] pour la molesquine dont il emportait avec lui tout l'apprêt, laissant sur le siège, imprimée, l'effigie de son volumineux derrière.

Le plus curieux, c'est qu'il ne se fâcha qu'à la leçon suivante. Je ne sais ce qui lui prit ce jour-là, mais, après la leçon, comme je le raccompagnais dans l'antichambre, subitement il éclata en invectives d'une violence extrême, déclara qu'il ne supporterait pas plus longtemps qu'on se fichât de lui et qu'il ne remettrait plus les pieds dans la maison.

Effectivement il ne reparut plus.

ANDRÉ GIDE, *Si le grain ne meurt*, 1929
(Copyright by Gallimard, Paris).

[1] Except.

HOSPITALITY IS OFFERED A BENIGHTED TRAVELLER

J'ÉTAIS parti d'Uzès au matin, répondant à l'invitation de Guillaume Granier, mon cousin, pasteur aux environs d'Anduze. Je passai près de lui la journée. Avant de me laisser partir, il me sermonna, pria avec moi, pour moi, me bénit, ou du moins pria Dieu de me bénir ... mais ce n'est point pourquoi j'ai commencé ce récit.—Le train devait me ramener à Uzès pour dîner; mais je lisais *le Cousin Pons*. C'est peut-être, de tant de chefs-d'œuvres de Balzac, celui que je préfère; c'est en tout cas celui que j'ai le plus souvent relu. Or, ce jour-là, je le découvrais. J'étais dans le ravissement, dans l'extase, ivre, perdu ...

La tombée de la nuit interrompit enfin ma lecture. Je pestai contre le wagon qui n'était pas éclairée; puis m'avisai qu'il était en panne; les employés, qui le croyaient vide, l'avaient remisé sur une voie de garage.

— Vous ne saviez donc pas qu'il fallait changer? dirent-ils. On a pourtant assez appelé! Mais vous dormiez sans doute. Vous n'avez qu'à recommencer, car il ne part plus de train d'ici demain.

Passer la nuit dans cet obscur wagon n'avait rien d'enchanteur; et puis je n'avais pas dîné. La gare était loin du village et l'auberge m'attirait moins que l'aventure; d'ailleurs je n'avais sur moi que quelques sous. Je partis sur la route, au hasard, et me décidai à frapper à la porte d'un *mas* assez grand, d'aspect propre et accueillant. Une femme m'ouvrit, à qui je racontai que je m'étais perdu, que d'être sans argent ne m'empêchait pas d'avoir faim et que peut-être on serait assez bon pour me donner à manger et à boire; après quoi je regagnerais mon wagon remisé, où je patienterais jusqu'au lendemain.

Cette femme qui m'avait ouvert ajouta vite un couvert à la table déjà servie. Son mari n'était pas là; son vieux père, assis au coin du feu, car la pièce servait également de cuisine, était resté penché vers l'âtre sans rien dire, et son silence, qui me paraissait réprobateur, me gênait. Soudain je remarquai sur une sorte d'étagère une grosse Bible, et, comprenant que je me trouvais chez des protestants, je leur nommai celui que je venais d'aller voir. Le vieux se redressa tout aussitôt; il connaissait mon cousin le pasteur; même il se souvenait fort bien de mon grand-père. La manière dont il m'en parla me fit comprendre quelle abnégation, quelle bonté pouvait habiter la plus rude enveloppe, aussi bien chez mon grand-père que chez ce paysan lui-même, à qui j'imaginais que mon grand-père avait dû ressembler, d'aspect extrêmement robuste, à la voix sans douceur, mais vibrante, au regard sans caresse, mais droit.

Cependant les enfants rentraient du travail, une grande fille et trois fils; plus fins, plus délicats que l'aïeul; beaux, mais déjà graves et même un peu froncés. La mère posa la soupe fumante sur la table, et, comme à ce moment je parlais, d'un geste discret elle arrêta ma phrase, et le vieux dit le bénédicité.

Ce fut pendant le repas qu'il me parla de mon grand-père; son langage était à la fois imagé et précis; je regrette de n'avoir pas noté de ses phrases. Quoi! ce n'est là, me redisais-je, qu'une famille de paysans! quelle élégance, quelle vivacité, quelle noblesse, auprès de nos épais cultivateurs de Normandie! Le souper fini, je fis mine de repartir; mais mes hôtes ne l'entendaient pas ainsi. Déjà la mère s'était levée; l'aîné des fils coucherait avec un de ses frères; j'occuperais sa chambre et son lit, auquel elle mit des draps propres, rudes et qui sentaient délicieusement la lavande. La famille n'avait pas l'habitude de veiller tard, ayant celle de se lever tôt; au demeurant je pourrais rester à lire encore s'il me plaisait.

— Mais, dit le vieux, vous permettrez que nous ne dérangions pas nos habitudes—qui ne seront pas pour vous étonner, puisque vous êtes le petit-fils de Monsieur Tancrède.

Alors il alla chercher la grosse Bible que j'avais entrevue, et la posa sur la table desservie. Sa fille et ses petits-enfants se rassirent à ses côtés devant la table, dans une attitude recueillie qui leur était naturelle. L'aïeul ouvrit le livre saint et lut avec solennité un chapitre des évangiles, puis un psaume; après quoi chacun se mit à genoux devant sa chaise, lui seul excepté, que je vis demeurer debout, les yeux clos, les mains posées à plat sur le livre refermé. Il prononça une courte prière d'action de grâces, très digne, très simple et sans requêtes, où je me souviens qu'il remercia Dieu de m'avoir indiqué sa porte, et cela d'un tel ton que tout mon cœur s'associait à ses paroles. Pour achever, il récita « Notre Père »; puis il y eut un instant de silence, après quoi seulement chacun des enfants se releva. Cela était si beau, si tranquille, et ce baiser de paix si glorieux, qu'il posa sur le front de chacun d'eux ensuite, que, m'approchant de lui moi aussi, je tendis à mon tour mon front.

1929, ANDRÉ GIDE, *Si le grain ne meurt*,
(Copyright by Gallimard, Paris.)

"I HAD . . . A GOLDEN PEAR"

MA mère m'avait donné un lundi matin, au moment du départ pour le lycée, une superbe poire, une poire qui méritait de porter un de ces noms qui à eux seuls font venir l'eau à la bouche, comme *duchesse*, *beurré*, *louise-bonne* ou *bon-chrétien*. Cette poire, je ne l'avais pas mangée, je l'avais gardée et déposée, pour un ou deux jours encore, dans ma « case »—cette minuscule bibliothèque accrochée au mur derrière nous et où nous mettions « nos affaires »: livres, cahiers, bonbons, tablettes de chocolat, etc. Pendant que nous travaillions, elle était là, secrète, elle embaumait. Le lendemain ou le surlendemain, durant la classe, notre professeur nous dit: « Prenez tel livre ». Il nous fallait, pour ce faire, ouvrir nos cases. J'ouvris la mienne, et je reçus au visage la bouffée délicieuse du fruit arrivé au point de maturité extrême, à sa perfection absolue. Je ne pus résister au miel parfumé, à l'ambroisie de cette odeur exquise et, le dos tourné au professeur pour prendre le livre indiqué, je mordis à pleines dents dans la chair fondante. Je me rappelle que je fus inondé de sa saveur comme d'une révélation; cette saveur je la sens encore dans ma bouche, fraîche comme son jus et j'ajouterai, dorée comme sa peau, (je me rappelle qu'il faisait au dehors un jour lumineux d'octobre, de la même couleur que le beau fruit) . . . Cette extase de gourmandise se termina par une phrase du professeur bien méritée: « Gregh, vous me copierez vingt fois la phrase: Je mange en classe ».

Abridged from FERNAND GREGH, *L'Age d'Or*, 1947, Grasset.

THE COD-LIVER OIL PARADE AT SCHOOL

UN autre surveillant, M. Catherinet, passait dans les couloirs tous les matins et tous les soirs, ouvrant les portes des études en disant ce simple mot: « Sirop ». C'est que M. Pénasse jugeait bon de renforcer de médicaments la santé de quelques-uns de nous, un peu faibles ou tousseurs. Les égrotants étaient conduits (en rangs toujours) par M. Catherinet jusqu'à une officine où des sœurs de Saint-Vincent-de-Paul les attendaient cuiller en main. Les sirops étaient absorbés sans peine et même certains, sucrés, avec plaisir. Mais l'huile de foie de morue « ne passait pas ». Aussi, comme il était à craindre que les patients ne la gardassent dans la bouche pour la recracher à la sortie, leur fallait-il, la cuillerée avalée, dire à haute et intelligible voix: « Merci, ma sœur ». Le « genre » était de le proférer le plus fort possible. C'était pendant une demi-heure, dans l'écho des couloirs, une explosion de « Merci, ma sœur », criés à tue-tête.

Abridged from FERNAND GREGH, L'Age d'Or, 1947, Grasset.

IL PLEUT

Il pleut,
   Les vitres tintent.

Le vent de mai fait dans le parc un bruit d'automne.
Une porte, en battant sans fin, grince une plainte
Mineure et monotone.
Il pleut...

On dirait par moments qu'un million d'épingles
Se heurte aux vitres et les cingle.
Il pleut,
Les vitres tintent.

Le ciel cache un à un ses coins épars de bleu
Sous de rapides nuées grises.
Il pleut :
— La vie est triste !

N'importe !
Souffle le vent, batte la porte !
Tombe la pluie !
N'importe !

J'ai dans mes yeux une clarté qui m'éblouit ;
J'ai dans ma vie un grand espace bleu ;
J'ai dans mon cœur un jardin vert, ombré de palmes
Que balancent en plein azur les brises calmes :
Je songe à elle !

Il pleut...

— La vie est belle !

                FERNAND GREGH, *Les Clartés humaines*,
                    1926, Flammarion.

"CERTAIN STARS SHOT MADLY FROM THEIR SPHERES"

CETTE année-là, nous fûmes pour les vacances à Royan. Mon père était lié avec le directeur du casino, où j'eus mes entrées et passai presque toutes mes soirées. On y jouait le répertoire de ce temps, qui est encore en grande partie celui d'aujourd'hui : j'entendis *Faust, Carmen, Manon,* etc., tous les chefs-d'œuvre d'alors qui le sont restés, car sous les formes passagères ils ont en eux la jeunesse éternelle. Mais les interprètes n'étaient pas toujours à la hauteur des œuvres. Les décors non plus. Un soir, les machinistes voulurent se distinguer et faire au chef d'orchestre une surprise pour le dernier acte de *Manon*. Ils avaient percé la toile de trous qui devaient figurer les étoiles. Mais ils faisaient courir des chandelles d'un trou à l'autre et l'on voyait avec stupeur les étoiles s'allumer, s'éteindre, se rallumer. Elles descendaient, d'ailleurs, jusqu'à terre : Manon mourait en pleine voie lactée. Une douce hilarité gagna peu à peu la salle, tandis que le chef d'orchestre, de son bras resté libre, s'arrachait les cheveux.

Abridged from Fernand Gregh, *L'Age d'Or*, 1947, Grasset.

CHEMINEAU

VIEUX chemineau lassé qui regardez aux grilles,
　　Entre les tilleuls bleus où l'air fraîchit soudain,
Dormir au grand soleil les roses du jardin
Et la brise agiter l'azur dans les charmilles,

Comme toi, par moments, le poète accablé
S'arrête, vagabond plein de rêve et d'envie,
Et contemple, à travers les barreaux de la vie,
Un Paradis lointain dont il n'a pas la clé.

Hélas! ne te plains pas, ami, si tu persistes
A rêver du dehors les grands parcs inconnus,
Heureux dormeur des bois, doux marcheur aux pieds nus,
Compagnon sans souci des chiens aux beaux yeux tristes,

Cher pauvre, pour rester riche en joie ici-bas,
Rêve encore, toujours, sans t'approcher des choses:
Mieux vaut de respirer que de cueillir les roses,
Et les plus beaux jardins sont où l'on n'entre pas!

　　　　　　　　　FERNAND GREGH, *Les Clartés humaines*,
　　　　　　　　　　　　1926, Flammarion.

A SMALL BOY'S MEMORIES OF HIS ACTOR FATHER

SI l'on me demandait de quelle époque date ma vocation pour le théâtre, je répondrais qu'à l'âge de cinq ans déjà j'étais convaincu qu'un jour je ferais la même chose que mon père—seulement je ne savais pas ce que faisait mon père . . .

Je le regardais vivre avec étonnement.

Qu'avait-il de plus que les autres?

Ce qu'il avait de plus, c'était vingt ans de moins. C'était un tout jeune homme—et je viens seulement de m'en rendre compte en y pensant.

Mais pourquoi me semblait-il si différent des autres? Qu'avait-il donc de si précieux en lui?

Son avenir.

Il se mettait très vite à table, déjeunait en douze minutes et s'en allait rapidement en disant:

— Cré nom d'un chien, je vais encore être en retard.

Il avait peur d'être en retard—et pourtant je savais qu'il allait travailler.

Quand il rentrait le soir, il disait parfois:

— Ça va, je suis content. Je crois que ça marchera très bien.

Puis on dînait. Il parlait, en dînant, de certains de ses amis que je connaissais très bien, que j'avais vus souvent à la maison et qui, de temps à autre, me donnaient des jouets. Mais il en parlait d'une façon pour moi singulière. Il disait, par exemple:

— Hittemans, au deux[1], m'a fait tordre! . . . Lina Munte est bien maintenant . . . Quand à Lorteur, il a un trac fou pour mardi!

D'ailleurs, le mardi, je l'avais remarqué à la longue, le mardi était un jour spécial. J'ai su plus tard que c'était le jour des premières au Théâtre Michel.

Ces soirs-là, mon père dînait plus rapidement encore que de coutume. Il était nerveux, mais pas triste. Cependant, il lui arrivait tout à coup de changer de visage. Ses gros sourcils

[1] *i.e.* "in Act 2".

se fronçaient et il s'écriait: « Monsieur le marquis, vous êtes un gentilhomme, je ne suis qu'un roturier, mais vous ne m'empêcherez pas de vous dire que tout homme qui insulte une femme est un lâche! » Un instant plus tard, il s'accusait tout haut de crimes abominables, et cela devant les domestiques, qui ne paraissaient pas en être surpris—ce qui me tranquillisait un peu. Soudain, son regard grave, terrible, menaçant, devenait d'une douceur extrême. Il le posait sur moi, et, tendrement, il me disait:

— Clémentine, pour un baiser de vous, je donnerais ma vie!

Je ne pouvais pas comprendre qu'il venait de repasser son rôle, je ne pouvais pas comprendre que devant cet homme heureux, séduisant, qui venait de m'embrasser en partant, s'ouvrait la plus magnifique des carrières d'acteur—mais comme je l'aimais, comme je le trouvais beau, comme il me plaisait, ce jeune homme qui était mon père!

A celle qui me couchait, j'ai demandé un jour:
— Où va papa, le soir?
Elle m'a répondu:
— Il va travailler pour te gagner des sous.
Et, devant ma surprise, elle ajouta:
— Dame, il va jouer ce soir.
Et je me suis endormi avec cette idée que l'on pouvait gagner des sous en jouant—et j'ai grandi avec cette idée que le mot *jouer* était synonyme du mot *travailler*.
Et je n'ai pas changé d'idée.

SACHA GUITRY, *Si j'ai bonne mémoire*,
1934, Plon.

MON PREMIER AMOUR

J'AVAIS treize ans.
Elle était ravissante.
Que dis-je, ravissante : c'était une des plus jolies femmes de Paris. Mais de cela je ne me rendais pas compte. Je la *trouvais* jolie—il se trouve qu'elle l'était extrêmement. Ce n'était qu'une coïncidence.

Elle était la fille d'un peintre célèbre et elle avait épousé le plus triomphant des auteurs. C'était un des amis intimes de mon père—il est devenu le mien plus tard. A cette époque, j'étais le camarade de leurs fils. Presque tous les dimanches, j'allais goûter chez eux. D'ailleurs, cette famille était l'image du bonheur—et tous, ils étaient beaux.

Elle avait un sourire adorable et des yeux caressants.
Pouvais-je n'en être pas épris ?
Et vais-je me demander pourquoi je l'ai aimée ?
C'est le contraire qui eût été monstrueux, criminel—inquiétant. C'était mieux que mon droit, c'était mon devoir de l'aimer—puisqu'à treize ans, on ne peut pas savoir ce que c'est que d'aimer.

J'en rêvais . . .
Le lui dire ?
Plutôt la mort !
Alors ?
Le lui prouver.
Faire des économies pendant toute la semaine et commettre une folie le dimanche suivant. Ces économies, je les ai faites, et cette folie, je l'ai commise. Huit francs : un énorme bouquet de violettes. Il était magnifique ! C'était le plus beau bouquet de violettes que l'on ait jamais vu. Il me fallait mes deux mains pour le tenir.

Mon plan : arriver chez elle à deux heures et demander à la voir, au lieu d'aller directement à la nursery.

La chose n'alla pas sans un peu de tirage. Elle était occupée. J'insistai. La femme de chambre me conduisit à son boudoir.

Elle se coiffait pour sortir. J'étais entré le cœur battant.
— Bonjour, mon petit. Pourquoi veux-tu me voir?
Elle ne s'était pas encore retournée. Elle n'avait pas encore vu le bouquet: elle ne pouvait pas comprendre.
— Pour ça, madame . . .
Et je lui tendis mes huit francs de violettes.
— Oh! les belles fleurs, fit-elle.
Il me sembla que la partie était gagnée. Je m'étais approché d'elle en tremblant. Elle prit entre ses mains mon bouquet comme on prend une tête d'enfant, et elle le porta à son joli visage comme pour l'embrasser.
— Et elles sentent bon!
Puis elle ajouta en me congédiant:
— Tu remercieras bien ton papa de ma part.

SACHA GUITRY, *Si j'ai bonne mémoire*,
1934, Plon.

A SMALL BOY'S PRACTICAL WAY OF DOING HIS ARITHMETIC HOMEWORK

C'EST de cette pension que je me suis échappé, un jour, et que je suis allé chez l'épicier de mes parents pour lui faire une commande, soi-disant de la part de ma mère.
— Monsieur, lui ai-je dit, je voudrais quatre kilos de sucre à 0 fr. 75, 250 grammes de lentilles à 2 francs le kilo, 125 grammes de sel à 0 fr. 50 le kilo et 3 livres et demie de farine à 0 fr. 80 le kilo.
— Bien, monsieur Sacha.
Il avait pris note de ma commande.
— Ça va faire combien, tout cela?
Il m'a répondu que cela ferait 5 fr. 05. Je l'ai remercié et je suis parti en courant car je venais de lui faire faire le problème qu'on nous avait posé le matin même à la pension.

SACHA GUITRY, *Si j'ai bonne mémoire*,
1934, Plon.

"I USED YOUR SOAP TWO YEARS AGO; SINCE THEN I HAVE USED NO OTHER"

NOTRE oncle Edmond était un être exquis, d'une infinie bonté et d'un esprit semblable à celui de son frère. C'était la droiture même et la logique en personne.

Succédant à son père, il vendait des rasoirs et du savon à barbe. Quand un client lui demandait si ce « fameux savon » était vraiment meilleur que les autres, il répondait:

— Depuis trente ans, je ne me sers que de celui-là.

Or, il portait toute la barbe,—mais aucun client jamais ne songea à lui en faire la remarque.

SACHA GUITRY, *Si j'ai bonne mémoire*,
1934, Plon.

A LITTLE COUNTRY STATION

NOUS nous promenions un matin, Alphonse Allais et moi, sur la route d'Honfleur à Pont-Audemer. Nous passions devant la gare de Saint-Sauveur. Petite gare minuscule et d'ailleurs coquette. Un train s'y arrêtait le matin, un autre train, peut-être le même, venant en sens inverse, s'y arrêtait le soir.

— Allons dire bonjour à ce chef de gare qui doit être bien seul, me dit-il.

— Vous le connaissez?

— Du tout.

Nous entrâmes. Un homme était là, tout seul, en effet, qui se promenait sur le quai, les mains derrière le dos. Nous allâmes à lui.

— Vous êtes le chef de gare, monsieur? lui dit Allais.

— Parfaitement, monsieur.

— Eh bien! je vous fais tous mes compliments, vous avez une gare charmante... charmante, charmante... mais comme elle est mal placée. Vous auriez cela à Paris, vous feriez un argent fou!

SACHA GUITRY, *Si j'ai bonne mémoire*,
1934, Plon.

THE ELASTIC NATURE OF THE POSSESSIVE, OR "WHAT IS THINE IS MINE"

TRÈS jeune déjà, je me demandais pourquoi nos professeurs s'obstinaient à vouloir nous faire apprendre par cœur ce qui se trouvait dans des livres. Je me disais: « Du moment que c'est imprimé, pourquoi ne pas se contenter d'avoir ces livres près de soi? »

Cette idée, par exemple, est insensée de vouloir vous faire retenir tous les chefs-lieux et toutes les sous-préfectures.

Pour quoi faire?

Pourquoi, puisque personne jamais ne les a retenus.

Pendant plusieurs années de mon enfance, je n'ai entendu parler que de cela! On ne me demandait plus de mes nouvelles —on me demandait si je savais *mes* départements! Et ce possessif, d'ailleurs, m'intriguait beaucoup. On me disait que je ne savais pas *mes* départements, alors que tel de mes camarades savait déjà *les siens*. C'étaient pourtant les mêmes!

J'avais fini par me convaincre que la vie devait sans doute se passer à réciter les départements—ou bien cherchait-on peut-être un homme, enfin, qui fût capable de les apprendre tous par cœur!

SACHA GUITRY, *Si j'ai bonne mémoire*,
1934, Plon.

THE REHEARSAL OF "L'AIGLON" WITH LUCIEN GUITRY IN THE ROLE OF FLAMBEAU AND SARAH BERNHARDT IN THAT OF "L'AIGLON"

DEPUIS plusieurs semaines, à l'acte de Wagram[1], lorsque mon père-Flambeau lui disait:

...*Le ciel blanchit vers l'Est!*

Mme Sarah-l'Aiglon répondait:

J'empoigne la crinière! Alea jacta est![2]

Un jour, elle se demanda ce que pouvaient bien signifier ces mots: *J'empoigne la crinière*. Elle pensait que c'était une allusion, peut-être, à la queue d'une comète. Elle voulut en avoir le fin mot et posa la question à Edmond Rostand.

— Mais non, madame. Ça veut dire ce que ça dit. Vous êtes à côté de votre cheval et vous empoignez sa crinière pour monter à califourchon dessus.

— Comment, mon cheval? J'ai un cheval?

— Mais naturellement, madame. Vous partez pour la France. Vous ne pouvez pas y aller à pied!

Alors, s'adressant à son régisseur, elle lui dit que, dès le lendemain, il fallait se procurer un cheval.

Le lendemain, on amena sur scène l'animal demandé. C'était un grand diable de cheval bai que conduisait par la bride un de ces petits hommes d'écurie qui se ressemblent tous et que l'on reconnaît même quand ils ne tiennent pas de cheval par la bride. On les reconnaît à leurs jambes en parenthèses qui réservent toujours la place du cheval. Mais c'est plus encore à leurs yeux qu'on peut les reconnaître. Les gens qui soignent les chevaux ont je ne sais quoi d'angélique dans le regard.

Mme Sarah Bernhardt observa de loin ce cheval, comme on observe un ennemi. Puis, courageusement, elle alla à lui. J'entends par là qu'elle en avait une peur épouvantable et qu'elle cherchait—en vain d'ailleurs—à la dissimuler. Lorsqu'elle fut à un mètre de « la plus noble conquête que l'homme eût jamais faite », celle-ci, voulant lui témoigner probablement

[1] *i.e.* the fifth act of Edmond Rostand's play *L'Aiglon*.
[2] "The die is cast."

sa déférence, frappa très violemment le sol de son sabot.
Mme Sarah fit un bond en arrière et dit:

— Qu'on emmène tout de suite ce cheval, il est vicieux et horriblement méchant! Je ne veux plus le voir jamais, jamais jamais!

Et elle ajouta:

— Qu'on en trouve un autre, de n'importe quelle couleur, de n'importe quel âge, mais je veux que ce soit le cheval le plus doux qu'il y ait au monde.

Deux jours plus tard, le lad revint avec un autre cheval. Il était gros, il était gris, il était énorme—et il avait la tête entourée d'un vieux caleçon de laine. Pourquoi? Nous allions le savoir. Le lad le lui retira, ce caleçon, découvrant un visage, si je puis dire, dont la douceur extrême confinait à la stupidité. Mme Sarah se leva et fit deux pas prudents vers lui.

— Est-ce qu'il est doux, au moins, celui-là?
— Oh! madame. Donnez-lui votre main, vous allez voir.
— Ma main?... Mais jamais de la vie. Laissez-moi faire ... et tenez-le bien.

Alors, le regardant bien en face, elle fit:
— Hou!

Le cheval en fut peut-être un peu surpris, mais il n'en laissa rien paraître.

— Nous allons faire une autre expérience, dit-elle. Apportez-moi le tonnerre.

On lui apporta cette plaque de tôle dont on se sert dans les théâtres pour imiter l'orage. Elle la fit remuer par deux hommes, avec le plus de violence possible. Le bruit était assourdissant, mais le cheval ne broncha pas. Alors, tranquillisée, heureuse, Mme Sarah eut une idée. Tendant sa main droite à Rostand, sa main gauche à mon père, elle dit:

— Donnons-nous tous la main!

Et nous nous donnâmes tous la main comme pour faire une ronde. Mais elle nous conduisit à reculons jusqu'au fond de la scène et, là, elle nous dit à voix basse, afin de n'être pas entendue par le cheval:

— Nous allons tous courir sur lui en criant : Vive l'Empereur !... Attention... une, deux, trois !...

Et nous avons couru, entraînés par elle, vers ce pauvre cheval en criant à tue-tête : « Vive l'Empereur ! »

Alors, il se produisit une chose qu'il est bien difficile de raconter. Aidez-moi. Devinez. Imaginez ce que peut faire un animal qui a peur et qui n'a pas l'usage de la parole. Il ne peut faire que du bruit, n'est-ce pas ? Vous avez deviné. C'est ce qu'il fit. Il fit du bruit. Un bruit qui ressemblait à un écho sonore et tardif du tonnerre de tout à l'heure. Il n'y fallait pas voir l'expression brutale d'une opinion républicaine—mais néanmoins, Mme Sarah Bernhardt en fut très offusquée. Elle dit.

— Nous allons le garder parce qu'il n'est pas méchant... Mais c'est un cochon !

Puis, se tournant vers Edmond Rostand, elle lui dit, comme s'il avait neuf ans et comme si elle en avait quinze :

— Vous l'avez, votre cheval, soyez heureux !

Alors, timidement, il lui répondit :

— Oui, mais c'est que... voilà, madame, il en faut deux !

— Deux quoi ?

— Deux chevaux.

— Pourquoi deux chevaux ?

— Parce qu'il en faut un pour Guitry... puisque Flambeau part avec vous.

— Deux chevaux !

Elle pensait qu'il abusait un peu, mais vite elle ajouta :

— Soit, soit, soit.

Elle était décidée à ne rien lui refuser ! Se tournant alors vers le garçon d'écurie, elle dit :

— Nous retenons ce cheval. Veuillez donc le ramener demain sans faute, et amenez-en un autre... mais aussi doux que celui-ci.

Le lad répondit :

— Alors, j'en amènerai deux autres.

— Non. Pas deux autres. Ramenez celui-ci... et amenez-en un autre.

— Non, madame, je serai obligé d'en amener deux autres.
— Mais pourquoi? Pourquoi? Pourquoi?

Elle s'énervait déjà, et elle le bourrait de « pourquoi », comme on bourre de coups de poing, tandis qu'il enroulait son caleçon de laine autour de la tête du cheval.

— Pourquoi? Pourquoi?

Alors, il expliqua:

— Parce que, madame, je vais vous dire, ce cheval qui n'a peur de rien . . . a peur des autres chevaux . . . et c'est pour qu'il ne les voie pas dans la rue que je lui mets ce caleçon autour de la tête . . .

Alors Mme Sarah Bernhardt décida qu'il n'y aurait pas de chevaux à l'acte de Wagram.

Et, tous les soirs, pendant sept ou huit cents représentations triomphales, Mme Sarah Bernhardt a dit, en levant les bras au ciel:

J'empoigne la crinière! Alea jacta est!

Sacha Guitry, *Si j'ai bonne mémoire*,
1934, Plon.

NATURE MORTE

MIDI. Je rentre. On va déjeuner. L'air est chaud.
Ma maison disparaît presque sous son manteau
De lierre. Un lézard dort au bord de la terrasse.
Et voici ce que j'aperçois, lorsque je passe
Devant la fenêtre entr'ouverte du salon :
La table mise avec sa nappe à croisillons,
Un pot de fleurs des champs à côté de la miche
D'un pain rustique et rond que le soleil vernisse
Et qui craque et sent bon le four et le froment ;
Des assiettes de bois, peintes naïvement,
Des fruits dans une coupe et des pichets d'un cidre
Fait l'an dernier dans mon verger, doux et acide
A la fois, et fleurant la pomme et pétillant,
Et le sel, et le vin, du lait crémeux et blanc,
Et, complément frugal de ce spectacle honnête,
Dans un plat bleu, fumante et jaune, l'omelette...

EMILE HENRIOT, *La Flamme et les Cendres*,
1914, Mercure de France.

THE SILBERMANN AFFAIR

Un jour, au lycée, je vis Robin dire quelques mots à Montclar. Puis celui-ci s'approcha de Silbermann et lui cria en ricanant :

— Eh ! bien, Juif, il paraît qu'on a pris ton père la main dans le sac ?

Silbermann blémit et ne répondit rien . . .

Dès que cela me fut possible, j'allai vers Silbermann et lui posai des questions. Il me répondit avec un mouvement d'insouciance mais cependant sur un ton précipité qui trahissait son trouble :

— Il arrive à mon père ce qui arrive très fréquemment dans son métier. Il a vendu comme authentiquement anciens des objets qui ne le sont pas ou qui avaient été restaurés. Il les reprendra, indemnisera l'acheteur, et l'affaire n'aura pas de suite.

Il se trompait. Le lendemain, de nouveaux détails apprirent que la vente s'était faite à l'aide de faux papiers et que l'acheteur lésé maintenait sa plainte. Ces explications étaient produites par le journal qui avait le premier ébruité l'affaire, *La Tradition française*, et qui appartenait à la ligue des *Français de France*. On ajoutait que d'autres faits plus graves encore pourraient être reprochés à l'antiquaire Silbermann.

Deux jours passèrent. L'anxiété de Silbermann grandissait visiblement. Etant avec moi, il tomba à plusieurs reprises dans de lourds silences d'où il sortait par une animation factice s'il se voyait observé, comme font ceux qui veulent détourner de leur personne un soupçon.

Ce soin était nécessaire, car l'affaire Silbermann était devenue au lycée le sujet de toutes les conversations. Dans la cour, on chuchotait sur son passage, on le montrait du doigt ; et me rappelant ce qu'il m'avait confié sur sa sensibilité, sur son œil toujours en éveil, je pouvais imaginer quelles étaient ses souffrances.

Un matin, *La Tradition française* annonça qu'une nouvelle plainte était déposée. Il s'agissait cette fois d'achat et de recel d'objets volés. J'étais assez au courant des choses juridiques pour savoir les conséquences possibles de ces actes. Le soir, je m'empressai d'acheter un journal; je l'ouvris fiévreusement. Je lus que le parquet avait retenu la plainte et je vis, recevant un choc, que mon père était le juge d'instruction désigné...

Le lendemain matin, comme je partais pour le lycée, je vis, m'attendant au coin de la rue, Silbermann.

— Eh! bien, tu sais ce qui se passe? dit-il avec vivacité. Mon père est victime d'une machination abominable. Je vais tout te raconter. Mais d'abord, qu'est-ce que ton père t'a dit?

Je répondis que nous n'avions pas parlé de l'événement.

— Ecoute-moi, reprit Silbermann. Il faut que tu saches la vérité. Les *Français de France*, soit pour une vengeance personnelle dont nous ignorons le motif, soit par simple antisémitisme, se sont mis en campagne contre mon père. Chaque jour, dans *La Tradition française*, il est insulté copieusement et accusé de délits imaginaires. Or, pour le perdre, on n'a rien trouvé de mieux que de lui tendre un piège. Cet été, au cours de notre voyage en province, mon père a acheté beaucoup d'objets d'art provenant des églises et que les bons curés se hâtaient de soustraire aux inventaires du gouvernement. Le plus souvent, ces achats se faisaient indirectement. Aujourd'hui, on accuse mon père d'avoir, à plusieurs occasions, acheté des objets volés. Il ne peut s'adresser aux vendeurs qui agissaient très probablement à l'instigation de ses ennemis et qui ont disparu. D'autre part, s'étant déjà défait de quelques objets, il est dans l'incapacité de les restituer. Voilà les faits. Voilà sur quoi on ouvre une instruction contre lui.

Il s'était exprimé avec vigueur et clarté. Visiblement il se servait de tout son art pour me persuader. Mais il en avait à peine besoin, tant sa parole me trouvait crédule. Puis, je me ressouvenais des propos tenus un jour chez Philippe Robin par l'oncle de celui-ci, et ils concordaient avec les dessous que Silbermann me révélait.

Silbermann souffla un instant; ensuite il reprit sur un ton plus bas, grave, pathétique:

— Telle est la vérité. Il importe que ton père la connaisse. Rapporte-lui tout ce que je viens de te dire, je t'en conjure. Fais-lui admettre ces choses. Arrange-toi pour qu'il conclue tout de suite à un non-lieu. Il ne faut pas que mon père soit inculpé. S'il était poursuivi, songe à mon avenir . . . Peut-être serais-je obligé de quitter le lycée? . . . Que deviendrais-je? Sauve-moi de ce désastre . . . sauve-moi . . . Une fois, tu te rappelles, tu as juré que tu ferais pour moi tout ce qui serait en ton pouvoir . . . Eh! bien, je te le dis, mon sort dépend de toi.

A ces mots je l'interrompis . . . Je lui promis de parler le soir même à mon père . . .

Le soir, sans hésiter, le doigt tremblant toutefois, je frappai à la porte du cabinet de mon père. Sa voix juste et sans nuances cria d'entrer.

Dans la pièce étroite, tendue d'étoffe vert sombre, mon père était au travail devant son lourd bureau de chêne noirci. Derrière lui, dans une bibliothèque de même bois, s'alignaient sous une monotone reliure de toile, noire également, les livres juridiques. Sur ce fond sévère se détachait sa figure aux traits droits, privée d'élégance mais non d'un air de noblesse.

Je lui dis bonsoir d'une voix imperceptible, car, à peine entré, il m'était apparu que ma démarche était insensée. Et, tout de suite, je lui annonçai que j'avais des renseignements à lui donner au sujet de l'affaire Silbermann. Je me mis à débiter d'une haleine tout ce que j'avais entendu le matin, les raisons politiques et les menées suspectes de l'accusation, l'impossibilité où le père de mon ami était de prouver sa bonne foi, la nécessité d'un prompt non-lieu afin d'arrêter les attaques, enfin la version même dictée par Silbermann.

Où prenais-je l'audace et l'habileté nécessaires à ce plaidoyer, moi si timide d'ordinaire et silencieux à l'excès? Je l'ignore.

Mon père m'avait écouté sans m'interrompre. Puis il me fit signe d'approcher . . .

— C'est par ton camarade que tu es informé de tout cela? C'est lui qui t'a sollicité d'intervenir, peut-être?

— C'est lui qui m'a rapporté la vérité, mais c'est ma conscience, père, ma conscience qui m'a conduit vers toi.

— Tu emploies les mots sans discernement, mon enfant. Ta conscience aurait dû, au contraire, t'interdire un acte qui risque de dévier la justice. Je n'ai pas encore pris connaissance des faits qui sont reprochés au père de ton ami. Je ne veux rien retenir de ce que tu viens de m'en dire, et je ne saurais préjuger la décision que je prendrai.

A ces mots, je compris que j'échouais dans ma mission. Mais comme si j'avais aux oreilles le "sauve-moi" de Silbermann, je voulus tenter un dernier effort. Pour apitoyer mon père, je lui représentai la malédiction qui poursuivait Silbermann, son martyre secret, les transes où il vivait actuellement. Je lui avouai combien cet état me touchait...

Mon père réfléchit un moment. Enfin, levant l'index vers le ciel, il prononça ces mots:

— Ecoute-moi bien, mon enfant. Une amitié excessive telle que celle qui te lie à ce garçon est toujours à éviter. Dans le cas particulier, vu la situation présente de son père et la mienne, elle ne saurait subsister. Je te prie donc de ne plus le considérer comme un de tes camarades.

Le lendemain matin, je trouvai de nouveau Silbermann posté au coin de la rue. Il me demanda anxieusement le résultat de ma démarche. Je lui dis seulement que mon père ignorait encore l'affaire et qu'il ne m'avait rien promis.

— Mais qui pourrait agir sur lui? dit Silbermann avec impatience. Un de ses collègues? Une personnalité politique? Mon père en connaît plusieurs.

Je haussai les épaules et le détrompai. Était-il raisonnable de croire que celui qui avait accueilli si rudement la prière de son fils pût se laisser fléchir par un étranger?

Silbermann reprit d'un ton accablé:

— Ce matin encore, il y a dans *La Tradition française* un article terrible contre mon père. Maintenant que son cas est soumis à la justice, est-ce que ses ennemis ne devraient pas l'épargner?

Nous fûmes dépassés à ce moment par un groupe d'élèves qui se rendaient au lycée et qui, ayant vu Silbermann, se retournèrent à plusieurs reprises, ricanant et sifflant.

Aussitôt Silbermann se redressa et prit mon bras avec une feinte désinvolture tout en me disant sourdement:

— Hein! Regarde-les... Quelle cruauté! Ah! je la sens bien, la charité chrétienne!

Puis il continua, avec une figure farouche:

— Mais ils ne triompheront pas de moi. Ils veulent me chasser d'ici. Je résisterai. Je leur prouverai que moi, je les ai, les qualités que l'on prête à ma race. Après tout, je ne suis pas le premier Juif que l'on persécute.

Et je sentis ses doigts qui s'agrippaient profondément à mon bras.

Mais s'il n'était pas le premier, on eût dit que sa chétive personne fût chargée de la réprobation universelle et légendaire jetée sur Israël. Car, au lycée, depuis que Silbermann passait pour le fils d'un voleur, ceux qui le taquinaient par simple jeu et non parce qu'il était Juif, changeaient de disposition à son égard. Il semblait que cette disgrâce eût ouvert leurs yeux; ils découvraient maintenant le type sémite de Silbermann, de même que l'on remarque le pouce monstrueux et les oreilles décollées de l'homme placé entre deux gendarmes. Mêlés aux autres, ils acceptaient de le flétrir par l'invective commode de "sale Juif". Et à présent, chacun, sans exception, accablait Silbermann sous l'opprobre de sa race. De même, chacun, sans distinction d'opinion, lisait le journal royaliste où tous les jours le père de Silbermann était traité de voleur, de pilleur d'églises, et dépeint sous des traits comiques et odieux. Silbermann en trouvait des exemplaires partout, jetés à sa place en classe ou glissés dans sa serviette.

Les attaques avaient repris et devenaient chaque jour plus violentes. On guettait l'arrivée de Silbermann dans la cour, et dès qu'il était aperçu, les huées s'élevaient. Alors je volais vers lui et lui frayais son chemin. Nous avancions ensemble au milieu de la poussée générale. Les railleries et les injures s'entrecroisaient sur notre passage et m'éclaboussaient.

— Voleur... En prison... criait-on.

Nos professeurs eux-mêmes ne dissimulaient pas à Silbermann leur improbation. L'un l'avait relégué au dernier banc de la classe et ne l'interrogeait que du bout des lèvres. L'autre tolérait sur le tableau noir les inscriptions insultant Silbermann qu'on y traçait fréquemment, et même se plaisait à les lire du coin de l'œil. Ces procédés n'échappaient pas à Silbermann, mais il ne le montrait point. Il maîtrisait sa fierté et son caractère prompt. Je reconnaissais à peine sa figure ; sauf une grimace amère de la bouche, comme s'il eût vraiment bu l'affront, elle prenait à ces moments une expression humble et insensible. On eût dit que maintenant, pour arriver à ses fins, il déguisât sa jeune et superbe nature sous un vieil habillement légué par ses pères, habillement servile et honteux mais d'une trame à toute épreuve.

Le tapage autour de Silbermann grandit au point que le proviseur fut obligé de prendre certaines mesures. On redoubla de surveillance dans notre cour. Un répétiteur fut chargé de se tenir à la porte du lycée et de l'escorter jusqu'à sa classe. Alors, on n'entendit plus cette rumeur qui annonçait sa venue, mais tous les élèves, formant la haie en silence, allaient le voir passer. Silbermann avançait. Son visage était affreusement pâle. J'apercevais entre ses paupières, fixement abaissées, un regard court et aigu, tel une dague perçant sa gaine. Il se glissait le long du préau, suivi d'un homme en noir à la physionomie sévère et ennuyée. Et cette sorte de cérémonie donnait à ses malheurs comme une confirmation officielle qui les aggravait.

Mais si douloureuse que fût la situation, il l'acceptait.

— Tout m'est indifférent, me disait-il, pourvu que je reste au lycée.

Hélas ! Il ne se doutait pas que ce serait à cause de celui-là même auquel il se confiait qu'il n'y resterait pas.

Un jour, comme nous venions de sortir du lycée où il avait dû subir quelque pénible avanie—et c'était peut-être aussi un jour que son père était interrogé—il se laissa aller au découragement.

— Je suis à bout, soupira-t-il. Toute cette haine autour de moi !... Ce que j'ai rêvé ne se réalisera jamais, je le vois bien. A quoi bon persister ? Je devrais partir.

Je voulus le réconforter et, pour qu'il sentît mon affection, je lui dis :

— Et moi? Que deviendrais-je si tu me quittais?

— Toi? répondit-il avec une certaine rudesse, tu ne tarderais pas à m'oublier; tu irais retrouver Robin.

Je protestai, indigné.

— Jamais.

Je saisis sa main et la gardai dans la mienne. Mais il continua ses lamentations; et son accent était si désespéré, si fatal, annonçait avec tant de force le dénouement inévitable que je lâchai sa main, comme cédant à l'injonction du destin. Et à cet instant, je vis, à quelques pas, sortie de l'ombre, où sans doute elle guettait mon passage, ma mère. Cruelle exécutrice de l'arrêt que j'avais pressenti, elle avança vers moi.

— C'est ainsi que tu obéis à ton père, me dit-elle, d'une voix haute et sévère.

Silbermann, ayant ôté son chapeau, s'était approché d'elle, la main courtoisement étendue,

Se tournant à peine vers lui, elle lui jeta sans pitié:

— Vous devriez comprendre, Monsieur, que les circonstances ont rendu impossibles toutes relations entre vous et mon fils.

Cet affront amena instantanément sur le visage de Silbermann une expression de haine qui, se mélangeant à sa première attitude, lui composa un masque bizarre et équivoque. Arrêté net dans son salut mais encore courbé, son corps parut prêt à bondir. Sa main, revenue en arrière, se dissimula par un geste contourné. Et je sentais au-dedans de cet être, longtemps opprimé, un bouillonnement si violent que, sa face un peu asiatique et son attitude double se rapprochant dans ma mémoire de je ne sais quelle image romanesque, j'eus la pensée que j'allais voir reparaître cette main, brandissant sur ma mère une longue lame courbe.

Il resta hésitant un moment, grimaça vers moi un sourire qui découvrit des mâchoires serrées, et nous tourna le dos.

Mais déjà ma mère m'entraînait à grands pas. Son air n'eût pas été plus grave si elle m'avait surpris en train d'incendier notre maison.

— Malheureux! tu ne songes sans doute pas aux conséquences de tes actes—dit-elle d'une voix frémissante. Ne comprends-tu pas que tu risques de ruiner la carrière de ton père ? Il suffirait que quelqu'un de malintentionné ébruitât tes relations avec ce garçon pour que ton père fût blâmé, changé de poste, destitué peut-être ! . . . Et comment ne vois-tu pas qu'en même temps c'est ton propre avenir que tu es en train de compromettre ? Ce Silbermann, ce Juif beau parleur, qui te mène comme il veut et que tu soutiens contre tous, que te donne-t-il en échange ? Il te fait perdre tous tes amis ; il t'éloigne des milieux qui pourraient t'être utiles plus tard. Bientôt, il te faudra choisir une carrière, prendre ta course. Qui te mettra le pied à l'étrier ? Un marchand d'antiquités plus ou moins véreux ? Bonne recommandation ! Vois comme elle agit aujourd'hui : son fils et toi vous êtes dans la cour du lycée comme deux parias . . . oui, je sais cela. Je sais aussi que tu passes des journées entières dans la maison de ce garçon . . . Mon enfant, comment as-tu pu en arriver là ? Toi si délicat, si sensible à la tradition de notre famille . . . toi qui naguère n'admirais rien qui s'éloignât de notre foyer . . . qui répétais, quand tu étais petit, en te redressant : "Je veux ressembler à père et à grand-père" . . . comment te plais-tu à présent avec ces gens qui n'ont ni feu ni lieu ?

En rappelant à ma conscience ces engagements puérils, ma mère espérait me regagner . . . Elle attendait de moi une parole de soumission, une promesse. Mais je m'obstinai dans le silence. Nous arrivâmes à la maison. En me laissant, elle me dit :

— Puisque tu ne veux entendre raison, je saurai bien te soustraire à cette influence.

Le lendemain, qui était jour de congé, je ne vis pas Silbermann. Le jour suivant, il ne parut point à la classe du matin. Et bientôt on apprit que le proviseur avait envoyé une lettre à ses parents, leur donnant le conseil, vu le désordre dont il était la cause, de retirer leur fils du lycée.

Comme je veux, aujourd'hui, retracer mes sentiments lorsque j'appris cette nouvelle, il me semble que mes souvenirs sont les lambeaux d'un rêve, et d'un rêve affreux. Je me retrouve au lycée, ayant presque perdu la notion de ce qui m'entoure, remarquant à peine les figures railleuses de mes compagnons et restant indifférent à leurs sarcasmes. Dans ma tête, des questions s'élancent avec un bourdonnement infini: "Est-ce ma mère qui l'a fait renvoyer? Que devient-il? Où le voir? Comment le sauver?"

Je lui écris successivement deux lettres; elles restent sans réponse . . . Dix jours passèrent pendant lesquels je n'eus aucune nouvelle de Silbermann. J'avais peu de renseignements sur l'affaire de son père; je savais seulement, et par les journaux, que l'instruction se poursuivait et que mon père avait convoqué plusieurs témoins . . .

Un soir, comme j'allais pénétrer dans la salle à manger, j'entendis prononcer le nom de Silbermann. Je m'arrêtai sur le seuil. J'étais caché par une portière.

— Sa culpabilité ne fait point de doute, disait mon père. Mais en somme on peut dire que les charges relevées contre lui ne sont point précises.

— S'il en est ainsi, mon ami, considère combien l'appui d'un député influent peut te servir. En faisant ce que Magnot te demande, tu acquiers tous les droits à sa reconnaissance.

Je soulevai la portière et entrai.

Ma mère s'interrompit. Son visage et celui de mon père prirent aussitôt cette contenance grave et recueillie que je leur voyais toujours au moment que nous nous installions à la table du repas. Oui, c'était devant moi, sous la lumière du globe suspendu, le tableau quotidien, la cérémonie habituelle. Cependant, le changement de leur physionomie n'avait pas été si prompt que je n'eusse surpris dans les traits de ma mère une expression mélangée de cupidité et d'insistance, et dans le regard de mon père une sorte de vacillement. Alors, brusquement, la question que Silbermann m'avait posée un jour me revint en mémoire: "Qui pourrait agir sur ton père? . . . une personnalité politique? . . . Mon père en connaît plusieurs". Je compris que l'on avait fait certaines démarches en faveur du père de Silbermann; je compris que ma mère, mise au courant des faits, était en train d'évaluer avec une âpre connaissance le profit à tirer de la situation, et que le juge, mon père, qui avait toujours présenté à mes actes l'exemple d'une droiture inflexible, hésitait et même penchait vers la fraude.

Je pris place entre eux. Mes pensées étaient vagues. Il me semblait que le sol sur lequel j'avais posé mes pas jusqu'ici perdait soudain toute fermeté. Mes parents se doutaient-ils que j'avais surpris leur conversation? Je ne sais; toutefois j'ai le souvenir d'une certaine gêne chez eux. Ils m'observaient à la dérobée. Le repas commença en silence.

Je songeai au sermon sur l'intégrité de la justice que mon père m'avait fait entendre dans son cabinet, à son accent majestueux et quasi divin lorsqu'il prononçait le mot *conscience*. Je songeais aux blâmes sévères que ma mère portait si souvent sur les actions des autres. Ils n'agissent point comme ils me le donnent à croire, disais-je intérieurement, ils me trompent, ils m'ont toujours trompé.

Quelques jours plus tard, ma mère, me prenant à part avec une mine mystérieuse et complice, me dit que puisque je m'intéressais au père de mon ancien camarade, je pouvais être rassuré sur son sort: les conclusions de l'instruction lui étaient favorables et seraient certainement approuvées par le Parquet.

Ainsi, la conscience de mon père, qui était restée fermée à tout sentiment de pitié, avait fléchi devant la considération d'un avantage personnel.

J'écoutais les paroles de ma mère avec un air si méprisant qu'elle rougit et détourna la tête.

Abridged from JACQUES DE LACRETELLE, *Silbermann*, 1922
(Copyright by Gallimard, Paris).

SEEKING SHELTER FOR THE NIGHT

Two boys have run away from home and gone to Marseilles by train from Paris.

ILS étaient arrivés à Marseille le dimanche soir, après minuit. L'exaltation était tombée. Ils avaient dormi, courbés en deux, sur la banquette de bois, dans le wagon mal éclairé; l'entrée en gare, le fracas des plaques tournantes, venaient de les éveiller en sursaut; et ils étaient descendus sur le quai, les yeux clignotants, silencieux, inquiets, dégrisés.

Il fallait coucher. En face de la gare, sous un globe blanc portant l'enseigne « Hôtel », un tenancier guettait le client. Daniel, le plus assuré des deux, avait demandé deux lits pour la nuit. L'homme, méfiant par principe, avait posé quelques questions. Tout était préparé: à la gare de Paris, leur père, ayant oublié un colis, avait manqué le départ; sans doute arriverait-il le lendemain par le premier train. Le patron sifflotait et dévisageait les enfants avec un mauvais regard. Enfin il avait ouvert un registre:

— Inscrivez vos noms.

Il s'adressait à Daniel parce qu'il paraissait l'aîné,—on lui eût donné seize ans,—mais surtout parce que la distinction de ses traits, de toute sa personne, contraignait à certains égards. Il s'était découvert en pénétrant dans l'hôtel; non par timidité; il avait une façon d'enlever son chapeau et de laisser retomber le bras, qui semblait dire: « Ce n'est pas particulièrement pour vous que je me découvre; c'est parce que je tiens aux usages de la politesse ». Ses cheveux noirs, plantés avec symétrie, formaient une pointe marquée au milieu du front, qui était très blanc. Le visage allongé se terminait par un menton d'un dessin ferme, à la fois volontaire et calme, sans rien de brutal. Son regard avait soutenu, sans faiblesse ni bravade l'investigation de l'hôtelier: et, sur le registre, il avait écrit, sans hésitation: *Georges et Maurice Legrand.*

— La chambre, ce sera sept francs. Ici, on paie toujours d'avance. Le train de nuit arrive à 5 h. 30; je vous cognerai.

Ils n'avaient pas osé dire qu'ils mouraient de faim.

Le mobilier de la chambre se composait de deux lits, d'une chaise, d'une cuvette. En entrant, ils s'étaient assis sur leurs lits pour faire leurs comptes : additionnées, leurs économies se montaient à cent quatre-vingt-huit francs, qu'ils partagèrent. Jacques, vidant ses poches, en avait tiré un petit poignard corse, un ocarina, une traduction à 0 fr. 25 de Dante, enfin une tablette de chocolat à demi-fondue, dont il avait donné la moitié à Daniel . . . Enfin Daniel avait soufflé la bougie en disant : « Alors, j'éteins ». Et ils s'étaient couchés très vite, en silence.

Abridged from ROGER MARTIN DU GARD, *Les Thibault*, Première Partie, *Le Cahier Gris*, 1922. (Copyright by Gallimard, Paris.)

AN EMERGENCY OPERATION IN A THUNDERSTORM

LES traits de M. Chasle se décomposèrent en reconnaissant la voix de sa propre concierge, qui glapissait, frappant du poing la porte :

— M. Chasle n'est pas ici ?

Antoine courut ouvrir.

— Il est là ? cria l'homme, essoufflé. Vite ! Un accident. La petite s'est fait écraser.

M. Chasle entendait. Il chancela. Antoine reparut juste à temps pour le recevoir, l'étendre à terre, lui souffleter le visage avec une serviette humide. Le pauvre vieux rouvrit les yeux et tenta de se lever.

— Ah, Monsieur Jules, disait l'homme, venez vite, j'ai une voiture.

— Morte ? questionna Antoine, sans même se demander quelle pouvait être cette petite.

— Ma foi, c'est moins cinq, murmura l'autre.

Antoine prit sur l'étagère la trousse de campagne qu'il tenait toujours prête pour les cas fortuits; et, se souvenant tout à coup qu'il avait prêté à Jacques le flacon de teinture d'iode, il s'élança dans la chambre de son frère, en criant au concierge :

— Emmenez-le toujours. Et attendez-moi. Je vous accompagne.

Lorsque la voiture s'arrêta près des Tuileries, devant la maison que les Chasle habitaient, rue d'Alger, Antoine, à travers les explications désordonnées du concierge, parvenait encore mal à démêler ce qui avait eu lieu. Il s'agissait d'une petite fille qui venait tous les jours au-devant de M. Jules. Avait-elle voulu traverser la rue de Rivoli, voyant que ce soir M. Jules n'arrivait pas ? Un triporteur de livraison l'avait renversée et lui avait passé sur le corps. La marchande de journaux, attirée par l'attroupement, l'avait reconnue à ses nattes et avait pu donner son adresse. On l'avait rapportée inanimée à l'appartement.

Devant la porte, un rassemblement s'attardait. On s'écarta sur le passage de M. Chasle. Le concierge, laissant passer Antoine, lui mit la main sur le bras :

— Ma femme, pas bête, est partie à la recherche du petit médecin qui mange au restaurant d'à côté. J'espère qu'elle l'a trouvé.

Antoine approuva de la tête, et suivit M. Chasle. Ils traversèrent deux pièces basses, presque obscures, où l'air était étouffant malgré les fenêtres ouvertes sur une cour ; dans la dernière, Antoine contourna une table ronde où quatre couverts attendaient sur une toile cirée noirâtre. M. Chasle ouvrit une porte, entra dans une pièce éclairée, et presque aussitôt s'affaissa, bégayant :

— Dédette... Dédette...

Antoine ne vit d'abord rien d'autre qu'une lampe tenue à deux mains par une femme en peignoir rose, et dont la chevelure rousse, le front, la poitrine resplendissaient dans la lumière ; puis il distingua le lit que la femme éclairait, et sur lequel plusieurs ombres étaient penchées. Antoine aida M. Chasle à s'asseoir, et s'avança vers le lit. Un homme jeune, à lorgnon, courbé en deux, lacérait avec des ciseaux les vêtements ensanglantés de la petite victime. Une vieille, à genoux, aidait le médecin.

— Elle vit ? demanda Antoine.

Le docteur se retourna, l'aperçut, hésita, s'essuyant le front et répondit enfin sans conviction :

— Oui.

— J'étais avec M. Chasle quand on est venu le chercher, expliqua Antoine, et j'ai apporté de quoi donner les premiers soins. Docteur Thibault, ajouta-t-il à mi-voix, chef de clinique aux Enfants Malades.

Le médecin s'était levé ; il fit un mouvement pour céder la place.

— Faites, faites, dit aussitôt Antoine, reculant d'un pas. Le pouls ?

— Presque incomptable, répondit l'autre qui reprit hâtivement sa besogne.

Antoine leva les yeux vers la jeune femme rousse, rencontra son regard anxieux, et proposa:

— Le mieux, Madame, serait de téléphoner à un poste d'ambulance et de transporter tout de suite votre enfant à mon hôpital.

— Non, fit une voix nette.

Alors Antoine distingua, debout à la tête du lit, une femme âgée—la grand'mère, sans doute.

— Je sais bien que nous avons l'air d'être des pauvres, continua-t-elle, mais, quand même, nous autres, on préfère rester mourir dans ses draps. Dédette n'ira pas à l'hôpital.

— Mais pourquoi, Madame? insista Antoine.

— C'est notre goût! dit-elle simplement...

Antoine mordait sa lèvre, et, tout en envisageant l'opportunité d'une discussion, il retirait déjà sa veste, et roulait ses manches de chemise au-dessus des coudes; puis il vint s'agenouiller au bord du lit. Il ne réfléchissait presque jamais sans commencer en même temps à agir, tant il était inapte à soupeser longuement les données d'un problème, tant il était impatient d'avoir pris un parti.

Avec le concours du docteur et de l'autre vieille, qui tremblait, il acheva de démailloter le corps de la fillette. Le triporteur avait dû renverser l'enfant avec une violence extrême, car elle était couverte d'ecchymoses, et une traînée sombre rayait la cuisse en biais, depuis la hanche jusqu'au genou.

— C'est la droite, précisa le confrère. En effet, le pied droit était tordu, tourné en dedans, et la jambe, souillée de sang, paraissait déformée et plus courte.

— Fracture du fémur? hasarda le médecin.

Antoine ne répondit pas. Il réfléchissait. « Elle est trop choquée, » songea-t-il; « il y a sûrement autre chose. Autre chose, mais quoi? » Il tâta la rotule; puis ses doigts remontèrent lentement le long de la cuisse; et, tout à coup, par une plaie imperceptible qui se trouvait sur la face interne de la jambe, quelques centimètres au-dessus du genou, un jet de sang gicla.

— Ah! fit-il.

— La fémorale? s'écria l'autre.

Antoine s'était levé précipitamment. « Un chirurgien ? » se demanda-t-il. « Non : elle n'arriverait pas vivante à l'hôpital. Alors, qui ? Moi ? Pourquoi non ? Et que faire d'autre ? »

— Vous allez essayer de lier ? questionna le docteur.

Mais Antoine ne pensait pas à lui répondre. « Bien sûr, » songea-t-il, « et sans attendre une seconde ; peut-être est-ce déjà trop tard ! » Il jeta autour de lui un regard aigu. « Lier. Avec quoi ? Voyons : la rousse n'a pas de ceinture ; les rideaux, pas d'embrasses. Un tissu élastique ? Ah, je l'ai ! » En un clin d'œil, il se débarrassa de son gilet, détacha ses bretelles, les rompit d'un coup sec, et, s'agenouillant de nouveau, en fit un garrot qu'il noua serré à la naissance de la cuisse.

— Bon. Deux minutes pour souffler, dit-il en se relevant. La sueur coulait le long de ses joues. Il sentit tous les yeux fixés sur lui. « Elle est perdue si on ne l'opère pas sur-le-champ, » articula-t-il d'une voix brève. « Essayons. »

Aussitôt tous s'écartèrent du lit, même la femme qui tenait la lampe, même le jeune docteur, troublé.

Antoine serrait les mâchoires. « Voyons, » pensa-t-il, « du calme. Une table ? La table ronde que j'ai vue en entrant. »

— Éclairez-moi, cria-t-il à la jeune femme. Et vous, venez, ajouta-t-il en s'adressant au médecin. D'un pas rapide, il entra dans la pièce voisine. « Bon, » songea-t-il : « salle d'opération. » En un tournemain, il eut enlevé les couverts, et fait une pile des assiettes. « Ça, pour ma lampe, » se dit-il. Il avait pris possession du logis, comme d'un champ de manœuvre. « La petite, maintenant. » Il retourna dans la chambre ; le médecin et la jeune femme suivaient tous ses gestes et marchaient dans ses pas. Il montra la fillette au médecin :

— Je vais la prendre. Elle ne pèse rien. Vous, soutenez sa jambe.

Glissant les bras sous les reins de l'enfant, qui poussa un faible gémissement, il la transporta jusque sur la table. Puis il prit la lampe des mains de la rousse, enleva l'abat-jour, et plaça la lampe sur la pile d'assiettes. L'air était chargé de mouches que l'orage électrisait. Antoine transpirait de chaleur, d'angoisse. « Vivra-t-elle jusqu'à ce que j'aie fini ? » se demanda-t-il; mais une force, qu'il n'analysait pas, le soulevait. Jamais il n'avait été si sûr de lui.

Il saisit sa trousse, et, après en avoir retiré un flacon de chloroforme, une compresse, il la tendit au médecin :

— Ouvrez ça quelque part. Sur le buffet. Enlevez la machine à coudre. Déballez tout.

Puis, se retournant, le flacon à la main, il distingua des formes dans la sombre embrasure de la porte : les deux vieilles, immobiles, debout.

— Allez! ordonna-t-il.

Elles obéirent, traversèrent la pièce, disparurent, sans un mot.

— Pas vous! cria-t-il, impatienté, à la femme rousse qui s'apprêtait à les suivre.

Elle fit volte-face. Une seconde, il la regarda. Malgré lui, il pensa : « Pauvre femme ! Mais j'ai besoin d'elle ».

— Vous êtes la mère? demanda-t-il.

Elle secoua la tête :

— Non.

— Ah, tant mieux.

Tout en parlant, il avait imbibé la compresse et l'avait prestement dépliée sur le nez de l'enfant. « Eh bien, mettez-vous là, et prenez ça, » dit-il en lui passant le flacon. « Quand je vous ferai signe, vous en remettrez. »

L'odeur du chloroforme se répandit dans la pièce. La petite gémit, fit plusieurs aspirations profondes, et se tut.

Un dernier coup d'œil : le terrain était déblayé : seules restaient les difficultés professionnelles. L'heure décisive était venue; l'angoisse d'Antoine, comme par enchantement, se dissipa. Il s'approcha du buffet où le médecin achevait de disposer sur une serviette le contenu de la trousse. « Voyons, » se dit-il, « la boîte des instruments, bon! Le bistouri, les pinces. La boîte de gaze, le coton, ça va! Alcool. Caféine. Teinture d'iode. Et caetera. Tout y est. Commençons. »

Il leva la tête, regarda un instant le jeune médecin dans les yeux; il semblait dire : « Vous avez du cran. La partie est dure. A nous deux ! »

L'autre ne broncha pas. Il suivait maintenant, avec une attention servile, tous les mouvements d'Antoine. Il savait bien que l'opération était l'unique chance; seul, jamais il ne l'aurait osée; mais, avec Antoine, tout semblait possible.

«Le petit confrère n'est pas mal,» pensa celui-ci; «j'ai de la veine. Voyons. Une cuvette. Bah! A quoi bon? voilà qui est aussi bien.» Il empoigna la teinture d'iode et s'en inonda les bras jusqu'aux coudes.

— A vous, dit-il, offrant la fiole au docteur, qui astiquait fiévreusement les verres de son lorgnon.

Un éclair strident, suivi d'un coup brutal, illumina la fenêtre.

«Un peu trop tôt, la fanfare,» songea Antoine, «je n'avais même pas le bistouri en main. La rousse n'a pas tressailli. Ça va détendre les nerfs et rafraîchir; je suis sûr qu'il y a 35° sous ce toit[1].»

Il tourna les yeux vers la jeune femme.

— Quelques gouttes de chloroforme. Assez. Bon.

«Elle obéit comme un soldat,» pensa-t-il. «Ces femmes!» puis, regardant avec attention la petite cuisse gonflée, il avala sa salive, et leva le bistouri.

— Allons-y.

D'un geste précis, il incisa.

— Épongez, dit-il au médecin, penché près de lui. «Que c'est maigre,» songea-t-il. «Nous allons tout de suite arriver dessus. Tiens, voilà ma Dédette qui ronfle. Bon. Faisons vite. Les écarteurs maintenant.»—«A vous,» souffla-t-il. L'autre lâcha les cotons imbibés de sang pour empoigner les écarteurs et faire béer la plaie.

Antoine s'arrêta une seconde: «Bien» se dit-il. «Ma sonde? La voilà. Dans le canal de Hunter. La ligature classique; tout va bien. Zim! Encore un éclair. Celui-là n'a pas dû tomber loin. Sur le Louvre. Zim! Encore un. Et presque pas de pluie. On étouffe. L'artère est lésée au niveau du foyer de fracture: l'extrémité de l'os l'a déchirée; c'est enfantin. Elle n'avait pourtant pas beaucoup de sang à perdre.» Un coup d'œil vers la petite: «Hum... Dépêchons!

[1] *i.e.* Centigrade: this would be 95° Fahrenheit.

C'est enfantin, mais on en meurt . . . Une pince, bon. Une autre, voilà. Zim! Ces éclairs sont insupportables . . . Je n'ai que de la soie plate; tant pis». Il brisa le tube, sortit l'écheveau, fit une ligature près de chaque pince. «Parfait. Nous touchons au but. La circulation collatérale suffit, surtout à cet âge-là. Je suis un type merveilleux. Est-ce que j'aurais raté ma vocation? J'avais tout ce qu'il faut pour faire un chirurgien, un grand chirurgien.» Dans le silence, entre deux grondements de l'orage qui s'éloignait, on entendit le claquement sec des ciseaux dont les pointes coupaient les bouts de la soie. «Tout: le coup d'œil, le sang-froid, l'énergie, l'habileté.» Soudain, il tendit l'oreille, et pâlit:

— Diable, fit-il à mi-voix.

L'enfant ne respirait plus.

Il écarta la femme d'une poussée brusque, arracha la compresse qui couvrait le visage de la petite opérée, et posa l'oreille sur le cœur. Le médecin et la jeune femme, les yeux braqués sur Antoine, attendaient.

— Si! Elle respire encore, murmura-t-il.

Il prit le poignet; mais le pouls était si précipité qu'il renonça à compter les pulsations. «Pfuit!» fit-il, et sa figure crispée se contracta davantage. Ses deux aides sentirent son regard passer sur eux; mais il ne les voyait pas.

Il commanda d'un ton bref:

— Vous, enlevez les pinces, faites un pansement; et puis levez le garrot. Vite . . . Vous, donnez-moi de quoi écrire. Inutile, j'ai mon carnet.

Il s'essuyait fébrilement les mains avec une boule de coton.

— Quelle heure est-il? Pas encore neuf heures. Le pharmacien est ouvert. Vous allez y courir.

Il griffonna l'ordonnance et signa. «Une ampoule d'un litre. Courez, Madame, courez!»

— Et si . . . ? balbutia-t-elle.

Il la toisa:

— Si c'est fermé, cria-t-il, vous sonnerez, vous cognerez, jusqu'à ce qu'on ouvre! Allez!

Elle s'éclipsa. Il pencha la tête, s'assura qu'elle s'éloignait en courant, puis se tourna vers le médecin:

— Nous allons tenter le sérum.   Notre dernière chance.

Il prit deux petites fioles sur le buffet. « Le garrot est levé? Bon. Faites-moi toujours une piqûre d'huile camphrée. Et puis une de caféine; la moitié seulement, pauvre gosse. Mais, je vous en prie, faites vite.»

Il revint à l'enfant et reprit le frêle poignet entre ses doigts; il ne percevait plus rien, à peine un frémissement accéléré. « Cette fois, » pensa-t-il, « le pouls est franchement incomptable. »   Alors il eut une minute de faiblesse, de désespoir.

— Ah, nom de nom, bégaya-t-il.   Dire que tout est réussi, et que ça n'aura servi à rien !

D'instant en instant, le visage de l'enfant devenait plus livide. Elle mourait. Antoine aperçut, près des lèvres entr'ouvertes, deux petits cheveux enroulés, plus légers que des fils de la Vierge, et qui, par intervalles, se soulevaient : elle respirait toujours.

« Il n'est pas maladroit, pour un myope, » songea-t-il, en surveillant le médecin qui faisait les piqûres. « Mais nous ne la sauverons pas. »

A ce moment, il crut entendre battre une porte, et s'élança au-devant de la jeune femme. Il lui arracha le paquet des mains.

— De l'eau chaude, dit-il, ne pensant même pas à la remercier.

— Bouillie?

— Non.   Pour tiédir le sérum.   Vite.

Il eut à peine le temps de développer le paquet, que déjà elle était revenue tenant une casserole fumante. Cette fois, sans la regarder il murmura :

— Bien.   Très bien.

Le temps pressait. En quelques secondes, il eut brisé les pointes de l'ampoule et assujetti le tube de caoutchouc. Au mur pendait un baromètre suisse, en bois sculpté. Il l'enleva d'une main, et de l'autre accrocha l'ampoule au clou. Puis il saisit la casserole d'eau chaude, hésita un dixième de seconde, et enroula le caoutchouc au fond. « Le sérum se chauffera en passant. Merveilleux! » songea-t-il; et il prit le temps de jeter un coup d'œil vers le médecin pour s'assurer que l'autre l'avait vu faire. Enfin, il revint à l'enfant, souleva le petit bras inanimé, le badigeonna d'iode, découvrit le vaisseau d'un coup de bistouri, glissa la sonde dessous et piqua l'aiguille dans la veine.

— Ça passe, cria-t-il. Prenez le pouls. Moi, je ne bouge plus.

Dix interminables minutes s'écoulèrent, dans un absolu silence.

Antoine, le corps couvert de sueur, la respiration courte, les paupières plissées, attendait.

Il leva enfin les yeux vers l'ampoule:
— Où en sommes-nous?
— Presqu'un demi-litre.
— Et le pouls?

Le médecin secoua la tête, sans répondre.

Cinq autres minutes passèrent dans la même intolérable anxiété.

Antoine reporta les yeux sur l'ampoule:
— Où en sommes-nous?
— Reste un tiers de litre.
— Et le pouls?

Le médecin hésita:
— Je ne sais pas. Je crois qu'il aurait plutôt tendance à . . . à revenir un peu.
— Pouvez-vous compter?

Une pause.
— Non.

« Si le pouls revenait . . . » pensa Antoine. Il eût donné dix ans de sa propre vie pour ranimer ce petit cadavre. « Quel âge ça a-t-il? Sept ans? . . . Nom de nom, j'ai pourtant tout fait! Le sérum passe. Mais il est trop tard . . . Attendons. Rien à faire, rien à essayer: attendre . . . Vais-je réussir? Non, elle a dû perdre trop de sang dans le transport. En tout cas, pour l'instant aucun indice de mieux. Ah, nom de nom! »

Il regarda les lèvres décolorées, et les deux fils d'or qui, par intervalles, se soulevaient toujours. La respiration lui parut même un peu plus nette. Se trompait-il? Une demi-minute passa. Un imperceptible soupir sembla gonfler la poitrine et s'en exhaler lentement, comme s'il épuisait un reste de vie. Antoine resta une seconde perplexe, l'œil fixe. Non, elle respirait toujours. Il fallait attendre, attendre, encore attendre.

Une minute plus tard, un autre soupir, presque distinct.

— Où en êtes-vous?

— L'ampoule est presque vide.

— Et le pouls? Il revient?

— Oui.

Antoine respira.

— Vous pouvez compter?

Le médecin tira sa montre, rajusta son lorgnon, se tut pendant une minute, et dit:

— Cent quarante... Cent cinquante peut-être.

— C'est mieux que rien, laissa échappa Antoine.

Il se défendait, de toutes ses forces, contre l'immense soulagement qui déjà, malgré lui, l'envahissait. Pourtant, il ne rêvait pas, il y avait un mieux certain. Le souffle devenait plus régulier. Il dut faire effort pour ne pas changer de place; il avait une envie puérile de siffler, de chanter. « C'est-mieux-que-rien-na-na-na-na, » fredonna-t-il en lui-même, sur l'air qui l'obsédait depuis le matin.

Il eut une seconde de délivrance, de véritable joie.

« Et la petite est sauvée, » pensa-t-il. « Il faut qu'elle soit sauvée! »

— L'ampoule est vide, constata le docteur.

— Parfait!

A ce moment, l'enfant, qu'il ne quittait pas du regard, eut un frisson. Antoine se tourna quasi gaîment vers la jeune femme, qui, depuis un quart d'heure, adossée au buffet, n'avait pas remué un cil.

— Eh bien, Madame, cria-t-il d'un ton bourru, nous dormons? Et la bouillotte?

Il faillit sourire de sa stupéfaction.

— Evidemment, Madame, ça tombe sous le sens! Une boule, et bien chaude, pour réchauffer les petons de cette enfant!

Elle eut, au fond du regard, un bref éclair de joie, et disparut.

Alors Antoine, se penchant avec un redoublement de précaution, de tendresse, retira l'aiguille, et, du bout des doigts, mit une compresse sur la petite plaie. Puis il palpa le bras dont la main pendait, inerte encore.

— Une autre ampoule d'huile camphrée, mon cher, à tout hasard; et nous aurons épuisé le grand jeu.

La femme reparaissait déjà, un cruchon entre les bras. Elle hésitait; et, comme il ne disait rien, elle s'approcha des pieds de l'enfant.

— Pas comme ça, Madame, reprit Antoine sur le même ton brusque et gai. Vous allez la brûler! Donnez-moi ça. Dire qu'il faut que je vous apprenne à emmailloter une bouillotte!

Et, souriant cette fois, il prit une serviette roulée qui traînait, jeta le rond sur le haut du buffet, enveloppa le cruchon et le cala contre les pieds de la fillette. La rousse le regardait, surprise par le sourire juvénile qui rajeunissait tout à coup ce visage.

— Elle est . . . sauvée? hasarda-t-elle.

Il n'osa pas encore répondre oui.

— Je vous dirai ça dans une heure, bougonna-t-il. Elle ne s'y méprit point. Elle l'enveloppa d'un regard hardi, chargé d'admiration.

— Remettons la petite dans le lit, proposa Antoine au médecin. Comme tout à l'heure. Soutenez la jambe. Enlevez le traversin; la tête à plat. Maintenant, le moment est venu d'organiser un appareil . . . Donnez-moi cette serviette. Et la ficelle du paquet. Nous allons improviser un extenseur. Faites passer la corde entre les barreaux. Bien. C'est commode, ces lits de fer. Maintenant, un poids. N'importe! Ce pot. Non, voilà mieux: ce fer à repasser. Il y a tout ce qu'il faut ici. Mais oui, donnez. Là! Demain, nous perfectionnerons. En attendant, ça va suffire à faire un peu d'extension. N'est-ce pas votre avis? . . . Maintenant, rentrez chez vous, mon cher. Il est tard. Nous n'avons pas besoin d'être deux ici.

Il hésita : « Je crois pouvoir dire qu'elle est sauvée. Je crois. Cependant, à tout hasard, je passerai la nuit, là, si vous permettez ».

Le docteur fit un geste.

— Je dis : si vous permettez, continua Antoine, car je n'oublie pas que c'est votre malade. Parfaitement. Je suis intervenu d'urgence parce que l'indication était formelle. N'est-ce pas? Mais, dès demain, je laisse la petite entre vos mains. Et sans inquiétude : ce sont de très bonnes mains.

Tout en parlant, il avait reconduit le médecin jusqu'à la porte. « Voulez-vous repasser vers midi? » ajouta-t-il. « Je reviendrai après l'hôpital; nous conviendrons ensemble du traitement. »

— Maître, je . . . je suis trop heureux d'avoir pu . . .

C'était la première fois qu'Antoine s'entendait saluer comme un « maître ». Il huma toute entière cette bouffée d'encens, et, spontanément, il tendit au jeune homme ses deux mains. Il se ressaisit aussitôt :

— Je ne suis pas un maître, dit-il d'une voix altérée. Un élève, mon cher, un apprenti : un simple apprenti. Comme vous. Comme les autres. Comme tout le monde. On essaye, on tâtonne . . . On fait ce qu'on peut; et c'est déjà bien.

Abridged from ROGER MARTIN DU GARD, *Les Thibault*, Troisième Partie, *La Belle Saison*, *I*, 1923. (Copyright by Gallimard, Paris.,

LION-HUNTING

J'ÉTAIS à Johannesburg et désirais vivement faire partie d'un club de chasseurs où je comptais beaucoup d'amis. Mais les règlements exigeaient que tout candidat eût tué au moins un lion. Je partis donc avec un nègre chargé de plusieurs fusils et, le soir, me mis à l'affût avec lui, près d'une source dans laquelle un lion avait coutume de venir boire.

Une demi-heure avant minuit, j'entendis un bruit de branches cassées et au-dessus d'un buisson apparaît la tête du lion. Il nous avait sentis et regardait de notre côté. Je le mets en joue et tire ; la tête disparaît derrière le buisson, mais au bout d'une minute remonte.

Un second coup : même résultat. La bête, effrayée, cache sa tête, puis la dresse à nouveau. Je restais très calme : j'avais seize coups à tirer dans mes différents fusils. Troisième coup : même jeu. Quatrième coup : même jeu. Je m'énerve, je tire plus mal, de sorte que, après le quinzième coup, l'animal redresse encore la tête.

— Si toi manquer celui-là, me dit le nègre, nous mangés.

Je respire profondément, je vise soigneusement, je tire. L'animal tombe . . . Une seconde . . . deux . . . dix . . . il ne reparaît pas. J'attends encore un peu, puis, triomphant, je me précipite suivi de mon nègre, et devinez ce que je trouve derrière . . .

— Le lion.

— Seize lions . . . et chacun d'eux avec une balle dans l'œil : c'est ainsi que je débutai.

ANDRÉ MAUROIS, *Les Silences du Colonel Bramble*, 1918, Grasset.

A NARROW ESCAPE

L'ARIEL avait trop de tirant d'eau pour aborder sur la plage de Casa Magni. Williams, avec l'aide d'un charpentier, construisit un minuscule canot de toile goudronnée sur armature de bois qui permit d'aller du bateau au rivage. C'était une barque si fragile qu'elle chavirait au moindre mouvement. Elle devint le jouet favori de Shelley. Il adorait se laisser balancer par les vagues dans cette coquille légère.

Un soir, voyant sur la plage Jane avec ses deux enfants, il l'invita à monter dans sa nacelle : « Avec un peu de précaution, il y aura de la place pour tout le monde ». Elle se blottit au fond de la barque dont le bord descendit jusqu'à n'être plus qu'à une main de la surface ; le moindre souffle du vent, le plus petit mouvement des enfants pouvaient la faire chavirer.

Elle pensait que Shelley voulait seulement flotter sur les basses eaux du rivage, mais lui, fier de montrer à cette charmante femme ses talents de rameur, appuya sur ses avirons et fut bientôt dans les eaux bleues et profondes de la baie ; là il s'arrêta et tomba dans une profonde rêverie. Jane fut saisie de la plus affreuse terreur ; elle essaya de poser doucement quelques questions. Il ne répondit pas. Soudain il leva la tête, parut illuminé par une pensée soudaine et dit joyeusement : « Allons résoudre ensemble le grand mystère ».

Si Jane avait poussé un cri, ses enfants étaient perdus. Shelley eût fait un mouvement brusque, la barque aurait penché légèrement et les eaux les auraient enveloppés. Gaiement, légèrement, elle répondit : « Non, merci, pas maintenant ; je voudrais dîner d'abord et les enfants aussi . . . D'ailleurs, voici Edward qui rentre avec Trelawny, ils seront surpris de nous trouver sortis et Edward dira que ce bateau n'est pas sûr ».

— Pas sûr ? dit Shelley vexé. J'irais à Livourne dedans ; j'irais n'importe où.

Jane sentit que l'ange de la mort repliait ses ailes.

— Vous n'avez pas encore écrit les paroles de l'air indien ? dit-elle négligemment.

— Si, mais il faut que vous me le jouiez encore.

Tout en parlant il ramenait le bateau vers les eaux basses. Aussitôt que Jane vit qu'elle avait pied, elle sauta dans l'eau avec ses enfants si rapidement que Shelley se trouva enfermé sur le sable et sous le canot comme un crabe dans sa carapace.

— Jane, êtes-vous folle? dit son mari en repêchant Shelley. Nous vous aurions ramenés à terre si vous aviez attendu un moment.

— Non, merci, je l'ai échappé belle . . . L'horrible cercueil. Je n'y mettrai plus les pieds.   Résoudre le grand mystère! le plus grand de tous, c'est lui . . . Qui peut prévoir ce qu'il peut faire?   Je voudrais être partie d'ici; je vis dans la terreur.

ANDRÉ MAUROIS, *Ariel ou la vie de Shelley*,
1923, Grasset.

A NIGHT MARCH OF MOROCCAN INFANTRY IN THE ABRUZZI IN WINTER DURING THE ITALIAN CAMPAIGN IN THE SECOND WORLD WAR

LE capitaine Salbart attendait, debout au milieu de la pièce jaunie par la bougie, penché vers Chadrine qui avait étalé la carte sur la table...

« Alors ? Que faisons-nous ? dit Couderc.

— Voyez, Messieurs. Approchez-vous, Couderc. Tout ce qu'il y a de clair est que nous sommes ici, et que nous devons nous porter là, sur ces lisières.

— Et par où ? demanda Jacques.

— Nous monterons à travers ces bois et nous descendrons légèrement sur l'autre versant jusqu'à une maison qui est déjà occupée. Après, nous en repartirons, sans doute dès le jour, pour une marche offensive. Je ne sais rien de plus ; le Vieux ne m'a rien dit parce que lui-même ne savait rien. Les ordres arriveront là-bas dans la matinée sans doute. Nous avons quatre mulets à notre disposition pour porter les pièces. Est-ce que vous voulez vous en occuper, Couderc ?

— D'accord, mon capitaine.

— Et quand partons-nous ?

— Si tout est prêt, immédiatement. Vous, Brûlain, vous prenez la tête, derrière le guide. Ah ! Est-ce qu'il est là, celui-là ?

— Oui, dit Couderc, il vient d'arriver, il a une sale tête.

— Derrière Brûlain, un mulet, puis la section Chadrine avec un autre, puis vous Couderc, avec les deux derniers. On peut nous voir et nous entendre sur tout le parcours. Donc le silence absolu et pas de lumière. Pour le reste, je ne sais rien.

— Je me demande bien pourquoi vous n'avez pas d'ordres, mon capitaine, dit Chadrine, les yeux perdus sur la carte. Est-ce qu'ils prépareraient quelque chose d'important ? Je trouve qu'il y a beaucoup de monde dans cette région en ce moment.

— De toutes façons, cela ne nous sert à rien de le savoir, dit Jacques. Pressons-nous.

— A moins que ce ne soit leur habituel manque de logique»,
dit Chadrine rêveusement.

Le capitaine plia soigneusement la carte, boucla son casque
et fixa rapidement les trois hommes de ses yeux mobiles. Un
bref sourire détendit son visage à la poursuite d'une pensée
qu'il ne formula pas.

«Aux mulets, si vous voulez bien, Messieurs,» dit-il.

Dehors, Jacques rejoignit sa section et la conduisit près des
écuries au pied du sentier, où il la mit en file. Près d'eux,
Couderc avait des difficultés avec le guide qui grommelait
rageusement en arabe pendant que les servants chargeaient les
mitrailleuses sur ses bêtes ... La compagnie était maintenant
rangée derrière Brûlain, prête, et soudain silencieuse.

«Qu'est-ce que tu veux? dit Kerchouch au guide.

— Vous porterez les caisses, elles sont trop lourdes.

— Non, dit Couderc, les mulets porteront tout.

— Ça ne me regarde pas, dit l'homme en s'asseyant par
terre. Je n'irai pas avec vous.»

Il se mit à jurer a voix basse pendant que Kerchouch le
saisissait par son blouson.

«Alors, Couderc, c'est prêt? dit la voix du capitaine.

— Nous allons avoir fini, mon capitaine.»

Un des mulets, malmené, fit quelques brusques écarts, et
Kerchouch se retourna pour rattraper de justesse une mitrailleuse. Le guide se releva, aidant à reboucler les courroies.
Puis tous s'écartèrent et Kerchouch, reprenant le blouson du
petit homme luisant de boue, le frappa, puis lui parla très vite
à voix basse, sur un ton menaçant. Celui-là n'aurait plus
envie de faire des siennes. Couderc emmena les bêtes et
tous reprirent place dans la file.

«Où vous tiendrez-vous, mon capitaine? appela Jacques.

— Entre votre section et Chadrine. Allez, en route, il est
tard.»

La colonne s'ébranla, puis s'arrêta en haut de la montée.

«Je viens, dit le guide en courant.

— Comment t'appelles-tu? demanda Jacques en lui posant
la main sur l'épaule.

— Idbani, matricule trente-cinq trente-trois.»

Une seconde Jacques hésita. Il faisait si noir sous les arbres, qu'à quelques mètres déjà le sentier n'était plus distinct. Mieux valait peut-être qu'il n'y eût pas de lune, mais la marche serait difficile.

« Tenez-vous tous par l'épaule, faites passer, dit-il derrière lui...

— Allez-y, Brûlain, voyons ! Tout reste à faire.

— Oui, mon capitaine... En avant, Idbani ! » dit-il à voix basse. Silencieuse, la compagnie partit dans les pas du guide.

Il semblait à Brûlain qu'ils marchaient depuis des heures. Il faisait si noir sous les arbres que seul le guide arrivait à discerner le parcours du sentier... Il s'était perdu deux fois, trompé par de grandes flaques, avançant au milieu des arbres de plus en plus difficilement, jusqu'à ce que les branches mortes des sapins, acérées comme des lames, les eussent contraints de s'arrêter. Il avait fallu retenir les hommes, revenir en arrière et faire tourner les mulets, au milieu de la confusion et des chutes. Les éclatements des mortiers parsemaient les bois, plus fréquents à mesure que la troupe montait. L'un d'eux avait secoué les arbres derrière elle, et de bouche en bouche on avait commandé la halte. Un à un les tirailleurs s'étaient immobilisés, attendant. Personne ne criait. C'était seulement le dernier mulet qui avait pris peur.

La boue assez fluide pour entrer sous les guêtres, glaçait les pas, et l'angoisse de cette marche interminable devenait plus lourde à chaque glissade. Les mulets avançaient avec une prudence, des hésitations et des repentirs harassants. Quelques voix parlaient maintenant tout haut de tuer le guide, qui restait sourd aux injures dont Brûlain le couvrait à voix basse, mais devenait de plus en plus incertain et soupirait parfois brusquement en gémissant. La peur le tenait...

« Jacques ? appela la voix de Chadrine qui remontait.

— Qu'y a-t-il ?

— Le capitaine te demande si oui ou non nous sortirons de ces bois.

— Qu'il y vienne, moi j'en ai assez.

— Nous tournons en rond, mon vieux. Je suis presque sûr que nous sommes passés deux fois à côté de cette mare, tout à l'heure. Je l'ai reconnue.

— Qu'est-ce que tu veux que j'y fasse! Pourquoi t'arrêtes-tu? dit-il au guide. Reste là, Boris, derrière moi, prends-moi l'épaule.

— Je suis perdu, dit le guide.

— Combien de fois as-tu fait ce chemin?

— Quatre. Et à chaque fois je redescends tout seul avec les mulets.

— Ça m'est égal. Retrouve la route. Calme-toi et retrouve la route. Tu n'as que cela à faire.

— Je sais », dit le guide.

Il tâta du pied devant lui, se protégeant le visage d'un bras à demi replié, et entraîna de nouveau la colonne ... La marche devint plus facile, les troncs s'espacèrent et brusquement parut une orée moins sombre, au-dessus de laquelle le ciel d'hiver brillait faiblement, coupé par la crête d'une clairière.

« Où sommes-nous? dit Brûlain.

— Le chemin est de l'autre côté. Il faut laisser ce pré à droite. Je crois que nous sommes à la bonne hauteur.

— Tu en es sûr?

— Je crois.

— Descends trouver le capitaine, dit Jacques à Quatre-cent-vingt-deux. Dis-lui que nous allons trouver la route et que surtout les hommes ne se séparent pas. Va vite. »

Le guide sauta du haut du fossé qui marquait la clairière et Brûlain le vit s'enfoncer en tombant.

« Il y a de la boue?

— Beaucoup, mon lieutenant. Fais venir le mulet, que je l'attrape. C'est difficile ici. »

Deux tirailleurs amenèrent le mulet, qui s'arrêta net au bord du talus. Le guide le prit par la bride et le tira sans succès.

« Allez, Idbani, dit Jacques. Il faut qu'il passe, pressons-le. »

Après plusieurs hésitations, le mulet sauta dans la clairière et Brûlain le vit trébucher, se coucher, vidant sa charge, agité de mouvements désordonnés pour reprendre pied. Le lieutenant sauta plus à gauche, avec quelques hommes, n'osant s'approcher de la bête qui ruait...

« Tu t'y reconnais, maintenant ? demanda-t-il.

— Oui, mon lieutenant. Nous ne sommes plus loin, mais ça monte dur.

— Dépêche-toi de filer, en route ! »

Ils repartirent dans un terrain rocheux plus facile. Une main pressa l'épaule de Jacques, qui reconnut Chadrine...

« Approchons-nous, Idbani ?

— Oui, encore un petit moment. Après je vous laisserai. »

« Et où nous laissera-t-il ? » Brûlain songeait que même le capitaine ne le savait pas. Personne de toute la compagnie ne savait où ils allaient, et tous marchaient pourtant, menés par ce guide que l'idée de refaire le trajet de retour affolait. Seule la main de Chadrine rattachait le lieutenant au reste des hommes... Leur vie ressemblait maintenant à cette marche errante dans le noir, où l'on se perdait, où l'on se menaçait, comme des bêtes égarées, sans autre idée qu'un salut provisoire, et dont l'issue serait une autre marche aussi incertaine...

A chaque pas, la main de Chadrine tirait légèrement sur son épaule. Brûlain en reconnaissait le poids et la surface. Heureusement il y avait Boris. Sa main était énorme, puissante et apaisante, comme lui-même, et son contact avait toujours le même pouvoir de rassurer. Peut-être était-ce parce que Chadrine approchait de la cinquantaine que la jeunesse de Jacques se sentait près de lui protégée. Chadrine était un homme fort et doux. Sa démarche pesante le voûtait un peu, et lui donnait l'aspect du bon géant des contes d'enfant, qu'accroissaient encore la lenteur de ses gestes, l'éclat de ses yeux bleus dans un visage lourd et fendu de rides, et l'attention avec laquelle il écoutait toutes choses, prêt à s'associer. L'amitié de Brûlain et de Chadrine avait été immédiate ; elle partait de racines plus profondes que les combats et les repos partagés. « Il m'aide toujours, se dit Jacques, rien qu'avec sa grosse patte d'ours. Sait-il à quel point ? » Oui, sans doute, car Chadrine devinait tout.

« Ça va, Boris ? dit Jacques doucement.

— Ça va, mon fils, ça va toujours. J'ai seulement envie de fumer une pipe. Peut-être arriverons-nous un jour quelque part où on puisse fumer une pipe.

— Nous n'en finirons pas. Quelle nuit! dit Jacques. Si seulement il faisait moins froid.»

Le guide s'arrêta net et soupira. Ils étaient en haut d'une montée, pas encore dégagés des arbres, près d'un monceau de pierres ruinées.

« C'est là, dit le guide. Je vous laisse là.

— Quatre-cent-vingt-deux, va dire au capitaine de venir. Qu'est-ce qu'il faut faire, maintenant, Idbani?

— Tu prends le fil du téléphone, mon lieutenant. Il est là, par terre. Tiens, le voilà. Tu tournes dans un tout petit chemin à gauche, à deux cents mètres, le fil tourne lui aussi, et en haut du chemin, tu verras une maison. C'est là.»

S'ils avaient eu le temps, ils auraient dû aller jusqu'à cette maison avec quelques hommes, pour assurer la route. Mais il était trop tard maintenant, les ordres attendaient peut-être déjà. De toutes façons le jour serait là dans une heure à peine et il fallait être en place à ce moment-là. Les sections de Chadrine et de Couderc déchargeaient leurs mitrailleuses, piétinant à côté des mulets qui bronchaient, et les hommes prenaient leurs charges dans la confusion de l'obscurité.

« Qu'est-ce que vous en pensez, mon capitaine? demanda Jacques. Je vais mettre Medjlaoui un peu en avant de nous avec son groupe. Ce sera toujours une petite défense.

— Si vous voulez, dit Salbart, nous n'en avons pas eu jusqu'ici, je pense que c'est un peu théorique. D'ailleurs il est encore trop tôt pour avoir des surprises. Partons vite, nous faisons trop de bruit ici.»

Brûlain entendit encore le pas plus léger des mulets qui s'éloignaient. Le guide n'était plus là. Il devait maintenant, à mesure que son retour solitaire l'isolait, céder peu à peu à sa peur. Bientôt, s'il était trop las pour se contenir, il se mettrait à courir et tomberait dans cette boue. Brûlain pensa qu'il n'avait même pas vu son visage. Il se secoua; celui-là était à oublier vite, son rôle était terminé et personne n'avait à prendre sa peine.

« Tu as le fil, Medjlaoui ?

— Oui, mon lieutenant.

— Tu as bien compris ?   Alors, en route. »

Il attendit quelques instants que Medjlaoui et ses hommes se fussent éloignés et partit lui-même, entraînant dans son pas la colonne reformée ...

En avant, un coup de feu, suivi d'une bordée d'injures, arrêta la colonne. Brûlain reconnut la voix de Medjlaoui, hoquetant de colère, déversant un torrent de jurons qu'il ne comprenait pas tous. Quelques rires las prirent les hommes et le lieutenant se hâta pour rejoindre l'avant-garde.

« Pas si fort, Medjlaoui ! dit-il.   Ne crie pas comme cela. Qu'as-tu ?

— Ce porc ! dit Medjlaoui plus bas, ce fils de porc ! Tu ne le vois pas parce qu'il se cache maintenant. Il est là en sentinelle derrière ces arbres et il me tire dessus sans sommation ni rien, juste devant la figure ...

— Assez, Medjlaoui, dit le capitaine qui arrivait. Tu n'es pas mort ? Alors tais-toi. »

Tout près d'eux, en contre-pente, quelques ombres alertées par le coup de feu s'agitaient près d'une maison basse. Elles avaient dû entendre Medjlaoui et se rassurer, car l'une d'elles s'avança au-devant de la troupe et une voix jeune demanda doucement :

« C'est le capitaine Salbart ?

— Moi-même.

— J'ai des ordres pour vous, mon capitaine. Si vous voulez venir jusqu'à la maison, il y a une grange très vaste pour vos hommes.

— Je vous suis, Monsieur. Voulez-vous venir, Chadrine ? Brûlain restera ici pour le moment avec Couderc. Nous verrons après. »

Avec des soupirs profonds, les porteurs posèrent leurs charges et toute la compagnie, debout, attendit.

Abridged from PIERRE MOINOT, *Armes et Bagages*, 1951.
(Copyright by Gallimard, Paris.)

LE CONFORT ET SES RAVAGES

NOUS nous arrêtâmes un soir en plein désert et décidâmes de camper à l'abri d'une dune. A une lieue à la ronde il n'y avait que des pierres noires, des épines, de l'herbe à chameau; rien ne vivait sur cette très vieille terre d'Arabie.

Nous montâmes les tentes. Du coffre des automobiles sortirent une infinité d'objets métalliques que nous étions heureux d'utiliser pour la première fois depuis le départ: ils se dépliaient comme des fusées et, enflant leur volume, devenaient des tables, des lits, des douches, des poêles ou des fauteuils: l'ingéniosité des guides suisses, des campeurs allemands, des broussards français, des pêcheurs américains et des chasseurs britanniques semblait lutter d'excellence pour faire ce soir-là de ce coin de sable l'endroit le plus confortable du monde.

Même s'il est vide de gazelles, d'oiseaux, de lézards ou de rats, le désert n'est jamais désert. Un quart d'heure après notre arrivée, un groupe de nomades avait surgi de la solitude. C'étaient des hommes maigres et muets, à la peau et à l'âme sèches, du bois dont on fait les prophètes; ils portaient le voile bédouin sur la tête, en bandoulière un chapelet de cartouches et un autre de dattes sèches, leur nourriture pour un mois. Ils nous regardaient nous débattre parmi nos ustensiles d'aluminium et de nickel. Je les regardais moi aussi, à la dérobée, me demandant si tout ce qu'ils voyaient leur faisaient envie. Mais non; ils ne s'approchaient pas, ils ne cherchaient pas à toucher, à comprendre, à admirer, à se faire faire des cadeaux, comme les nègres; ils laissaient exprès entre eux et nous un espace vide, véritable cordon sanitaire de la tentation; inutile précaution, car le désert les avait tellement dématérialisés qu'une vie d'abondance n'eût pas suffi à les guérir de leur endurance, de leur continence et de leur simplicité; une cuirasse héréditaire les protégeait contre la richesse ou contre le confort.

Les Bédouins considéraient notre outillage touristique sans envie, mais aussi sans dérision. Nous leur offrions un spectacle curieux, instructif, et ils le prenaient comme le hasard le leur offrait. La viande que nous leur présentâmes, ils la refusèrent, tant ils craignaient que ce fût du porc, sous une forme inattendue. Ils n'acceptèrent qu'une cigarette.

Les jours suivants, je fis avec ces Arabes plus ample connaissance. Les plus riches d'entre eux ne possédaient que peu de chose, mais ce peu était excellent : pas d'autre parfum que l'encens, mais le meilleur du monde ; rien que du café, mais le premier de tous ; des dattes, mais exquises ; les plus rapides chameaux et des chevaux de chez Ibn Seoud à faire pâlir l'écurie Rothschild, chevaux où se croisait le sang des cinq races descendues des cinq juments du Prophète.

J'admirais comment la qualité avait été portée chez ces pauvres gens filtrée à travers les mailles de l'essentiel ; ils allaient dans la vie comme des aviateurs de grands raids qui sont obligés de calculer leur bagage au plus juste et qui n'emportent que des objets rares ou coûteux. Je les admirais surtout pour ce choix qu'ils avaient su faire dans leurs besoins ; au lieu de les multiplier, comme nous, ils les avaient concentrés à un degré tel qu'il y avait plus de richesses sous une de leurs tentes que dans toute la camelote d'un grand magasin.

Ces hommes avaient su s'arrêter sur la pente de l'acquisition ; et nous, bêtement, nous nous laissions vaincre chaque jour par des tentations stupides. Dès que les crises et leur misère cessent et que la prospérité revient, les Occidentaux stimulés par une production diaboliquement ingénieuse se laissent glisser du nécessaire au superflu : le bain est utile, mais que dire des trois cents ustensiles, accessoires et produits du rayon *Bains* des catalogues ?

Ainsi devant ces moines du désert, je me promis de pratiquer désormais l'art difficile de passer impassible devant les devantures.

PAUL MORAND, *Le Réveille-matin*, 1937, Grasset.

TALK OF THE DEVIL, OR VOODOO IN BRAZIL

LE vaudou s'appelle au Brésil *macoumba*. Magie blanche et noire poursuivie et interdite par la police, et qui, malgré tout, perpétue en Amérique les vieux rites de Guinée et du Congo. Nous avions été en relations avec un personnage important de la police, spécialement chargé de la répression du vaudou. C'était un homme d'aspect sévère, à lunettes d'or.

— Il n'y a plus de *macoumba*, dit-il sèchement, lorsque je lui exprimai le désir d'assister à un de ces meetings secrets.

— N'en croyez rien, me souffla un ami; les magiciens ici sont de grands électeurs; ils jouent un rôle actif dans la politique brésilienne et personne n'oserait y toucher. Je vous emmène demain soir à un *macoumba*.

Nous partîmes à six, en auto, sous la lune verte, à travers la campagne verte, accompagnés d'un musicien noir. Plus de route. Nous bondissions à travers champs. A la sortie d'un village nous fîmes halte. Silence absolu. Partout les lumières s'éteignaient à notre approche, car on nous prenait pour la police. Nous grimpâmes à pied dans les plantations. A force de parler du loup, nous finîmes cependant par en voir la queue. Après avoir beaucoup juré en portugais, nous entrâmes dans une case où un cercle d'hommes de couleur et de négresses formaient un cercle magique; la porte se referma; il nous fut recommandé de ne pas nous croiser les bras pour ne pas faire fuir le fluide. De temps à autre, un corps s'abattait lourdement: un noir tombait en transe...

Le Grand-Prêtre entra; il avait sur le dos une peau de léopard et sur la tête un chapeau haut de forme avec des sonnettes qu'il agitait en remuant le chef. A sa vue les cris redoublèrent: un long hurlement retentit. Tandis que les paumes moites frappaient avec fureur les tambours, mes yeux s'attachaient à lui; dans la pénombre sa figure m'apparaissait familière. Soudain, je le reconnus: le Grand-Prêtre n'était autre que le haut fonctionnaire de la police qui, la veille, les yeux baissés derrière ses lunettes d'or, m'avait assuré qu'il n'y avait plus de *macoumbas*.

PAUL MORAND, *Le Réveille-matin*, 1937, Grasset.

A BIRD'S-EYE VIEW OF NEW YORK

UN nouvel arrêt au coin de Fulton Street permet d'embrasser dans toute sa hauteur celui qui fut si longtemps le roi des gratte-ciel newyorkais, le *Woolworth Building* et sa tour gothique. Le Woolworth est une sorte de cathédrale pour gens d'affaires, avec soixante étages de bureaux ... Construite par le roi des bazars, cette tour Eiffel de New-York est la joie des étrangers et des provinciaux ; dès que nous avons pénétré dans le hall de marbre et de granit poli, de jeunes amazones en livrée amarante ouvrent la porte en cuivre lisse d'un coffre-fort qui se trouve être un des vingt-huit ascenseurs. Ce chemin de fer vertical, en moins d'une minute, me dépose au cinquante-sixième étage ; New-York apparaît d'ici comme cette ville miniature que le roi de Siam s'amusait à édifier au centre de ses jardins. Aveuglé par l'Atlantique ensoleillé, je me trouve en plein ciel, à une hauteur telle qu'il me semble que je devrais voir l'Europe.

Comment décrire de si haut cette métropole en réduction : c'est de la topographie, non de la littérature. Devant moi se déroule la rivière de l'Est enjambée par les ponts d'une souplesse métallique, qui retombent dans l'immensité informe de Brooklyn. En bas, ces surfaces planes, ces damiers ne sont pas les rues mais les terrasses des plus hautes maisons, surmontées de tours, vrais paliers où souvent se reposent les nuages ; les cheminées sont remplacées par les réservoirs à eau que, dans les gratte-ciel les plus récents, des coupoles dissimulent ... Des yeux je descends le long de ces accumulateurs de verre, de ces condensateurs d'énergie, au bas desquelles la petite chenille jaune du tramway s'avance sur deux fils métalliques. Au-dessus, dans le ciel éclatant et pur d'hiver, la Ville Moyenne dresse ses cages carrées, au-delà des vieux quartiers à maisons basses ... Je surmonte mon vertige et me penche vers la rivière du Nord, couleur d'acier, toute sillonnée d'embarcations, et dont l'eau se perd au loin dans les indécises fumées de cette cité de Vulcain qui a pris naissance sur la rive de New-Jersey. Voici Bayonne, la ville bâtie par les Rockefeller pour raffiner leur pétrole. Par-dessus les maisons de l'Ouest dominent les cheminées des grands paquebots.

Les photographies aériennes de cette pointe de New-York sont d'une extraordinaire beauté; loin d'avoir la sécheresse des cartes, elles montrent Manhattan dans son cadre d'eau, orné par les lignes perpendiculaires de ses docks, qui l'entourent comme les rayons d'une gloire.

A nouveau, les portes des coffres-forts se referment sur moi, silencieuses. L'ascenseur se laisse tomber, amortit sa chute sur des coussins d'air comprimé; les oreilles bourdonnantes, me voici rejeté dans cette foule qui coule au fond de Broadway. Levant la tête, j'essaie de repérer l'endroit où je me trouvais l'instant d'avant, mais je ne vois que des monuments obliques qui glissent en arrière et perdent leur aplomb.

PAUL MORAND, *New-York*, 1930, Flammarion.

THE LIGHTS OF BROADWAY

J'AI sous les yeux une vieille estampe représentant *Broadway* en 1830. Grand boulevard boueux, planté d'arbres, presque désert, où roulent çà et là quelque berline jaune, haute sur roues, des diligences tirées par quatre chevaux blancs, suivies de cavaliers à large feutre. Washington Irving, Hawthorne, Dickens, Clay, Lincoln, habitaient là. « C'est la plus belle rue de la plus belle ville du monde », disait Poë dans le premier numéro de son *Broadway Journal*, il y a cent ans ...

En 1762, chaque Newyorkais était encore tenu d'allumer une lanterne devant sa maison. Une photographie de Broadway dans un journal de 1909, le représente tout glorieux d'un rayonnement nocturne qui vaut à peu près celui de notre place de l'Opéra, actuellement. Aujourd'hui, par un soir d'hiver, j'arrive à Times Square, vers six heures. C'est la plus belle heure de Broadway. Jusqu'à minuit, New-York prend ici son bain de lumière.

Lumière non seulement blanche mais jaune, rouge, verte, mauve, bleue; lumières non seulement fixes, mais mobiles, tombantes, tournantes, courantes, zigzagantes, roulantes, verticales, horizontales, dansantes, épileptiques; des cadres tournent, des lettres apparaissent dans la nuit. Cette affiche de Chevrolet, jaune, bleue et verte, n'existait pas l'année dernière; ni ces télégrammes de feu, qui courent maintenant autour des maisons, les ceinturant d'événements lumineux. La foule, tête levée, épelle les nouvelles:

C...O...O...L...I...D...G...E...
P...A..R..T... P...O...U..R...
M...I...A..M...I

Vides et noirs à partir de sept heures quand les bureaux sont fermés, les gratte-ciel s'enflamment à leur surface, jusqu'au point où ils se perdent dans la brume.

Dans la Quarante-deuxième rue, c'est une belle matinée d'été, toute la nuit; on porterait presque des pantalons blancs et des chapeaux de paille. Les théâtres, les night clubs, les palais cinématographiques, les restaurants font feu de tous leurs sabords. Prismes inédits; arcs-en-ciel carrés.

Quand il y a de la pluie ou des nuées par là-dessus, c'est encore plus beau; la pluie devient une eau d'or; les gratte-ciel disparaissent à mi-hauteur et l'on ne voit plus que le halo de leurs coupoles suspendues dans un brouillard de couleur, comme certains soirs, sur la place Rouge du Kremlin, le tombeau de Lénine...

Vingt mille enseignes électriques sur cette place; vingt-cinq millions de bougies. Quand les façades sont trop encombrées, des réflecteurs suspendus au bout de tiges de fer s'avancent et pendent au-dessus des trottoirs... La lampe électrique n'est plus un appareil d'éclairage, c'est une machine à fasciner, un appareil à anéantir... Dans la Quarante-cinquième rue, il n'y a plus de fenêtres aux immeubles: rien que des lettres; c'est un alphabet en ignition, une conspiration du commerce contre la nuit.

PAUL MORAND, *New-York*, 1930, Flammarion.

J'AI DÉFILÉ DANS NUREMBERG DERRIÈRE HITLER

LÉNI RIEFENSTHAL et Otto Abetz insistèrent vivement pour que nous venions, mon mari et moi, assister au congrès de Nuremberg.

Je nous vois encore dans l'ascenseur qui nous ramenait au sol avec Otto Abetz, qui nous donnait sa carte de visite afin que nous puissions le prévenir de notre arrivée. Il m'affirma que je pourrais peut-être obtenir une interview d'Hitler, ce qui était faux bien entendu.

Nous voici donc partis dans notre voiture, mon mari et moi, en direction de Nuremberg, mais non sans faire quelques détours touristiques. Mon mari était encore officier. Ces quelques détours touristiques avaient donc pour but de glaner quelques renseignements pour le 2e Bureau. Hélas! ils ne firent que confirmer ce que l'on savait déjà. Les petits chemins où nous nous sommes égarés volontairement ne sentaient pas la noisette mais le bétonné. Un soir, nous dûmes coucher chez l'habitant dans un petit patelin, l'auberge locale étant fin comble. Cet habitant était en l'occurrence une énorme brave femme qui nous offrit son lit, disant qu'elle coucherait très bien sur une banquette dans la cuisine en attendant le retour de son mari qui travaillait de nuit dans une usine. Au moment où en France on cherchait déjà le moyen de travailler de moins en moins, les usines en Allemagne étaient placées sous le signe de la « journée » de 24 heures. Je pense que ce n'était pas pour fabriquer des confettis.

Nous voici donc arrivés à Nuremberg, ou plus exactement à Bamberg, à 60 kilomètres de Nuremberg. C'est là que l'on avait casé les Français; la Maison des Hôtes d'Hitler étant réservée aux Allemands, aux Italiens et aux Anglais...

Les autos non officielles devaient être laissées dans des garages à l'entrée de Nuremberg, ce qui se concevait fort bien, car il était déjà difficile de circuler dans cette ville pendant le congrès. Le second jour, en cherchant le garage où, la veille, nous avions laissé notre voiture, nous nous aperçûmes que, prenant une petite rue, nous avions franchi bien involontairement le premier des trois services d'ordre qui interdisaient l'entrée de la ville aux véhicules non autorisés. Nous nous amusâmes à franchir de la même façon les deux autres barrages, et nous nous trouvâmes ainsi à un des carrefours d'une des principales avenues de Nuremberg. Une invraisemblable foule attendait, contenue par une seule rangée de schupos reliés entre eux par la bricole de leur baudrier tenue de main en main.

— Je parie, dis-je, que c'est Hitler qui va passer.

C'était effectivement Hitler. Debout dans sa magnifique voiture, bras levé, il nous apparut tout différent de l'Hitler que nous ne connaissions que par le cinéma. D'abord, il était bien habillé, sanglé dans un uniforme impeccable; ensuite, il était rose, avec presque de bonnes joues. Quelconque, mais pas antipathique. L'air d'un humain comme tous les autres. Un de ces types comme on en rencontre tous les jours dans la rue, dans le métro, au café, et qu'on ne penserait pas à regarder spécialement.

D'autres voitures officielles suivaient. Machinalement, mon mari appuya sur son clakson. Immédiatement les schupos, pensant qu'on avait le droit de passer, laissèrent tomber leurs lanières de cuir.

— On suit? proposa mon mari.

— Cette question!!

Et c'est ainsi que nous fîmes à quatre ou cinq voitures derrière celle d'Hitler le tour de ville de Nuremberg. Nous aurions facilement pu le tuer à ce moment-là. Mais je n'avais aucune envie d'être lynchée, et au surplus notre sacrifice n'eût rien changé, en ce qui concernait les événements qu'on pressentait déjà à ce moment-là.

ODETTE PANNETIER, *Quand j'étais Candide*,
1948, René Julliard Editeur, Paris.

VILLE DE FRANCE

LE matin, je me lève, et je sors de la ville.
   Le trottoir de la rue est sonore à mon pas,
Et le jeune soleil chauffe les vieilles tuiles,
Et les jardins étroits sont fleuris de lilas.

Le long du mur moussu que dépassent les branches,
Un écho que l'on suit vous précède en marchant,
Et le pavé pointu mène à la route blanche
Qui commence au faubourg et s'en va vers les champs.

Et me voici bientôt sur la côte gravie
D'où l'on voit, au soleil et couchée à ses pieds,
Calme, petite, isolée, engourdie,
La ville maternelle aux doux toits familiers.

Elle est là, étendue et longue.   Sa rivière
Par deux fois, en dormant, passe sous ses deux ponts;
Les arbres de son mail sont vieux comme les pierres
De son clocher qui pointe au-dessus des maisons.

Dans l'air limpide, gai, transparent et sans brume
Elle fait un long bruit qui monte jusqu'à nous :
Le battoir bat le linge et le marteau l'enclume,
Et l'on entend des cris d'enfants, aigres et doux ...

Elle est sans souvenirs de sa vie immobile,
Elle n'a ni grandeur, ni gloire, ni beauté;
Elle n'est à jamais qu'une petite ville;
Elle sera pareille à ce qu'elle a été.

Elle est semblable à ses autres sœurs de la plaine,
A ses sœurs des plateaux, des landes et des prés;
La mémoire, en passant, ne retient qu'avec peine,
Parmi tant d'autres noms, son humble nom français;

Et pourtant, lorsque, après un de ces longs jours graves
Passés de l'aube au soir à marcher devant soi,
Le soleil disparu derrière les emblaves
Assombrit le chemin qui traverse les bois,

Lorsque la nuit qui vient rend les choses confuses
Et que sonne la route dure au pas égal,
Et qu'on écoute au loin le gros bruit de l'écluse,
Et que le vent murmure aux arbres du canal,

Quand l'heure, peu à peu, ramène vers la ville
Ma course fatiguée et qui va voir bientôt
La première fenêtre où brûle l'or de l'huile
Dans la lampe, à travers la vitre sans rideau,

Il me semble, tandis que mon retour s'empresse
Et tâte du bâton les bornes du chemin,
Sentir, dans l'ombre, près de moi, avec tendresse,
La patrie aux doux yeux qui me prend par la main.

H. DE RÉGNIER, La Sandale ailée,
1906, Mercure de France.

A SMALL BOY TURNS ON HIS TORMENTORS

LOUISA, qui ne laissait échapper aucune occasion de gagner un peu d'argent, continuait à se placer comme cuisinière dans les circonstances exceptionnelles, les repas de noces ou de baptême. Melchior feignait de n'en rien savoir : cela froissait son amour-propre ; mais il n'était pas fâché qu'elle le fît, sans qu'il le sût. Le petit Christophe n'avait encore aucune idée des difficultés de la vie ; il ne connaissait d'autres limites à sa volonté que celle de ses parents, qui n'était pas bien gênante, puisqu'on le laissait pousser à peu près au hasard ; il n'aspirait qu'à devenir grand, pour pouvoir faire tout ce qu'il voulait...

Ce jour-là, sa mère lui avait mis ses habits les plus propres, de vieux habits donnés, dont l'ingénieuse patience de Louisa avait su tirer parti. Il alla la rejoindre, comme elle le lui avait dit, dans la maison où elle travaillait. Il était intimidé à l'idée d'entrer seul. Un valet flânait sous le porche ; il arrêta l'enfant et lui demanda d'un ton protecteur ce qu'il venait faire. Christophe balbutia en rougissant qu'il venait voir « madame Krafft »,—ainsi qu'on le lui avait recommandé de dire.

— Madame Krafft ? Qu'est-ce que tu lui veux, à madame Krafft ?—continua le domestique, en appuyant ironiquement sur le mot : madame. C'est ta mère ? Monte là. Tu trouveras Louisa, à la cuisine, au fond du corridor.

Il alla, de plus en plus rouge ; il avait honte d'entendre appeler sa mère familièrement : Louisa. Il était humilié ; il eût voulu se sauver près de son cher fleuve, à l'abri des buissons, où il se contait des histoires.

Dans la cuisine, il tomba au milieu d'autres domestiques, qui l'accueillirent par des exclamations bruyantes. Au fond, près des fourneaux, sa mère lui souriait d'un air tendre et un peu gêné. Il courut à elle et se jeta dans ses jambes. Elle avait un tablier blanc et tenait une cuiller en bois. Elle commença par ajouter à son trouble, en voulant qu'il levât le menton, pour qu'on vît sa figure, et qu'il allât tendre la main à chacune des personnes qui étaient là, en leur disant bonjour. Il n'y

consentit pas; il se tourna contre le mur et se cacha la tête
dans son bras. Mais peu à peu il s'enhardit, et il risqua hors
de sa cachette un petit œil brillant et rieur, qui disparaissait de
nouveau, toutes les fois qu'on le regardait. Il observa les
gens, à la dérobée. Sa mère avait un air affairé et important,
qu'il ne lui connaissait pas; elle allait d'une casserole à
l'autre, goûtant, donnant son avis, expliquant d'un ton sûr
des recettes, que la cuisinière ordinaire écoutait avec respect.
Le cœur de l'enfant se gonflait d'orgueil, en voyant combien
on appréciait sa mère, et quel rôle elle jouait dans cette belle
pièce, ornée d'objets magnifiques d'or et de cuivre qui
brillaient.

Brusquement, les conversations s'arrêtèrent. La porte
s'ouvrit. Une dame entra, avec un froissement d'étoffes
raides. Elle jeta un regard soupçonneux autour d'elle.
Elle n'était plus jeune; et pourtant elle portait une robe
claire, avec des manches larges; elle tenait sa traîne à la
main, pour ne rien frôler. Cela ne l'empêcha pas de venir
près du fourneau, de regarder les plats, et même d'y goûter.
Quand elle levait un peu la main, la manche retombait, et le
bras était nu jusqu'au-dessus du coude : ce que Christophe
trouva laid et malhonnête. De quel ton sec et cassant elle
parlait à Louisa! Et comme Louisa lui répondait humble-
ment! Christophe en fut saisi. Il se dissimula dans son
coin, pour ne pas être aperçu; mais cela ne servit à rien. La
dame demanda qui était ce petit garçon; Louisa vint le
prendre et le présenter; elle lui tenait les mains pour l'empêcher
de se cacher la figure; et, bien qu'il eût envie de se débattre et
de fuir, Christophe sentit d'instinct qu'il fallait cette fois ne
faire aucune résistance. La dame regarda la mine effarée de
l'enfant; et son premier mouvement, maternel, fut de lui
sourire gentiment. Mais elle reprit aussitôt son air protecteur,
et lui posa sur sa conduite, sur sa piété, des questions auxquelles
il ne répondit rien. Elle regarda aussi comment les vêtements
allaient; et Louisa s'empressa de montrer qu'ils étaient
superbes. Elle tirait le veston, pour effacer les plis; Christophe avait envie de crier, tant il était serré. Il ne comprenait
pas pourquoi sa mère remerciait.

La dame le prit par la main, et dit qu'elle voulait le conduire vers ses enfants. Christophe jeta un regard désespéré sur sa mère ; mais elle souriait à la maîtresse d'un air si empressé qu'il vit qu'il n'y avait rien à espérer, et il suivit son guide, comme un mouton qu'on mène à la boucherie.

Ils arrivèrent dans un jardin, où deux enfants à l'air maussade, un garçon et une fille, à peu près du même âge que Christophe, semblaient se bouder l'un l'autre. L'arrivée de Christophe fit diversion. Ils se rapprochèrent pour examiner le nouveau venu. Christophe, abandonné par la dame, restait planté dans une allée, sans oser lever les yeux. Les deux autres, immobiles à quelques pas, le regardaient des pieds à la tête, se poussaient du coude, et ricanaient. Enfin, ils se décidèrent. Ils lui demandèrent qui il était, d'où il venait et ce que faisait son père. Christophe ne répondit rien, pétrifié ; il était intimidé jusqu'aux larmes, surtout par la petite fille, qui avait des nattes blondes, une jupe courte, et les jambes nues.

Ils se mirent à jouer. Comme Christophe commençait à se rassurer un peu, le petit bourgeois tomba en arrêt devant lui, et touchant son habit, il dit :

— Tiens, c'est à moi !

Christophe ne comprenait pas. Indigné de cette prétention que son habit fût à un autre, il secoua la tête avec énergie, pour nier.

— Je le reconnais bien peut-être ! fit le petit ; c'est mon vieux veston bleu ; il y a une tache là.

Et il y mit le doigt. Puis, continuant son inspection, il, examina les pieds de Christophe, et lui demanda avec quoi étaient faits les bouts de ses souliers rapiécés. Christophe devint cramoisi. La fillette fit la moue et souffla à son frère—Christophe l'entendit—que c'était un petit pauvre. Christophe en retrouva la parole. Il crut combattre victorieusement cette opinion injurieuse, en bredouillant d'une voix étranglée qu'il était le fils de Melchior Krafft, et que sa mère était Louisa, la cuisinière.—Il lui semblait que ce titre était aussi beau que quelque autre que ce fût ; et il avait bien raison. —Mais les deux autres petits, que d'ailleurs la nouvelle intéressa, ne parurent pas l'en considérer davantage. Ils prirent au contraire un ton de protection. Ils lui demandèrent ce qu'il ferait plus tard, s'il serait aussi cuisinier ou cocher. Christophe retomba dans son mutisme. Il sentait comme une glace qui lui pénétrait le cœur.

Enhardis par son silence, les deux petits riches, qui avaient pris brusquement pour le petit pauvre une de ces antipathies d'enfant, cruelles et sans raison, cherchèrent quelque moyen amusant de le tourmenter. La fillette était particulièrement acharnée. Elle remarqua que Christophe avait peine à courir, à cause de ses vêtements étroits; et elle eut l'idée raffinée de lui faire accomplir des sauts d'obstacle. On fit une barrière avec de petits bancs, et on mit Christophe en demeure de le franchir. Le malheureux garçon n'osa dire ce qui l'empêchait de sauter; il rassembla ses forces, se lança, et s'allongea par terre. Autour de lui, c'étaient des éclats de rire. Il fallut recommencer. Les larmes aux yeux, il fit un effort désespéré, et, cette fois, réussit à sauter. Cela ne satisfit point ses bourreaux, qui décidèrent que la barrière n'était pas assez haute; et ils y ajoutèrent d'autres constructions, jusqu'à ce qu'elle devînt un casse-cou. Christophe essaya de se révolter: il déclara qu'il ne sauterait pas. Alors la petite fille l'appela lâche, et dit qu'il avait peur. Christophe ne put le supporter; et certain de tomber, il sauta, et tomba. Ses pieds se prirent dans l'obstacle: tout s'écroula avec lui. Il s'écorcha les mains, faillit se casser la tête; et, pour comble de malheur, son vêtement éclata aux genoux, et ailleurs. Il était malade de honte; il entendait les deux enfants danser de joie autour de lui; il souffrait d'une façon atroce. Il sentait qu'ils le méprisaient, qu'ils le haïssaient: pourquoi? pourquoi? Il aurait voulu mourir!—Pas de douleur plus cruelle que celle de l'enfant qui découvre pour la première fois la méchanceté des autres: il se croit persécuté par le monde entier, et il n'a rien qui le soutienne: il n'y a plus rien, il n'y a plus rien!... Christophe essaya de se relever: le petit bourgeois le poussa et le fit retomber; la fillette lui donna des coups de pied. Il essaya de nouveau: ils se jetèrent sur lui tous deux, s'asseyant sur son dos, lui appuyant la figure contre terre.

Alors une rage le prit: c'était trop de malheurs! Ses mains qui le brûlaient, son bel habit déchiré,—une catastrophe pour lui!—la honte, le chagrin, la révolte contre l'injustice, tant de misères à la fois se fondirent en une fureur folle. Il s'arcbouta sur ses genoux et ses mains, se secoua comme un chien, fit rouler ses persécuteurs; et, comme ils revenaient à la charge, il fonça tête baissée sur eux, gifla la petite fille, et jeta d'un coup de poing le garçon au milieu d'une plate-bande.

Ce furent des hurlements. Les enfants se sauvèrent à la maison, avec des cris aigus. On entendit les portes battre, et des exclamations de colère. La dame accourut, aussi vite que la traîne de sa robe pouvait le lui permettre. Christophe la voyait venir, et il ne cherchait pas à fuir; il était terrifié de ce qu'il avait fait: c'était une chose inouïe, un crime; mais il ne regrettait rien. Il attendait. Il était perdu. Tant mieux! Il était réduit au désespoir.

La dame fondit sur lui. Il se sentit frapper. Il entendit qu'elle lui parlait d'une voix furieuse, avec un flot de paroles; mais il ne distinguait rien. Ses deux petits ennemis étaient revenus pour assister à sa honte. Des domestiques étaient là: c'était une confusion de voix. Pour achever de l'accabler, Louisa, qu'on avait appelée, parut; et, au lieu de le défendre, elle commença par le claquer, elle aussi, avant de rien savoir, et voulut qu'il demandât pardon. Il s'y refusa avec rage. Elle le secoua plus fort et le traîna par la main vers la dame et les enfants, pour qu'il se mît à genoux. Mais il trépigna, hurla, et mordit la main de sa mère. Il se sauva enfin au milieu des domestiques qui riaient.

Il s'en allait, le cœur gonflé, la figure brûlante de colère et des tapes qu'il avait reçues. Il tâchait de ne pas penser, et il hâtait le pas, parce qu'il ne voulait pas pleurer dans la rue. Il aurait voulu être rentré, pour se soulager de ses larmes; il avait la gorge serrée, le sang à la tête: il éclatait.

Enfin, il arriva; il monta en courant le vieil escalier noir, jusqu'à sa niche habituelle dans l'embrasure d'une fenêtre, au-dessus du fleuve; il s'y jeta hors d'haleine; et ce fut un déluge de pleurs. Il ne savait pas au juste pourquoi il pleurait; mais il fallait qu'il pleurât; et quand le premier flot fut à peu près passé, il pleura encore, parce qu'il voulait pleurer, avec une sorte de rage, pour se faire souffrir, comme s'il punissait ainsi les autres, en même temps que lui.

ROMAIN ROLLAND, *Jean Christophe, L'aube*,
1904, Albin Michel.

A TRAVELLER ON THE PARIS UNDERGROUND MISLAYS HIS TICKET

IL pénétra distraitement dans le métro, et se retrouva dans un wagon de première classe, debout, occupé à relire, en tête de *La Sanction*, un article qu'il avait écrit l'avant-veille.

Le contrôleur était devant lui. Gurau chercha son billet, ne le rencontra pas à la place habituelle (qui était la poche inférieure droite du gilet), ni ailleurs. Il croyait se souvenir que ce billet était le dernier d'un carnet, et qu'au moment où il l'avait présenté au portillon d'entrée, la souche adhérait encore au billet lui-même . . .

« Je l'ai fourré dans un endroit impossible, » se dit-il, « ou je l'ai peut-être jeté, par mégarde. »

Le contrôleur attendait, son appareil de poinçonnage à la main, la main elle-même en avant du corps. Il affectait une patience déjà un peu narquoise. C'était un garçon d'un peu plus de trente ans, propre, assez maigre, brun, plutôt fin de visage, mais avec ce pli de la bouche et cette lumière du côté des yeux qui signifient une certaine recherche de revanche, un goût d'humilier et de châtier. Il était de la race qui fournit aux casernes les adjudants corrects et tortionnaires.

Gurau éprouva d'emblée de la haine contre cet homme. Cependant il continuait à explorer ses poches. Les voisins immédiats s'intéressaient à la scène, faiblement d'ailleurs. Gurau, tout en se fouillant, pensait: « Il est honteux que moi, qu'un homme comme moi, se livre à cette agitation grotesque sous l'œil de ce préposé infime, et prenne cette posture presque de coupable, surtout pour si peu! Il serait bien plus simple de payer le prix d'un nouveau billet ».

Mais il n'osait déjà plus. Il ne savait pas s'il trouverait encore une voix assez indifférente pour déclarer: « Je ne sais pas ce que j'en ai fait. Donnez-m'en un autre ». Il était un rien trop tard. « Je me suis trop remué. J'ai trop paru prendre la chose à cœur. J'aurais l'air maintenant d'avouer, et de compter sur son indulgence. »

L'autre tourna les talons en disant:

— Je vais revenir . . . D'ici là vous mettrez peut-être la main dessus.

Il avait eu un ton de dérision polie, un coup d'œil aux témoins (« On les connaît, ces cocos-là »); de plus il avait glissé dans son accent faubourien une sorte de prétention à l'élégance, qui était odieuse.

Il circula dans le wagon, l'espace de deux stations, faisant sa besogne de contrôle, tout en surveillant Gurau du coin de l'œil. Il exagérait envers les autres voyageurs la correction et l'amabilité. On entendait à chaque instant siffler la dernière syllabe de ses « merci », « merci ». Gurau, cessant de chercher, adopta une attitude bourrue et hautaine.

Le contrôleur revint, se planta devant lui, sa pince à poinçonner bien en vedette . . . Gurau se contenta de dire:

— Je ne le retrouve pas. Je l'ai perdu. Voilà tout.

Le receveur reprit:

— Vous n'avez même pas un billet de seconde?

— Il n'est pas question d'un billet de seconde, fit Gurau cédant à l'agacement. J'avais un billet de première, provenant d'un carnet de première. J'ai dû le jeter distraitement. Il n'y a pas de quoi faire tant d'histoires.

Et il tendit un franc que l'autre ne prit pas.

— Vous pouvez me montrer votre carnet de première? dit le contrôleur.

Gurau fut un instant interloqué:

— Mais . . . non . . . Je me souviens que c'était le dernier billet du carnet. Je n'ai donc pas de carnet à vous montrer. J'ai dû tout jeter à la fois . . . Et puis nous n'allons pas discuter deux heures pour un billet de vingt-cinq centimes.

Le brun maigriot, avec ses méchantes lueurs des yeux, triomphait en gardant son calme:

— A quelle station descendez-vous? demanda-t-il.

— A Quatre-Septembre.

— Bien.

A la station Quatre-Septembre, il revint près de Gurau, lui ouvrit la porte, descendit avec lui, et, tout en faisant signe à son collègue du wagon de queue de différer le départ du train, il conduisit Gurau, sur un simple « S'il vous plaît, monsieur », jusqu'à la cabine du chef de station. Beaucoup de voyageurs regardaient. Gurau sentait qu'il avait l'air d'un pickpocket surpris en flagrant délit . . .

Le contrôleur remit Gurau au chef de station:

— Monsieur a été trouvé sans billet en première classe.

Il n'ajouta rien. Mais le ton de sa voix, l'accent donné au « sans billet »—et sans doute ce qu'avait d'exceptionnel sa démarche elle-même—formaient un commentaire suffisant. Il repartit.

Le train se remit en marche. A travers le vitrage de la cabine, Gurau apercevait des rangées de têtes de voyageurs, tournées vers lui.

— Je ne comprends pas du tout l'attitude de votre employé, dit-il. Cet incident est tout à fait ridicule. Ce n'est pas un crime que de perdre son billet. Je lui ai offert aussitôt le paiement de la place. Pourquoi a-t-il refusé? Pourquoi m'obliger à comparaître ici, et à perdre mon temps? C'est une brimade inadmissible.

Il avait parlé vivement; mais sans montrer d'acrimonie au chef de station lui-même. Au contraire, il semblait plutôt le prendre à témoin d'un excès de zèle qu'un supérieur raisonnable ne pouvait que réprouver.

— Il faut pourtant que je prenne votre nom et votre adresse, dit le chef avec ennui.

Gurau pâlit:

— Ah bien! . . .

Il prononça intérieurement: « M. Maxime Gurau, député de l'Indre-et-Loire, ancien ministre du Travail ». Il écoutait le son des mots. Etait-ce suffisamment écrasant? Y aurait-il pour Gurau, dans la minute qui suivrait, de quoi payer avec usure le quart d'heure d'humiliation qu'il venait de vivre? « Ancien . . . oui . . . » Quel dommage de n'être qu'« ancien » ministre. Le mot « ancien » était comme un ver qui creusait le mot « ministre », qui le vidait. Gurau ne pouvait même pas ajouter, pour faire le poids, « Directeur de *La Sanction* ». D'abord, il n'était pas directeur. Et puis un chef de gare du métro soupçonne l'importance du *Petit Parisien*, ou du *Journal*, mais qu'est-ce que *La Sanction* pour lui?

Pendant ce temps, le chef de station avait pris sans se presser son registre sur un rayon, l'avait ouvert, avait nettoyé sur sa manche le bec de sa plume.

Au moment où Gurau, en cherchant son ton de voix le plus ironiquement poli, le plus tranquillement hautain, allait laisser tomber ces mots, déjà malgré tout assez écrasants: « M. Maxime Gurau, député, etc. . . .» et où la plume du chef de station s'approchait, en faisant des ronds comme un oiseau, de la feuille du registre, le député revit tout à coup une certaine scène du passé: un compartiment de seconde classe, entre Orléans et Blois; le contrôleur debout—un grand gaillard à fortes moustaches—qui regarde avec une attention horriblement prolongée le coupon de retour que vous venez de lui tendre . . . Gurau pensa avec une vitesse fulgurante: « Sait-on jamais! Ma notoriété peut faire que l'incident d'aujourd'hui aille réveiller celui d'autrefois . . . Quelle aubaine pour les échotiers satiriques, les chansonniers de Montmartre! . . . ils seraient capables de me harceler avec ça jusqu'à ma mort . . .»

Il eut la force de garder le ton de voix qu'il avait préparé, et ce fut avec une apparence très suffisante d'ironie, de calme, de politesse, qu'il prononça:

— Je tiens à vous avertir, monsieur le chef de gare, que je ne suis pas le premier venu. Comme vous allez en avoir la preuve dans une minute. Libre à vous de procéder à cette formalité d'inscription de nom et d'adresse que je trouve, moi, injurieuse, blessante. Mais alors je donnerai de mon côté à l'incident la suite qu'il me plaira . . . Ah! . . . dame, oui! Et pour commencer, vous voudrez bien me communiquer le nom, ou, si vous ignorez son nom, le numéro, de l'employé qui a causé cet esclandre.

Le chef de station écarta la plume du papier, leva la tête, regarda Gurau. Il parut fort perplexe.

Après quelques instants de réflexion, il dit d'un air conciliant:

— Nous avons des ordres . . . mais évidemment, c'est une question de doigté . . . Ces garçons-là ne sont pas toujours physionomistes . . . Moi, je vois bien que vous êtes de bonne foi . . . Il aurait mieux fait de vous faire repayer votre place . . .

— C'est ce que je lui ai offert aussitôt . . . et je suis encore prêt . . .

Le chef parut chercher sur sa tablette un objet qu'il ne découvrit point. Il leva le bras :

— Oh ! maintenant . . . Vous n'avez qu'à sortir . . . Personne ne vous demandera rien.

Gurau, soudain apaisé, cherchait la nuance un peu condescendante du « soit . . . merci, monsieur » qu'il allait dire en se retirant ; mais le chef ajouta, d'un ton assez brusque, qui établissait d'une tout autre façon les distances :

— Arrangez-vous pour que ça ne se reproduise plus.

Gurau fit une grimace, salua sèchement d'un « Bonjour, monsieur », et partit.

Jules Romains, *Les Hommes de Bonne Volonté*,
Vol. X, 1935, Flammarion.

NUIT

LE soleil mort,
   C'est la nuit noire.
Pas une moire
Sur l'eau qui dort.

Ombre et silence
Sans horizon;
Sans un frisson
Au gouffre immense.

Silence et nuit
Où tout se voile,
Où meurt tout bruit.
Seule, une étoile
Émerge,—et luit.

AMÉDÉE ROUQUÈS, Pour Elle,
1900, Albin Michel.

AN AEROPLANE CRASH IN THE DESERT

EN abordant la Méditerranée j'ai rencontré des nuages bas. Je suis descendu à vingt mètres. Les averses s'écrasent contre le pare-brise et la mer semble fumer. Je fais de grands efforts pour apercevoir quelque chose et ne point tamponner un mât de navire.

Mon mécanicien, André Prévot, m'allume des cigarettes.
— Café ...
Il disparaît à l'arrière de l'avion et revient avec le thermos. Je bois ...

Benghazi s'annonce dans la nuit noire. Benghazi repose au fond d'une obscurité si profonde qu'elle ne s'orne d'aucun halo. J'ai aperçu la ville quand je l'atteignais. Je cherchais le terrain, mais voici que son balisage rouge s'allume. Les feux découpent un rectangle noir. Je vire. La lumière d'un phare braqué vers le ciel monte droit comme un jet d'incendie, pivote et trace sur le terrain une route d'or. Je vire encore pour bien observer les obstacles. L'équipement nocturne de cette escale est admirable. Je réduis et commence ma plongée comme dans l'eau noire.

Il est 23 heures locales quand j'atterris. Je roule vers le phare. Officiers et soldats les plus courtois du monde passent de l'ombre à la lumière dure du projecteur, tour à tour visibles et invisibles. On me prend mes papiers, on commence le plein d'essence. Mon passage sera réglé en vingt minutes.

— Faites un virage et passez au-dessus de nous, sinon nous ignorerions si le décollage s'est bien terminé.

En route ... Et je vire encore vers le désert ...

Quatre heures cinq de vol. Prévot est venu s'asseoir auprès de moi.

— On devrait arriver au Caire ...
— Je pense bien ...
— Est-ce une étoile ça, ou un phare? ...

J'ai réduit un peu mon moteur; c'est sans doute ce qui a réveillé Prévot. Il est sensible à toutes les variations des bruits du vol. Je commence une descente lente, pour me glisser sous la masse des nuages ...

Je vole maintenant sous les cumulus. Mais je longe un autre nuage qui descend plus bas sur ma gauche. Je vire pour ne pas me laisser prendre dans son filet, je fais du Nord-Nord-Est.

Ce nuage descend indubitablement plus bas, et me masque tout l'horizon. Je n'ose plus perdre d'altitude . . . Prévot se penche. Je lui crie: « Je vais filer jusqu'à la mer, j'achèverai de descendre en mer, pour ne pas emboutir . . . »

Rien ne prouve d'ailleurs que je n'ai point déjà dérivé en mer. L'obscurité sous ce nuage est très exactment impénétrable. Je me serre contre ma fenêtre. J'essaie de lire sous moi. J'essaie de découvrir des feux, des signes. Je suis un homme qui fouille des cendres. Je suis un homme qui s'efforce de retrouver les braises de la vie au fond d'un âtre.

— Un phare marin!

Nous l'avons vu en même temps ce piège à éclipse! Quelle folie! Où était-il ce phare fantôme, cette invention de la nuit? Car c'est à la seconde même où Prévot et moi nous nous penchions pour le retrouver, à trois cents mètres sous nos ailes, que brusquement . . .

— Ah!

Je crois bien n'avoir rien dit d'autre. Je crois bien n'avoir rien ressenti d'autre qu'un formidable craquement qui ébranla notre monde sur ses bases. A deux cent soixante-dix kilomètres-heure nous avons embouti le sol.

Je crois bien ne rien avoir attendu d'autre, pour le centième de seconde qui suivait, que la grande étoile pourpre de l'explosion où nous allions tous les deux nous confondre. Ni Prévot ni moi n'avons ressenti la moindre émotion. Je n'observais en moi qu'une attente démesurée, l'attente de cette étoile resplendissante où nous devions, dans la seconde même, nous évanouir. Mais il n'y eut point d'étoile pourpre. Il y eut une sorte de tremblement de terre qui ravagea notre cabine, arrachant les fenêtres, expédiant des tôles à cent mètres, remplissant jusqu'à nos entrailles de son grondement. L'avion vibrait comme un couteau planté de loin dans le bois dur. Et nous étions brassés par cette colère. Une seconde, deux secondes . . . L'avion tremblait toujours et j'attendais avec une impatience monstrueuse, que ses provisions d'énergie le fissent éclater comme une grenade. Mais les secousses souterraines se prolongeaient sans aboutir à l'éruption définitive. Et je ne comprenais rien à cet invisible travail. Je ne comprenais ni ce tremblement, ni cette colère, ni ce délai interminable . . . cinq secondes, six secondes . . . Et, brusquement, nous éprouvâmes une sensation de rotation, un choc qui projeta encore par la fenêtre nos cigarettes, pulvérisant l'aile droite, puis rien. Rien qu'une immobilité glacée. Je criais à Prévot :

— Sautez vite !

Il criait en même temps :

— Le feu !

Et déjà nous avions basculé par la fenêtre arrachée. Nous étions debout à vingt mètres. Je disais à Prévot :

— Point de mal ?

Il me répondait :

— Point de mal !

Mais il se frottait le genou.

Je lui disais :

— Tâtez-vous, remuez, jurez-moi que vous n'avez rien de cassé . . .

Et il me répondait :

— Ce n'est rien, c'est la pompe de secours . . .

Moi, je pensais qu'il allait s'écrouler brusquement, ouvert de la tête au nombril, mais il me répétait, les yeux fixes :

— C'est la pompe de secours ! . . .

Moi, je pensais : le voilà fou, il va danser . . .

Mais, détournant enfin son regard de l'avion qui, désormais, était sauvé du feu, il me regarda et reprit :

— Ce n'est rien, c'est la pompe de secours qui m'a accroché au genou.

Il est inexplicable que nous soyons vivants. Je remonte, ma lampe électrique à la main, les traces de l'avion sur le sol. A deux cent cinquante mètres de son point d'arrêt nous retrouvons déjà des ferrailles tordues et des tôles dont, tout le long de son parcours, il a éclaboussé le sable. Nous saurons, quand viendra le jour, que nous avons tamponné presque tangentiellement une pente douce au sommet d'un plateau désert. Au point d'impact un trou dans le sable ressemble à celui d'un soc de charrue. L'avion, sans culbuter, a fait son chemin sur le ventre avec une colère et des mouvements de queue de reptile. A deux cent soixante-dix kilomètres-heure il a rampé. Nous devons sans doute notre vie à ces pierres noires et rondes qui roulent librement sur le sable et qui ont formé plateau à billes . . .

Prévot vient s'asseoir à côté de moi, et il me dit :

— C'est extraordinaire d'être vivants . . .

Je ne lui réponds rien et je n'éprouve aucune joie. Il m'est venu une petite idée qui fait son chemin dans ma tête et me tourmente déjà légèrement.

Je prie Prévot d'allumer sa lampe pour former repère, et je m'en vais droit devant moi, ma lampe électrique à la main. Avec attention je regarde le sol. J'avance lentement, je fais un large demi-cercle, je change plusieurs fois d'orientation. Je fouille toujours le sol comme si je cherchais une bague égarée. Tout à l'heure ainsi je cherchais la braise. J'avance toujours dans l'obscurité, penché sur le disque blanc que je promène. C'est bien ça . . . c'est bien ça . . . Je remonte lentement vers l'avion. Je m'asseois près de la cabine et je médite. Je cherchais une raison d'espérer et ne l'ai point trouvée. Je cherchais un signe offert par la vie, et la vie ne m'a point fait signe.

— Prévot, je n'ai pas vu un seul brin d'herbe . . .

Prévot se tait; je ne sais pas s'il m'a compris. Nous en reparlerons au lever du rideau, quand viendra le jour. J'éprouve seulement une grande lassitude, je pense : « A quatre cents kilomètres près, dans le désert ! . . . » Soudain je saute sur mes pieds :

— L'eau !

Réservoirs d'essence, réservoirs d'huile sont crevés. Nos réserves d'eau le sont aussi. Le sable a tout bu. Nous retrouvons un demi-litre de café au fond d'un thermos pulvérisé, un quart de litre de vin blanc au fond d'un autre. Nous filtrons ces liquides et nous les mélangeons. Nous retrouvons aussi un peu de raisin et une orange. Mais je calcule : « En cinq heures de marche, sous le soleil, dans le désert, on épuise ça ... »

Nous nous installons dans la cabine pour attendre le jour. Je m'allonge, je vais dormir. Je fais en m'endormant le bilan de notre aventure : nous ignorons tout de notre position. Nous n'avons pas un litre de liquide. Si nous sommes situés à peu près sur la ligne droite, on nous retrouvera en huit jours ; nous ne pouvons guère espérer mieux, et il sera trop tard. Si nous avons dérivé en travers, on nous trouvera en six mois ... Il ne faut pas perdre la chance, aussi faible qu'elle soit, d'un sauvetage miraculeux par voie des airs. Il ne faut pas, non plus, rester sur place, et manquer peut-être l'oasis proche. Nous marcherons aujourd'hui tout le jour. Et nous reviendrons à notre appareil. Et nous inscrirons, avant de partir, notre programme en grandes majuscules sur le sable.

Je me suis donc roulé en boule et je vais dormir jusqu'à l'aube. Et je suis très heureux de m'endormir ... Je n'ai pas soif encore, je me sens bien, je me livre au sommeil comme à l'aventure. La réalité perd du terrain devant le rêve ...

Ah! ce fut bien différent quand vint le jour!

Nous marchons au versant de collines courbes. Le sol est composé de sable entièrement recouvert d'une seule couche de cailloux brillants et noirs ...

La première crête franchie, plus loin s'annonce une autre crête semblable, brillante et noire. Nous marchons en raclant la terre de nos pieds, pour inscrire un fil conducteur, afin de revenir plus tard. Nous avançons face au soleil ...

Après cinq heures de marche le paysage change. Une rivière de sable semble couler dans une vallée et nous empruntons ce fond de vallée ... La chaleur monte, et, avec elle, naissent les mirages. Mais ce ne sont encore que des mirages élémentaires. De grands lacs se forment, et s'évanouissent quand nous avançons. Nous décidons de franchir la vallée de sable, et de faire l'escalade du dôme le plus élevé afin d'observer l'horizon. Nous marchons déjà depuis six heures. Nous sommes parvenus au faîte de cette croupe noire, où nous

nous asseyons en silence. Notre vallée de sable, à nos pieds, débouche dans un désert de sable sans pierres, dont l'éclatante lumière blanche brûle les yeux. A perte de vue c'est le vide...

Il est inutile d'avancer plus, cette tentative ne conduit nulle part. Il faut rejoindre notre avion...

Nous nous sommes couchés auprès de l'avion. Nous avons parcouru plus de soixante kilomètres. Nous avons épuisé nos liquides. Nous n'avons rien reconnu vers l'Est et aucun camarade n'a survolé ce territoire. Combien de temps résisterons-nous ? Nous avons déjà tellement soif...

Nous avons bâti un grand bûcher, en empruntant quelques débris à l'aile pulvérisée. Nous avons préparé l'essence et les tôles de magnésium qui donnent un dur éclat blanc. Nous avons attendu que la nuit fût bien noire pour allumer notre incendie... Mais où sont les hommes ?...

Le magnésium est consumé et notre feu rougit. Il n'y a plus ici qu'un tas de braise sur lequel, penchés, nous nous réchauffons. Fini notre grand message lumineux. Qu'a-t-il mis en marche dans le monde ? Eh ! je sais bien qu'il n'a rien mis en marche. Il s'agissait là d'une prière qui n'a pu être entendue.

C'est bien. J'irai dormir.

Au petit jour, nous avons recueilli sur les ailes, en les essuyant avec un chiffon, un fond de verre de rosée mêlée de peinture et d'huile. C'était écœurant, mais nous l'avons bu. Faute de mieux nous aurons au moins mouillé nos lèvres. Après ce festin, Prévot me dit :

— Il y a heureusement le revolver...

On ne nous cherche toujours pas, ou, plus exactement, on nous cherche sans doute ailleurs. Probablement en Arabie. Nous n'entendrons d'ailleurs aucun avion avant demain, quand nous aurons déjà abandonné le nôtre... Il faut quinze jours de recherches pour retrouver dans le désert un avion dont on ne sait rien, à trois mille kilomètres près : or l'on nous cherche probablement de la Tripolitaine à la Perse. Cependant, aujourd'hui encore, je me réserve cette maigre chance, puisqu'il n'en est point d'autre. Et, changeant de tactique, je décide de m'en aller seul en exploration. Prévot préparera un feu et l'allumera en cas de visite, mais nous ne serons pas visités.

Je m'en vais donc, et je ne sais même pas si j'aurai la force de revenir. Il me revient à la mémoire ce que je sais du désert de Lybie. Il subsiste, dans le Sahara, 40% d'humidité quand elle tombe ici à 18%. Et la vie s'évapore comme une vapeur. Les Bédouins, les voyageurs, les officiers coloniaux, enseignent que l'on tient dix-neuf heures sans boire. Après vingt heures les yeux se remplissent de lumière et la fin commence: la marche de la soif est foudroyante...

Je m'en vais donc, mais il me semble que je m'embarque en canoë sur l'océan...

Je poursuis ma route et déjà, avec la fatigue, quelque chose en moi se transforme. Les mirages, s'il n'y en a point, je les invente...

— Ohé!

J'ai levé les bras en criant, mais cet homme qui gesticulait n'était qu'un rocher noir. Tout s'anime déjà dans le désert. J'ai voulu réveiller ce Bédouin qui dormait et il s'est changé en tronc d'arbre noir. En tronc d'arbre? Cette présence me surprend et je me penche. Je veux soulever une branche brisée: elle est de marbre! Je me redresse et je regarde autour de moi; j'aperçois d'autres marbres noirs... Et je sens que ce paysage m'est hostile. Qu'ai-je à faire ici, moi, vivant, parmi ces marbres incorruptibles? Moi, périssable, moi, dont le corps se dissoudra, qu'ai-je à faire ici dans l'éternité?

Depuis hier j'ai déjà parcouru près de quatre-vingts kilomètres. Je dois sans doute à la soif ce vertige. Ou au soleil ... Il n'y a plus ici qu'une immense enclume. Et je marche sur cette enclume. Et je sens, dans ma tête, le soleil retentir. Ah! là-bas...

— Ohé! Ohé!

— Il n'y a rien là-bas, ne t'agite pas, c'est le délire.

Je me parle ainsi à moi-même, car j'ai besoin de faire appel à ma raison. Il m'est si difficile de refuser ce que je vois.

Il m'est si difficile de ne pas courir vers cette caravane en marche... là... tu vois!...

— Imbécile, tu sais bien que c'est toi qui l'inventes...

— Alors rien au monde n'est véritable...

Je fais demi-tour.

Après deux heures de marche, j'ai aperçu les flammes que Prévot, qui s'épouvantait de me croire perdu, jette vers le ciel. Ah!... cela m'est tellement indifférent...

Encore une heure de marche... Encore cinq cents mètres. Encore cent mètres. Encore cinquante.

— Ah!

Je me suis arrêté stupéfait. La joie va m'inonder le cœur et j'en contiens la violence. Prévot, illuminé par le brasier, cause avec deux Arabes adossés au moteur. Il ne m'a pas encore aperçu. Il est trop occupé par sa propre joie. Ah! si j'avais attendu comme lui... je serais déjà délivré! Je crie joyeusement:

— Ohé!

Les deux Bédouins sursautent et me regardent. Prévot les quitte et s'avance seul au-devant de moi. J'ouvre les bras. Prévot me retient par le coude; j'allais donc tomber? Je lui dis:

— Enfin, ça y est!

— Quoi?

— Les Arabes!

— Quels Arabes?

— Les Arabes qui sont là, avec vous!...

Prévot me regarde drôlement, et j'ai l'impression qu'il me confie, à contre-cœur, un lourd secret:

— Il n'y a point d'Arabes...

Sans doute, cette fois, je vais pleurer.

On vit ici dix-neuf heures sans eau, et qu'avons-nous bu depuis hier soir? Quelques gouttes de rosée à l'aube!...

Prévot, dans les débris, a découvert une orange miraculeuse. Nous nous la partageons. J'en suis bouleversé, et cependant c'est peu de chose quand il nous faudrait vingt litres d'eau.

Couché près de notre feu nocturne je regarde ce fruit lumineux et je me dis: « Les hommes ne savent pas ce qu'est une orange..." Je me dis aussi : « Nous sommes condamnés et encore une fois cette certitude ne me frustre pas de mon plaisir. Cette demi-orange que je serre dans la main m'apporte une des plus grandes joies de ma vie... » Je m'allonge sur le dos, je suce mon fruit, je compte les étoiles filantes. Me voici, pour une minute, infiniment heureux...

Dépêchons-nous ! Il fait jour. En route ! Nous allons fuir ce plateau maudit, et marcher à grands pas, droit devant nous, jusqu'à la chute... On ne nous cherchera plus ici...
De cette journée-là, je ne me souviens plus. Je ne me souviens que de ma hâte. Ma hâte vers n'importe quoi, vers ma chute. Je me rappelle aussi avoir marché en regardant la terre, j'étais écœuré par les mirages. De temps en temps, nous avons rectifié à la boussole notre direction. Nous nous sommes aussi étendus parfois pour souffler un peu. J'ai aussi jeté quelque part mon caoutchouc que je conservais pour la nuit. Je ne sais rien de plus...
Nous décidons, au coucher du soleil, de camper... Mais, à l'instant de faire halte :
— Je vous jure que c'est un lac, me dit Prévot.
— Vous êtes fou !
— A cette heure-ci, au crépuscule, cela peut-il être un mirage ?
Je ne réponds rien. J'ai renoncé, depuis longtemps, à croire mes yeux. Ce n'est pas un mirage, peut-être, mais alors, c'est une invention de notre folie. Comment Prévot croit-il encore ?
Prévot s'obstine :
— C'est à vingt minutes, je vais aller voir...
Cet entêtement m'irrite :
— Allez voir, allez prendre l'air... c'est excellent pour la santé. Mais s'il existe, votre lac, il est salé, sachez-le bien. Salé ou non, il est au diable. Et par-dessus tout il n'existe pas.
Prévot, les yeux fixes, s'éloigne déjà...

Il fait nuit. La lune a grossi depuis l'autre nuit... Je songe à Prévot qui ne revient pas. Je ne l'ai pas entendu se plaindre une seule fois. C'est très bien. Il m'eût été insupportable d'entendre geindre. Prévot est un homme.

Ah! A cinq cents mètres de moi le voilà qui agite sa lampe! Il a perdu ses traces! Je n'ai pas de lampe pour lui répondre; je me lève, je crie, mais il n'entend pas...

Une seconde lampe s'allume à deux cents mètres de la sienne, une troisième lampe. Bon Dieu, c'est une battue et l'on me cherche!

Je crie:
— Ohé!
Mais on ne m'entend pas.
Les trois lampes poursuivent leurs signaux d'appel.

Je ne suis pas fou, ce soir. Je me sens bien. Je suis en paix. Je regarde avec attention. Il y a trois lampes à cinq cents mètres.

— Ohé!
Mais on ne m'entend toujours pas.

Alors je suis pris d'une courte panique. La seule que je connaîtrai. Ah! je puis encore courir: « Attendez... Attendez...» Ils vont faire demi-tour! Ils vont s'éloigner, chercher ailleurs, et moi je vais tomber! Je vais tomber sur le seuil de la vie, quand il était des bras pour me recevoir!...

— Ohé! Ohé!
— Ohé!

Ils m'ont entendu. Je suffoque, je suffoque, mais je cours encore. Je cours dans la direction de la voix: « Ohé! » j'aperçois Prévot et je tombe.

— Ah! Quand j'ai aperçu toutes ces lampes!...
— Quelles lampes?

C'est exact, il est seul.

Cette fois-ci je n'éprouve aucun désespoir, mais une sourde colère.

— Et votre lac?
— Il s'éloignait quand j'avançais. Et j'ai marché vers lui pendant une demi-heure. Après une demi-heure il était trop loin. Je suis revenu. Mais je suis sûr maintenant que c'est un lac...

— Vous êtes fou, absolument fou. Ah! pourquoi avez-vous fait cela... Pourquoi?

Qu'a-t-il fait? Pourquoi l'a-t-il fait? Je pleurerais d'indignation, et j'ignore pourquoi je suis indigné. Et Prévot m'explique d'une voix qui s'étrangle:

— J'aurais tant voulu trouver à boire... Vos lèvres sont tellement blanches!

Ah! Ma colère tombe... Je passe ma main sur mon front, comme si je me réveillais, et je me sens triste. Et je raconte doucement:

— J'ai vu, comme je vous vois, j'ai vu clairement, sans erreur possible, trois lumières... Je vous dis que je les ai vues, Prévot!

Prévot se tait d'abord:

— Eh oui, avoue-t-il enfin, ça va mal...

Il souffle ce vent d'Ouest qui sèche l'homme en dix-neuf heures. Mon œsophage n'est pas fermé encore, mais il est dur et douloureux. J'y devine déjà quelque chose qui racle. Bientôt commencera cette toux, que l'on m'a décrite, et que j'attends. Ma langue me gêne. Mais le plus grave est que j'aperçois déjà des taches brillantes. Quand elles se changeront en flammes, je me coucherai.

Nous marchons vite. Nous profitons de la fraîcheur du petit jour. Nous savons qu'au grand soleil, comme l'on dit, nous ne marcherons plus. Au grand soleil...

Nous avons mangé un peu de raisin le premier jour. Depuis trois jours, une demi-orange et une moitié de madeleine. Avec quelle salive eussions-nous mâché notre nourriture? Mais je n'éprouve aucune faim, je n'éprouve que la soif. Et il me semble que désormais, plus que la soif, j'éprouve les effets de la soif. Cette gorge dure. Cette langue de plâtre. Ce raclement et cet affreux goût dans la bouche. Ces sensations-là sont nouvelles pour moi. Sans doute l'eau les guérirait-elle, mais je n'ai point de souvenirs qui leur associent ce remède. La soif devient de plus en plus une maladie et de moins en moins un désir...

Nous nous sommes assis, mais il faut repartir. Nous renonçons aux longues étapes. Après cinq cents mètres de marche nous croulons de fatigue. Et j'éprouve une grande joie à m'étendre. Mais il faut repartir.

Le paysage change. Les pierres s'espacent. Nous marchons maintenant sur du sable. A deux kilomètres devant nous, des dunes. Sur ces dunes quelques taches de végétation basse ...

Maintenant nous nous épuisons en deux cents mètres.

— Nous allons marcher, tout de même, au moins jusqu'à ces arbustes ...

Hier, je marchais sans espoir. Aujourd'hui, ces mots ont perdu leur sens. Aujourd'hui, nous marchons parce que nous marchons. Ainsi les bœufs sans doute, au labour. Je rêvais hier à des paradis d'orangers. Mais aujourd'hui, il n'est plus, pour moi, de paradis. Je ne crois plus à l'existence des oranges ...

Le désert, c'est moi. Je ne forme plus de salive, mais je ne forme plus, non plus, les images douces vers lesquelles j'aurais pu gémir. Le soleil a séché en moi la source des larmes.

Et cependant, qu'ai-je aperçu? Un souffle d'espoir a passé sur moi comme une risée sur la mer. Quel est le signe qui vient d'alerter mon instinct avant de frapper ma conscience? Rien n'a changé, et cependant tout a changé. Cette nappe de sable, ces tertres et ces légères plaques de verdure ne composent plus un paysage, mais une scène. Une scène vide encore, mais toute préparée. Je regarde Prévot. Il est frappé du même étonnement que moi, mais il ne comprend pas non plus ce qu'il éprouve.

Je vous jure qu'il va se passer quelque chose ...

Je vous jure que le désert s'est animé. Je vous jure que cette absence, que ce silence sont tout à coup plus émouvants qu'un tumulte de place publique ...

Nous sommes sauvés, il y a des traces dans le sable! ...

Ah! nous avions perdu la piste de l'espèce humaine, nous étions retranchés d'avec la tribu, nous nous étions retrouvés seuls au monde, oubliés par une migration universelle, et voici que nous découvrons, imprimés dans le sable, les pieds miraculeux de l'homme.

— Ici, Prévot, deux hommes se sont séparés...
— Ici, un chameau s'est agenouillé...
— Ici...

Et cependant nous ne sommes point sauvés encore. Il ne nous suffit pas d'attendre. Dans quelques heures, on ne pourra plus nous secourir. La marche de la soif, une fois la toux commencée, est trop rapide. Et notre gorge...

Mais je crois en cette caravane, qui se balance quelque part, dans le désert.

Nous avons donc marché encore, et tout à coup j'ai entendu le chant du coq. Prévot m'a saisi par le bras :

— Vous avez entendu?
— Quoi?
— Le coq!
— Alors... Alors...

Alors, bien sûr, imbécile, c'est la vie...

J'ai eu une dernière hallucination : celle de trois chiens qui se poursuivaient. Prévot, qui regardait aussi, n'a rien vu. Mais nous sommes deux à tendre les bras vers ce Bédouin. Nous sommes deux à user vers lui tout le souffle de nos poitrines. Nous sommes deux à rire de bonheur!...

Mais nos voix ne portent pas à trente mètres. Nos cordes vocales sont déjà sèches. Nous nous parlions tout bas l'un à l'autre, et nous ne l'avions même pas remarqué!

Mais ce Bédouin et son chameau, qui viennent de se démasquer de derrière le tertre, voilà que lentement, lentement, ils s'éloignent. Peut-être cet homme est-il seul. Un démon cruel nous l'a montré et le retire...

Et nous ne pourrions plus courir!

Un autre Arabe apparaît de profil sur la dune. Nous hurlons, mais tout bas. Alors, nous agitons les bras et nous avons l'impression de remplir le ciel de signaux immenses. Mais ce Bédouin regarde toujours vers la droite...

Et voici que, sans hâte, il a amorcé un quart de tour. A la seconde même où il se présentera de face, tout sera accompli. A la seconde même où il regardera vers nous, il aura déjà effacé en nous la soif, la mort et les mirages. Il a amorcé un quart de tour qui, déjà, change le monde. Par un mouvement de son seul buste, par la promenade de son seul regard, il crée la vie, et il me paraît semblable à un dieu ...

C'est un miracle ... Il marche vers nous sur le sable, comme un dieu sur la mer ...

L'Arabe nous a simplement regardés. Il a pressé, des mains, sur nos épaules, et nous lui avons obéi. Nous nous sommes étendus. Il n'y a plus ici ni races, ni langages, ni divisions ... Il y a ce nomade pauvre qui a posé sur nos épaules des mains d'archange.

Nous avons attendu, le front dans le sable. Et maintenant, nous buvons à plat ventre, la tête dans la bassine, comme des veaux. Le Bédouin s'en effraye et nous oblige, à chaque instant, à nous interrompre. Mais dès qu'il nous lâche, nous replongeons tout notre visage dans l'eau.

L'eau!

Eau, tu n'as ni goût, ni couleur, ni arome; on ne peut pas te définir; on te goûte sans te connaître. Tu n'es pas nécessaire à la vie: tu es la vie ... Tu es la plus grande richesse qui soit au monde ... Tu répands en nous un bonheur infiniment simple.

Quant à toi qui nous sauves, Bédouin de Lybie, tu t'effaceras cependant à jamais de ma mémoire. Je ne me souviendrai jamais de ton visage. Tu es l'Homme et tu m'apparais avec le visage de tous les hommes à la fois. Tu ne nous as jamais dévisagés et déjà tu nous as reconnus. Tu es le frère bien-aimé. Et, à mon tour, je te reconnaîtrai dans tous les hommes.

Tu m'apparais baigné de noblesse et de bienveillance, grand Seigneur qui as le pouvoir de donner à boire. Tous mes amis, tous mes ennemis en toi marchent vers moi, et je n'ai plus un seul ennemi au monde.

> Abridged from ANTOINE DE SAINT EXUPÉRY, *Terre des Hommes*, 1939. (Copyright by Gallimard, Paris.)

LES TROIS REMBRANDT

JOSEPH Leborgne me demanda :
« Connaissez-vous l'Hôtel Drouot ? »[1]
— Comme tout le monde !
— Alors, écoutez cette histoire qui vous l'éclairera d'un jour nouveau :

« On annonce un beau jour une vente sensationnelle. Il s'agit ni plus ni moins d'un Rembrandt inconnu, qu'un vieux juif du nom de Wahl garde jalousement dans son antre depuis quinze ans et qu'il se décide à vendre.

C'est un portrait du maître, et, ce qui en fait une pièce d'une valeur inappréciable, c'est qu'il est non seulement signé, mais daté de 1669, année de la mort du peintre.

On ne possède aucun autre portrait de Rembrandt à cette époque. Wahl a invité quelques critiques d'art à admirer le chef-d'œuvre et tous l'ont déclaré authentique. Des sceptiques, pourtant, murmurent : Attendons l'avis des experts !

Et voilà soudain qu'une nouvelle incroyable circule. Le samedi après-midi, un jeune homme correct s'est présenté à la Salle Drouot avec le tableau sous le bras et, de la part de Wahl, il l'a remis au directeur, en annonçant qu'un détective viendrait dès le lendemain monter la garde dans la salle où sera exposée la précieuse toile.

Celle-ci ne mesure que soixante centimètres sur soixante-dix. Elle est encadrée de chêne sombre, sans sculptures.

Le jeune homme est à peine sorti que le directeur voit arriver un livreur qui lui remet un colis de dimensions identiques et qui disparaît aussitôt.

Enfin, à 5 heures du soir, Wahl est introduit lui-même, radieux, un paquet sous le bras, et, sous le regard ahuri du directeur, il met à jour son fameux tableau.

Ce n'est pas la peine que je vous décrive la scène, n'est-ce pas ? On ne se trouve plus en face d'un Rembrandt, mais de trois Rembrandt identiques, encadrés d'une façon tellement semblable qu'une fois les trois tableaux mis côte à côte, Wahl lui-même ne reconnaît plus le sien.

[1] Famous auction-rooms in Paris (cf. Christie's and Sotheby's in London).

La police est avertie. On recherche le jeune homme qui a apporté la première toile; on recherche le commissionnaire qui s'est chargé de la seconde. Le petit monde de l'Hôtel Drouot est en effervescence.

On a eu le malheur de changer deux ou trois fois les tableaux de place pour les examiner, et le propriétaire du Rembrandt jure qu'il lui est désormais impossible d'affirmer que l'un est l'original plutôt que l'autre.

Pendant trois jours, les critiques défilent, ainsi que les marchands les plus fameux. Les avis sont partagés. Pour faciliter la discussion, on a collé une étiquette sur chaque cadre: N° 1, N° 2, N° 3.

Les uns tiennent pour le numéro 1; d'autres, pour le 2. Mais le 3 a peu de défenseurs.

Bien entendu, la vente est remise à une date ultérieure. L'enquête continue. Le jeune homme ni le commissionnaire ne sont retrouvés...»

Et Joseph Leborgne, en souriant, poussa vers moi les agrandissements photographiques de la signature des trois tableaux.

« L'expertise... », commençai-je.

Il éclata de rire:

« Vous êtes encore naïf! Vous n'avez donc jamais suivi une affaire de ce genre? Récemment, il y a eu le scandale des faux Van Gogh, en Allemagne. Dix experts s'en sont mêlés. Ils n'ont pas pu s'entendre... Il y a deux ans, a éclaté en Amérique une autre affaire de faux. Cette fois, il s'agissait d'un Raphaël. Des experts, aux frais du propriétaire, ont fait le voyage de Londres, de Berlin, de Paris et de Rome. Ce ne fut pas une expertise. Ce fut un meeting, et la presse des Etats-Unis, qui n'est pas aussi respectueuse que la nôtre, a révélé qu'il y eut des coups de parapluie échangés.

— Pourtant, les rayons X?...

— Un sujet de discussion de plus. En l'occurrence, ils donnèrent les mêmes résultats pour les trois tableaux.

— L'examen microscopique de la toile?...

— N'a rien prouvé!

— L'étude approfondie des trois signatures?...

— Regardez vous-même!... Et essayez de vous faire une idée!

— Où se trouvait le tableau avant d'arriver rue Drouot?

— Lequel?

— Celui que Wahl a apporté, bien entendu! Le vrai!

— Dans l'appartement du juif, avenue de Suffren. Il n'était même pas accroché au mur, mais enfermé dans un petit cabinet communiquant avec le bureau de Wahl.

— Depuis combien de temps?

— Une quinzaine d'années, époque à laquelle Wahl a déniché son chef-d'œuvre dans je ne sais quelle vente de province. A ce moment, le tableau était tellement sale et enfumé qu'on en distinguait à peine le sujet et qu'on ne voyait pas du tout la signature... Wahl a eu du flair. Il l'a fait restaurer... Mais il n'a guère parlé de sa trouvaille qu'à quelques intimes... Rares furent ceux qui furent admis à l'admirer. Et il avait l'habitude de dire: « Je mangerai du pain sec plutôt que de le vendre! »

— Quel était le métier de ce Wahl?

— Officiellement, il n'avait pas de profession. C'était un habitué de l'Hôtel Drouot, mais un habitué de petite envergure. Il achetait. Il revendait...

— Et il s'est décidé à se débarrasser de son Rembrandt?

— Pour doter sa fille, paraît-il.

— Il est donc marié?

— Veuf. Une seule fille âgée de vingt-deux ans. Fiancée à un nommé Golfinger, de nationalité indéterminée, courtier en pierres précieuses.

— Wahl est riche?

— Il vit assez modestement. Deux domestiques. Un appartement de quinze mille francs. Sa seule vraie fortune était, d'après lui, ce Rembrandt, dont il ne voulait pas se séparer. Aussi, a-t-il poussé de hauts cris. Devant les trois toiles, il a juré qu'il était ruiné et il a même tenté de se suicider...

— Comment?

— En absorbant du véronal. Mais, dès les premiers troubles, sa fille a appelé le médecin, qui a pu le sauver.

— La vente n'a pas eu lieu ?

— Elle a eu lieu, mais trois semaines plus tard. Jusque-là, on a discuté, expertisé, contre-expertisé. On a publié des conclusions contradictoires et les spécialistes se sont livrés à d'âpres polémiques. On a soupçonné Golfinger, qui était le seul homme à pouvoir approcher le tableau. Il a prouvé qu'il était étranger à toute cette affaire. On a inquiété deux ou trois commissaires innocents...

— Et les deux domestiques ?

— Une vieille juive polonaise d'abord, ne parlant qu'un mélange de yiddish et de mauvais français. Elle a répondu avec hébétude à toutes les questions posées. Elle ne s'occupait que de la cuisine et elle a donné l'impression d'un esprit simple... L'autre domestique est une jeune Luxembourgeoise ... Mais elle ignorait l'existence du tableau.

— Comment l'affaire s'est-elle terminée ?

— La vente a eu lieu, je vous l'ai dit. Une des séances mémorables de la rue Drouot. Toute la colonie de l'Hôtel était là. Des amateurs étaient venus de Berlin et d'Amsterdam. Les trois tableaux étaient exposés côte à côte et ils présentaient un spectacle hallucinant, tant ils étaient identiques dans leurs moindres détails. Wahl était présent, très abattu Et dix fois il dut recommencer dans des groupes le récit de sa mésaventure : « Je suis ruiné ! répétait-il sans cesse. C'est la dot de ma pauvre Judith que les bandits ont volée ! Et pourtant le tableau est là... Il est là et je ne suis même pas capable de le reconnaître... »

— Il y a eu des amateurs ?

— Les enchères ont été folles ! Le plus curieux, c'est qu'on savait que, sur les trois toiles, il y en avait deux sans la moindre valeur. C'était un peu comme une loterie. Le numéro 1 n'en monta pas moins à deux cent dix mille francs, plus les frais, et ce fut une stupeur générale. Stupeur d'autant plus grande qu'on reconnaissait en l'acheteur l'agent d'un des gros collectionneurs américains. Cela servit de coup de fouet. Le numéro 2 atteignit trois cent mille francs. Mais on comprit, car l'acheteur était toujours le même. Celui-ci était évidemment décidé à acquérir les trois tableaux, sûr ainsi d'avoir le bon. Cela lui coûta cher. Rue Drouot, on n'est pas très tendre les uns pour les autres. On s'aperçut qu'à ce prix l'Américain allait réaliser, en somme, une assez bonne affaire. On lui tint tête. Deux tableaux étaient absolument sans valeur. Il fallait les trois, à n'importe quel prix. Ce fut une enchère vertigineuse. On vit le troisième tableau monter à quatre cent mille francs, à un demi-million, dépasser ce cap dangereux et être adjugé enfin à sept cent mille francs à l'intermédiaire, qui était en nage... Les trois toiles, dont une seule était bonne, lui coûtaient un million deux cent dix mille francs.

— On a fini par découvrir laquelle des trois est authentique ?
— Pas le moins du monde. Les Rembrandt sont exposés côte à côte, à l'heure qu'il est, dans la galerie du riche Newyorkais, qui n'est pas médiocrement fier.
— Si bien que le mystère reste entier ?
— Sauf pour deux personnes...
— Lesquelles ?
— L'auteur de la mystification, d'abord ; moi ensuite...
— Vous avez vu les tableaux ?
— Non ! J'ai seulement fait prendre les photographies que vous avez à la main...»

Je regardai de nouveau les signatures.

«Montrez-moi donc la bonne».

— Il n'y en a pas de bonne ! affirma-t-il. Les trois tableaux sont aussi faux l'un que l'autre...

Et, comme je restais bouche bée, il poursuivit :

— Supposez un homme qui a décidé de tenter un gros coup. Cet homme n'est en somme qu'un brocanteur sans envergure. Il voudrait gagner le million dans une seule affaire. Il est Juif, c'est-à-dire très patient...

Il ne craint pas de commettre un faux et un beau jour il fait confectionner le Rembrandt en question. Ou plutôt il en fait confectionner trois à la fois. Il les veut rigoureusement pareils.

Il ne les montre à personne. Il se contente d'en parler. A quelques intimes, pourtant, il exhibe un des tableaux dans le demi-jour de son cabinet.

Il crée ainsi la légende du Rembrandt rarissime *qui n'est pas à vendre*! Et on en parle, précisément parce que le tableau n'est pas à vendre et que Wahl va jusqu'à refuser de le montrer à des amateurs qui lui rendent visite.

Le temps passe. Le tableau a en quelque sorte pris vie au cours de centaines de conversations.

Wahl annonce qu'il est résigné à s'en séparer pour doter sa fille. Mais il gémit. Il a la mort dans l'âme.

L'heure dangereuse a sonné. Car les experts vont s'en donner à cœur joie sur cette toile inconnue. Ne va-t-on pas reconnaître que c'est un faux!

Wahl va au-devant des accusations. Il suscite lui-même, non pas un, mais *deux faux*.

Si bien que la question posée aux experts n'est plus:
— Ce tableau est-il authentique?
Mais:
— Laquelle de ces trois toiles est de Rembrandt?

Ils ont marché! Tous! Et c'est humain! *Ils devaient fatalement marcher*. Ils se sont battus pour le n° 1, pour le n° 2, voire pour le n° 3, qui avait lui aussi ses défenseurs.

Georges Simenon, *Les* 13 *Mystères*,
1932, Arthème-Fayard.

LA POUSSIÈRE (CHANSON DE SERVANTE)

ESSUIE, torchon, mon ami,
Tu n'en auras jamais fini.

Quand je la chasse, elle retombe ;
Les cheminées en font pour moi.

Battez mes mains, battez les livres,
Qui l'appellent, l'attirent, l'attirent.

Et vous lits, je vous maudis,
Où les minons font leurs nids.

Et vous, rideaux de mousseline,
Qui lui tendez vos pièges fins.

Et vous, manteaux, et vous, les jupes,
Qui m'apportez toute la rue.

Linge prudent, va, mon ami,
Tu n'en auras jamais fini.

Adoucis mes mains rouges rêches,
Fais briller mes cheveux poudreux.

Tire-la de ma bouche sèche,
Où elle grince entre mes dents ;

Ote-la de mes oreilles,
Et de mes yeux qu'elle rougit.

Epoussète-la de mes rêves,
Mes jolis rêves qu'elle salit ;

Et de la gerbe de soleil,
Qui s'étale sur mon réveil.

Enlève-la des statues nues,
Et des cadres et des pots de fleurs;

Et des bibelots et des vases,
Qu'il est défendu de casser;

Des draps brodés, des dentelles,
Des perles fines, des rubis

De ma méchante patronne
Qui est malade dans son lit;

Des grand-routes et du cimetière...

Va, mon torchon, mon pauvre ami,
Nous n'en aurons jamais fini.

ANDRÉ SPIRE, *Et Vous Riez*, Cahiers de la Quinzaine, 1905.

GLOSSARY

(*The figures in brackets refer to the pages.*)

à. *Nous partîmes à six* (134), we set out, six of us.
abaisser, lower.
abandon, surrender (28).
abat-jour, lamp-shade.
s'abattre, crash down (72).
abattu, depressed, dejected.
abîmer, spoil.
abord. *Les abords des ponts* (11), *de la ville* (29), the approaches to the bridges, to the town. *D'abord,* first. *Dès l'abord,* from the first.
aborder, reach (9, 155); tackle, grapple with (48); approach (15); berth (123). *Aborder à* (71), reach.
aboutir, end at, lead to (59); end in, result in (157).
abri, shelter. *A l'abri,* under shelter, cover. *A l'abri d'un buisson* (4), screened by a bush.
abriter, shelter; hide (31).
abrupt, sheer, precipitous.
absence. *Une telle absence dans le regard* (7), such a far-away look.
abuser. *Il abusait un peu* (95), his demands were rather excessive, he was going a little too far. *Abuser de* (12), abuse, indulge in too freely.
accabler, overwhelm, crush.
accéder. *On y accède par* (59), it is reached by, access to it is by.
accès. *Les rampes d'accès* (60), the sloping approaches.
accord, agreement. *Etes-vous d'accord?* do you agree?
accoudé, leaning on one's elbow(s).
accourir, run up, rush up, come running up.
accrocher, hang (up). *M'a accroché au genou* (157), caught my knee. *Accroché* (4, 23, 82), hanging. *S'accrocher à,* cling to (59), get caught on (3).

accroître, increase.
accueillir, receive, greet. *Accueillant* (79), hospitable.
accuser, show (24).
acéré, sharp.
acharné, strenuous, desperately hard (59); relentless (146).
achat, buying, purchase.
s'acheminer, make one's way, proceed.
acheter, buy.
acheteur, purchaser, buyer.
achever, finish, complete.
acier, steel.
acquérir, acquire, purchase; gain (106).
actuellement, at the present time; at that moment (101).
additionner, add up.
adjudant, company sergeant-major.
adjuger, knock down (173).
adossé à, leaning with one's back against.
adoucir, soften.
s'adresser à, address; apply to (99).
aérien, aerial.
affaire, matter (98); deal, transaction (173). (Pl.) Things, belongings (82); business (135). *Ça ne faisait pas notre affaire* (12), that didn't suit us. *On sentait Raph pleinement à son affaire* (15), you could feel that Raph was engrossed in his occupation.
affairé, busy.
s'affaisser, collapse, crumple up.
affiche, advertisement (137).
affoler, strike with panic.
affreusement, frightfully, dreadfully, terribly.
affreux, frightful, dreadful, terrible.
affublé de, dressed up in, tricked out in, rigged out in.
affût. *Se mettre à l'affût,* lie in wait.
afin de, in order to, so as to.

agacement, irritation, annoyance.
s'agenouiller, kneel down. *Agenouillé*, kneeling, on one's knees.
aggraver, aggravate, increase.
agir, act. *S'agir de*, be a question of.
agiter, wave (73). *Agité*, rough, choppy (72); shaken (128). *S'agiter*, move about, struggle (27); move (131).
agrandir, make bigger, enlarge.
agrandissement, enlargement.
agripper, clutch, grip. *S'agripper à*, grip; *qui s'agrippaient profondément à* (102), digging into.
ahuri, bewildered.
aide, assistant, helper (116).
s'aider de, make use of, avail oneself of.
aïeul, grandfather.
aigre, shrill (141).
aigu, keen, piercing (103, 113); shrill (23, 147).
aiguille, needle (118); hand (18).
aile, wing.
ailé, winged.
ailleurs, elsewhere. *D'ailleurs*, moreover, furthermore.
aimer, love.
aîné, eldest (80); elder (108).
ainsi, thus, so. *S'il en est ainsi*, if that is the case, if that is so. *Ainsi que*, as (44, 49); as also (24).
air. *Avoir l'air d'un imbécile*, look like a fool. *Ça m'en a l'air*, it looks like it.
aisance, ease.
ajouter, add.
alerter, alarm, give the alarm to; warn (166).
algue, sea-weed.
s'aligner, to be arranged in rows.
alizé. *Les (vents) alizés*, the trade-winds.
allée, path, drive, avenue. *Allées et venues*, comings and goings.
allemand, German.
aller, go. *Ça va* (87), things are going well. *S'en aller*, go away.
allongé, long (108).

s'allonger, stretch oneself out. *S'allonger par terre*, fall full length on the ground (146).
allumer, light.
allure, look, appearance (16, 18); pace, speed (3, 32). *A toute allure*, at full speed.
alors, then; well then (18, 89). *Alors que*, whilst, whereas.
alpestre, Alpine.
alpiniste, Alpinist, mountaineer.
amabilité, kindness.
amarante, amaranth-coloured, purple.
amarre, mooring rope or line.
amarrer, moor, fasten, secure; lash together (26).
amas, mass.
s'amasser, accumulate, pile up.
amateur, bidder at auction (172).
ambroisie, ambrosia.
âme, soul.
amener, bring; haul down (68).
amer, bitter.
s'ameuter, gather, assemble, band together.
ami, amie, friend.
amitié, friendship.
amollir, soften.
s'amonceler, pile up, gather.
amorcer, begin.
amortir, deaden, break.
amour-propre, pride, vanity (143).
amputé, amputated; one who has lost a leg (22).
an, year.
ancien, ancient, old, bygone (44); of earlier days (69); former, late (151). *Les anciens*, elders, old men (30).
ancre. *Jeter l'ancre*, cast, drop, anchor. *Lever l'ancre*, weigh anchor.
anéantir, annihilate, paralyse.
ange, angel.
angoisse, anguish, distress, pain.
angoissé, anguished, agonised.
anguille, eel.
s'animer, come to life (161, 166).
anneau, ring.
année, year.
s'annihiler, become blotted out (42).

anodin, harmless (12).
antichambre, ante-room.
antiquaire, antique dealer (98).
antre, den.
août, August.
apaisant, soothing (129).
apaisé, appeased, pacified (153).
s'apaiser, calm down, subside (25).
apercevoir, perceive. *S'apercevoir de,* notice, become aware of.
apitoyer, move (to pity), soften.
aplatir, flatten.
aplomb, perpendicularity (136). *D'aplomb,* upright, plumb.
apparaître, appear.
appareil, machine, appliance, apparatus; machine (159).
appareiller, set sail, get under way.
apparition, appearance (64).
appartenir, belong.
appartement, flat.
appel, call, summons. *Faire appel à,* summon up (161).
appeler, call. *S'appeler,* call.
applaudir, applaud. *S'applaudir de,* congratulate oneself on, rejoice at.
apporter, bring.
appréciation, judgment (11).
apprendre, learn, hear about (39); show, reveal (98).
apprenti, apprentice, novice.
apprêt, dressing.
apprêté, studied, affected, stiff, unnatural.
s'apprêter à, prepare to.
approcher de, bring near (9, 49). *S'approcher de,* go up to (81).
approfondi, careful, searching (170).
approfondir, go deeply into, study thoroughly.
appui, support. *Prendre appui à,* rest on (76).
appuyer, press (146). *Appuyer sur,* bend to, apply oneself to (123); press (140); stress, dwell on (143).
âpre, rough, harsh (1); keen (106); bitter (172).
après, after. *D'après,* according to (63).
après-midi, afternoon.
arabe, Arabic (126).

arbre, tree.
arbuste, bush, shrub.
arc, bow (29).
arcade, arch(way) (27).
s'arc-bouter, stiffen oneself (147).
arc-en-ciel, rainbow.
archange, archangel.
arête, ridge (59).
argent, money.
armature, frame (123).
arme, arm, weapon. *La fortune des armes,* the fortune of war.
armée, army.
armer, cock (26). *S'armer de,* arm oneself with (29).
armoire, wardrobe.
arpenter, stride, pace, up and down (2).
arracher, tear (85, 117); tear away, off (116, 157).
arranger. *Ce qui n'était pas pour arranger les choses* (16), which was not calculated to help matters. *S'arranger pour que,* do one's best to see that (100, 153).
arrêt, stop (135); decree, judgment (104). *Tomber en arrêt devant,* stop and point at (145).
(s')arrêter, stop.
arrière, stern (62); rear (12). *En arrière,* backwards (23, 93, 136).
arrière-garde, rear-guard.
arrivée, arrival.
arriver, happen (52, 87). *Comment as-tu pu en arriver là?* (105), however did you come to this (pass)? *Histoires arrivées* (40), stories of real happenings.
arroser, water.
artère, artery.
ascendant, ascendancy.
ascenseur, lift.
aspiration, inhaling, drawing in of breath.
s'asseoir, sit down.
assez, enough (115); rather, fairly (5, 76).
assiette, plate.
assis, sitting.
assister à, be present at, take part in.
assombrir, darken.
assourdissant, deafening.

assujettir, fix, fasten.
assurer, make safe, secure (130). *S'assurer,* make sure, ascertain (13, 116).
astiquer, polish.
âtre, hearth.
atroce, dreadful, excruciating (146).
s'attacher. *Mes yeux s'attachaient à lui,* my eyes were fastened, fixed, on him.
s'attarder, loiter, linger, lag behind.
atteindre (à), reach.
attendre, wait for; wait (74). *En attendant,* meanwhile. *Attendu,* expected (34).
attente, waiting; expectation, anticipation.
attention, be careful, mind (39); now, ready (94). *Faire très attention,* take great care (70).
atterrir, land.
atterrissage, landfall.
attirer, draw (7); attract (60, 76, 110).
attrait, attraction, charm.
attraper, catch.
attroupement, crowd.
aubaine, godsend, windfall.
aube, dawn.
auberge, inn.
aucun, no, none. *D'aucuns,* some.
audace, audacity, boldness.
audacieux, bold, daring.
au-dedans de, within.
au-dessus de, above.
au-devant de. *Aller, s'avancer, s'élancer, venir au-devant de* (174, 131, 162, 117, 110), go, go forward, rush, come, to meet.
augmenter, increase.
aujourd'hui, to-day.
auparavant, before.
auprès de, close by.
aussi, also; therefore (83). *Aussi ... que,* as ... as (71). *Aussi ... que* + subjunctive, however (68).
aussitôt, immediately.
autant, as much, as many; so many (20). *En faire autant,* do the same: *Les Suisses en avaient fait autant* (3), the Swiss had followed suit.

auteur, author.
auto, car. *En auto,* by car.
automne, autumn.
autour de, round.
autre, other. *Rien d'autre,* nothing else. *Et que faire d'autre?* (113), and what else could one do? *D'une minute à l'autre,* at any moment. *Autre chose,* something else.
autrefois, formerly.
autrement, otherwise.
avaler, swallow.
avance. *D'avance,* in advance, beforehand.
avanie, insult, affront.
avant (de), before. *Avant tout,* above all. *Voiles d'avant* (68), foresails. *En avant,* forward (23, 74, 127); in front (32, 131). *En avant de,* in front of (64, 130, 149). *Tirer de l'avant* (78), pull forwards.
avant-garde, advance guard.
l'avant-veille, two days before.
avarie, damage, injury.
avenir, future.
avenue, thoroughfare (8).
averse, shower.
avertir, warn. *Averti,* experienced (48).
aveuglant, dazzling (13).
aveugle, blind.
aveugler, blind (71); dazzle (135).
avion, aeroplane.
aviron, oar.
avis, opinion.
aviser. *Nous aviserons,* we'll see what's to be done (6). *S'aviser,* notice (79). *S'aviser de,* bethink oneself of: *il s'en avise* (39), he takes it into his head to do so.
avoir. *Il n'y a que* (23), it's only. *Il y a cent ans* (137), a hundred years ago. *Avoir à,* have to.
avouer, confess.

badigeonner, paint (118).
bagage, baggage, impedimenta. *Bagages,* luggage.

bague, ring.
baguette, wand.
bai, bay, reddish-brown.
baie, bay.
baigner, steep.
bain, bath.
baiser, kiss.
baisser, fall (63). *Baissé,* stooping (10); lowered (134). *La capote baissée,* with the hood back (14).
bal, ball, dance.
balancé, swing(ing movement) (23).
balancement, swinging (to and fro) (4).
balancer, rock (84, 123); swing (23). *Se balancer,* sway (167).
balayer, sweep.
balbutier, stammer.
balcon, balcony.
Baléares. *Les îles Baléares,* the Balearic Isles.
balisage, ground-lighting, beacons (155).
balle, bullet (30, 122).
bananier, banana-tree.
banc, form, seat (102).
bande, belt (of cartridges) (13).
bandoulière. *En bandoulière,* slung over the shoulder.
banquette, seat (108); bench (139).
baptême, christening.
baraque, hut (37).
barbe, beard. *Porter toute la barbe,* wear a full beard. *Savon à barbe,* shaving-soap.
barbelés, barbed-wire entanglements (3).
barbu, bearded.
barbue, brill.
baril, barrel.
barque, boat.
barrage, barrier (140).
barre, tiller, helm. *Prendre barre sur,* have the advantage of (18).
barreau, bar.
bas, low; shallow (123). *A voix basse,* in a low voice, in a whisper. *En bas,* below (64, 135); downstairs (22). *La tête en bas,* upside down. *Le bas,* the bottom, lower part. *Très bas* (41), with bowed head, reverently.

basculer, tumble out (157).
bases, foundations (156).
bassine, pan.
bataille, battle. *Plan de bataille,* plan of campaign (38).
bateau, boat.
bâtiment, building.
bâtir, build.
bâtisse, building.
bâton, stick.
battoir, (washing) beetle (for beating linen).
battre, beat; bang (84, 117, 147). *Battre des mains,* clap (one's hands).
baudrier, cross-belt, shoulder-belt.
bavard, loquacious, talkative.
bazar, cheap stores.
beau, beautiful, handsome; fine. *De plus belle,* worse than ever, harder than ever.
beaupré, bowsprit.
beaucoup, much, many. *De beaucoup,* by far, by a great deal.
bec, nib (152).
bée. *Rester bouche bée,* stand open-mouthed, gaping.
béer, open wide, gape (115).
bégayer, stammer, stutter.
bêler, bleat.
bénédicité, grace (before meal).
bénir, bless.
bercer, rock.
berge, bank (of river).
berger, shepherd.
berline, berlin(e) (four-wheeled covered carriage).
besace, sack, (beggar's) wallet.
besicles, spectacles.
besogne, work, job, business.
besoin, need.
bestiole, tiny animal.
bête, beast, animal; stupid (111).
bêtement, stupidly.
bétonné, concrete (139).
beurre, butter.
biais. *En biais,* obliquely.
bibelot, knick-knack, curio, trinket.
bibliothèque, library; book-case (82, 100).
biche, doe.

bien, well (5, 61, 115); very well (150). *C'est bien,* all right (25). *Je possède bien* (67), it's true I have. *Voulurent bien . . . accepter* (6), were willing, pleased, to accept. *Si bien que,* so that (173). *Tant bien que mal,* after a fashion, somehow or other, as best one can. *Bien d'autres choses,* many other things. *Eh bien!* well! *Bien que,* although.
bien-aimé, well-beloved.
bienfait, blessing (28).
bienheureux, blissful.
bientôt, soon.
bienveillant, kindly, benevolent.
bienveillance, benevolence, kindliness.
bilan. *Faire un bilan,* draw up a balance-sheet.
billes, ball-bearings (158).
billet, ticket.
bistouri, bistoury, scalpel.
bizarre, odd, queer, strange (104).
blanc, white.
blanchir, whiten (93). *Blanchir à la chaux,* whitewash.
se blaser, become indifferent.
blé, corn, wheat.
blêmir, turn pale, blanch.
blesser, wound.
bleu, blue.
bleuté, bluish.
blindés, armoured vehicles (11).
blocage, locking.
se blottir, crouch, squat.
blouson, lumber-jacket.
bœuf, ox; beef (64).
boire, drink; swallow, pocket (103).
bois, wood; stuff (132).
boîte, box; tin (74).
bon. *A quoi bon?,* what is the use, good, of ? *Tenir bon,* stand the strain (78). *Montrez-moi donc la bonne,* show me the right one (173).
bonasse, good-natured but simple-minded.
bonbon, sweet.
bond, bound, leap, jump, spring.
bondir, bound, leap, spring.

bonheur, happiness. *Au petit bonheur,* in a happy-go-lucky way, in a haphazard manner.
bonhomme, good fellow (6).
bonjour, *Dire bonjour à,* say how do you do to.
bonnet, hat (44).
bonté, goodness, kindness.
bord, side (40, 71, 112, 123); bank (55). *Regagnaient leur bord* (74), were going back to their ship. *Par-dessus bord,* overboard. *A bord (de),* on board. *Journal, livre, de bord,* ship's log. *Changer de bord,* change course, tack about.
bordeaux, claret.
bordée, volley (131).
border, skirt, run along the edge of (9). *Bordé de,* lined with (8, 39).
bordure. *En bordure de,* along the side of, at the edge of.
boréal, northern.
borne, landmark.
bouche, mouth.
boucher, cork (22).
boucherie, slaughter (145).
bouchon, cork.
bouclé, curly.
boucler, buckle, fasten. *Boucler la boucle,* loop the loop.
boucles d'oreilles, ear-rings.
bouder, to be sulky with.
boue, mud.
bouée, buoy.
boueux, muddy.
bouffée, whiff (82, 121). *Par bouffées,* by fits and starts.
bouger, stir, move, budge.
bougie, candle.
bougonner, grumble; say gruffly (120).
bouillant, boiling.
bouillir, boil.
bouillonnement, seething, agitation.
bouillonner, seethe.
bouillotte, foot-warmer, hot-water bottle.
boule, ball; hot-water bottle (119).
bouleverser, upset; overwhelm, stagger (162).
bourdonnement, hum(ming), buzz(ing).

GLOSSARY

bourdonner. *Les oreilles bourdonnantes*, with a singing in my ears (136).
bourgade, large village or small town.
bourgeois, townsfolk (8, 61).
bourrade, blow, thrust.
bourrasque, squall.
bourreau, tormentor (146).
bourrer. *Bourrer de coups de poing* (96), pummel, thump.
bourru, surly. *D'un ton bourru* (119), roughly.
bousculade, hustling, jostling.
boussole, compass.
bout, end; tip (76, 120). *Du bout des lèvres*, disdainfully, apathetically (102). *Je suis à bout* (103), I can't go on any longer. *Pousser à bout*, exasperate, put out of patience.
bouteille, bottle.
braise, embers.
brandir, brandish.
braquer, aim, level, point (gun). *Les yeux braqués sur* (116), with eyes fixed on, staring steadily at.
bras, arm. *A tour de bras*, with might and main, for all he was worth (57).
brasser, shake (up) (156).
bravade, bravado.
brave (placed before the noun), worthy, honest, obliging.
bredouiller, stammer out, mumble.
bref, brief, short-lived (42, 70); in short (44, 54). *En bref* (49), for short.
Brésil, Brazil.
brésilien, Brazilian.
bretelle, sling (of rifle): *l'arme à la bretelle* (3), with his weapon slung. *Bretelles*, braces.
breveté, staff officer (18).
bricole, strap.
bride, bridle.
brièvement, briefly.
brillant, bright, sparkling (24, 144); bright, glittering (32, 159, 165).
briller, shine.
brimade, rough joke, rag.
brin d'herbe, blade of grass.

brise, breeze.
(se) briser, break.
britannique, British.
broc, pitcher, large jug.
brocanteur, second-hand dealer.
brochet, pike.
broder, embroider.
brouillard, fog, mist, haze.
broncher, stumble (130); waver, falter (115); move, stir (94). *Sans broncher*, without turning a hair (15).
broussaille, brushwood, scrub, underwood.
broussard, bushranger.
brousse, the bush.
brouter, browse (61); browse on (28).
broyer, crush.
bruit, noise; rumour, report (12). *A petit bruit*, noiselessly, silently, without any fuss.
à brûle-pourpoint, suddenly (5).
brûler, burn; smart (147).
brûlure, burn.
brume, mist, haze.
brun, brown.
brune. *A la brune*, at dusk, in the gloaming.
brunir, tan.
brusquement, abruptly, suddenly.
bruyant, noisy.
bûche, log. *Ramasser une bûche*, fall, come a cropper (47).
bûcher, pile of wood (160).
buffet, sideboard.
buisson, bush.
bureau, desk (100); office (135). *Le 2e Bureau* (139), Intelligence Department.
but, purpose, aim, object (53, 139); goal (64, 75).
butin, booty, plunder.

çà et là, here and there.
cabinet, study (100).
cabosser, dent. *Cabossé* (11), battered.
cacher, hide.
cachette, hiding-place.

cadavre, lifeless body (118).
cadeau, present.
cadran, dial.
cadre, frame.
cage, well (7).
cahier, exercise book.
cahoter, jolt.
caillou, pebble.
le Caire, Cairo.
caisse, packing-case, box, case, chest.
calcul, calculation.
caleçon, pants.
caler, wedge.
califourchon. *A califourchon*, astride.
calme. *Du calme* (113), I must keep cool, I must not get flurried.
camarade, friend, chum (89).
camelote, cheap goods, shoddy goods, rubbish.
camion, lorry.
camionnette, light lorry.
campagne, country; countryside (3); campaign (20). *Se mettre en campagne contre*, start a campaign against (99). *De campagne*, field—: *trousse de campagne* (110), field—, emergency, case of instruments.
camphré, camphorated.
canne, walking-stick.
canot, boat.
caoutchouc, rubber; mackintosh (163).
cap, cape.
cape. *Mettre à la cape*, heave to.
capitaine. *M. Weygand est un grand capitaine* (13), M. Weygand is a great commander, leader.
capote, greatcoat (4); hood (14).
capoter, overturn, capsize.
capuchon, hood.
car, for.
carapace, shell.
carcasse, frame.
caressant, tender (89).
caresser. *Ne caressaient plus*, were no longer fixed eagerly on (28).
carnet, note-book; book (of tickets) (149).

carré, square.
carreau, window-pane; check (21).
carrefour, cross-roads.
carrière, career.
carriole, cart.
carte, card (2); map (17, 125). *Carte postale*, postcard. *Carte de visite*, visiting card.
cartouche, cartridge.
cas, case. *En tout cas*, in any case, at all events.
case, hut (particularly negro's); pigeon-hole (82).
caser, put, accommodate (139).
caserne, barracks.
casque, helmet.
cassant, abrupt, curt, imperious.
casse-cou, daredevil (18); breakneck place, death-trap (146).
casser, break.
casserole, saucepan.
cause. *A cause de*, because of, on account of.
causer, chat (162).
cavalier, rider, horseman.
cave, cellar; sunken (43).
ce. *Pour ce faire*, in order to do this.
céder, give way (35, 78, 130, 150); give up (111); give in (104).
ceinture, belt.
ceinturer, surround, put a belt round.
célèbre, celebrated.
cendre, ash(es).
cent, a hundred.
centaine, about a hundred; (plural) hundreds.
centième, hundredth.
cependant, however; meanwhile (149). *Cependant que*, whilst.
cercueil, coffin.
cercle, club (33).
cerise, cherry.
cerisier, cherry-tree.
cerner, surround, hem in.
certitude, certainty.
cerveau, brain.
cervelle, brain.
chacun, each.
chagrin, vexation, annoyance (147).
chair, flesh.

GLOSSARY

chaise, chair.
chaleur, heat.
chamarré, bedecked, laced (44).
chambranle, frame.
chambre, room.
chameau, camel.
champ, field. *Champ de manœuvre,* parade-ground. *Fleurs des champs,* wild flowers. *Champ de foire,* fair-ground.
chance, chance; luck (10, 13).
chanceler, stagger.
chandelle, candle.
changeant, fitful, fickle (55).
changement, change. *Par un changement de main* (14), by swinging the wheel over from right to left and then from left to right.
changer d'idée, de tactique, alter one's opinion, one's tactics.
chanson, song.
chansonnier, song-writer.
chant, crowing (167).
chanter, sing; creak (4).
chapeau, hat.
chapelet, chaplet, rosary; string (132).
chapitre, chapter.
chaque, each.
charge, charge; load (128).
charger, load (26, 37); charge (29); burden (102). *Fut chargé de* (103), was instructed to, was given the task of.
charmille, arbour, bower.
charpentier, carpenter.
charrue, plough.
chasse, pursuit of game, hunting, shooting.
chasser, drive away, turn out, expel (102); be out shooting (26).
chasseur, hunter, huntsman, sportsman.
château, castle. *Château fort,* castle, stronghold.
châtier, punish, chastise.
chatte, she-cat.
chaud, warm; hot.
chauffer, warm; heat.
chausses, breeches.
chauve, bald.
chavirer, capsize.

chef, head. *Chef de gare, de station,* station-master. *Chef d'orchestre,* conductor.
chef-d'œuvre, masterpiece.
chef-lieu, chief town of French department.
chemin, way; road. *Chemin de fer,* railway.
chemineau, tramp.
cheminée, fireplace (5, 59); funnel (136).
chemise, shirt.
chenal, channel, fairway.
chêne, oak.
chenille, caterpillar.
chenillette, Bren-gun carrier.
cher, dear.
chercher, look for, seek. *Chercher à,* try, attempt, endeavour, to.
chéri, cherished, beloved (46).
chétif, puny.
cheval, horse.
chevalier, knight.
chevet, head of a bed. *Lampe de chevet,* bedside lamp.
cheveu, (one) hair.
chevelure, head of hair.
chèvre, goat.
chevreau, kid.
chez, at the house, home, of; among, with, about, in: *J'ai le souvenir d'une certaine gêne chez eux* (107), I remember that they appeared somewhat uncomfortable, embarrassed, ill at ease.
chien, dog. *Entre chien et loup,* at dusk.
chiffon, rag.
chinois, Chinese.
chirurgien, surgeon.
choc, shock.
choisir, choose.
choix, choice.
choqué, shocked (112).
chose, thing.
chou, cabbage.
chrétien, Christian.
chromo (= *chromolithographie*), colour-print.
chuchoter, whisper.
chute, fall.
cidre, cider.

ciel, sky.
cil, eyelash.
cimetière, cemetery.
cinghalais, Cingalese, of Ceylon.
cingler, lash.
cinq, five. *Moins cinq* (110), not far off, a near thing, a close call.
cinquante, fifty.
cinquante-sixième, fifty-sixth.
cinquantaine, about fifty. *Approcher de la cinquantaine,* be nearing, getting on for, fifty.
cintré, curved (31).
circulation, traffic.
circuler, move about.
ciré. *Toile cirée,* oilcloth, American cloth.
cirque, circle (of mountains) (59).
ciseaux, scissors.
citation, mention in dispatches.
civil, civilian (12).
clair, clear; light (144). *Clair de lune,* moonlight.
clairière, clearing, glade.
clakson, klaxon, hooter.
claquer, tap (7); slap, smack (147).
claquement, crack(ing); smack; bang(ing). See *sec.*
clarté, light, brightness (84).
clé, clef, key. *Fermer à clef,* lock.
client, customer.
cligner de l'œil, wink.
clignotant, blinking.
clin d'œil, wink. *En un clin d'œil,* in a twinkling, as quick as thought.
cliquetis, click.
cloche, bell.
clocher, steeple.
cloporte, wood-louse.
clos, closed.
clôture, enclosure, fence.
clôturer, shut in, enclose.
clou, nail.
coba, kob(a) (an African water antelope).
cocher, coachman.
cochère. *Porte cochère,* carriage gateway.
cochon, pig.
coco, fellow, individual.
coder, put into code, write out in code.

cœur, heart.
coffre, boot (of vehicle).
coffre-fort, safe.
cogner, knock; wake by knocking on the door (108).
coi. *Se tenir coi,* keep quiet, lie low.
coiffer, put on the head. *Coiffés de chapeaux verts* (2), with green hats on. *Se coiffer,* do one's hair.
coin, corner; small piece, patch (132). *Au coin du feu,* by the fireside.
colère, anger, wrath.
colis, parcel.
colle, gum.
collectionneur, collector.
coller, stick; give (15).
collier, necklace.
colline, hill.
colonne, column.
combien, how much, how many, how.
comble, full, crowded (35, 139); climax (59). *Pour comble de malheur,* to crown his misfortune (146).
combustible, fuel.
commande, order.
commandement, command.
commander, order.
comme, as; how; like; as though, as if, as it were (3, 104, 146). *C'est tout comme,* it amounts to the same thing (44).
comment, how; what (21).
commère, goodwife, gossip, friend.
commissaire (= *commissaire priseur*), auctioneer, valuer (172).
commissionnaire, carrier, porter, messenger.
commode, convenient.
communément, commonly, ordinarily.
communiquer, communicate, tell.
comparaître, appear.
compas, (pair of) compasses.
compère, gossip, friend.
complet, suit.
complice, accomplice: *une mine complice* (107), the appearance, look, of an accomplice.
comporter, comprise.

composer, compose; give (104).
comprendre, understand, comprehend; realise (2); comprise, include (47).
comprenote, understanding. *Avoir la comprenote un peu lente* (14), be a bit dense, be slow in the uptake.
comprimer, compress.
compromettre, endanger, jeopardise (105).
compte, reckoning: *pour faire leurs comptes* (109), to see how they stood. *Pour son propre compte*, on his own account. *Se rendre compte de*, realise.
compter, count; rely (13); propose to, intend (16); reckon (30); number (62).
concevoir, conceive, imagine. *Ce qui se concevait fort bien* (139), which was easily understandable.
conclure, conclude. *Conclure à un non-lieu* (100), decide that there is no ground for prosecution.
concorder, agree, tally.
concours, help, assistance, co-operation.
condensateur, condenser.
condisciple, schoolfellow.
conducteur, driver (15). *Fil conducteur*, clew: *pour inscrire un fil conducteur* (159), to make a visible track.
conduire, lead (5, 160); escort (6); drive (14); bring (42, 62); manage (74). *Se conduire*, behave.
conduit, pipe (76).
conduite, conduct, behaviour.
confection, making.
confectionner, make, execute.
Conférence de Saint-Vincent-de-Paul (5) = the local branch of the *Société* or *Conférence de Saint-Vincent-de-Paul*, which was founded in 1833 with the object of giving moral and material help to the poor.
confiance, confidence, faith, trust.
confier, entrust (14); confide, disclose (98, 162). *Se confier à*, put one's trust in, rely on.
confiner à, verge on.

confiture, jam.
se confondre, merge into one another.
conformément, in conformity, compliance, with.
confus, confused; embarrassed; blurred (142).
confusément, vaguely, indistinctly.
congé, leave (29); holiday (105).
congédier, dismiss.
conjurer, entreat, beseech.
connaissance, knowledge; acquaintance (133). *Prendre connaissance de*, make oneself acquainted with, examine, study.
connaître, know, be acquainted with.
connu, well known.
conquérant, conqueror.
conquérir, establish a hold on (76).
conquête, conquest.
conscient, conscious, aware.
conseil, advice. *Leur donnant le conseil . . . de* (105), advising them to.
conséquent. *Par conséquent*, consequently, therefore.
conserve, preserved food. *Boîtes de conserves* (74), tinned foods.
conserver, preserve, retain; maintain (70).
consigne, order, instructions.
conspiration, conspiracy, plot.
constamment, constantly.
constater, note, ascertain; state.
consterné, dismayed, aghast.
construction, structure.
construire, construct, build.
conte, story, tale.
contempler, contemplate, gaze at.
contenance, bearing; look, expression (106).
contenir, contain; control, restrain (17, 39, 130, 140).
contenu, contents.
conter, relate, tell.
continu, continuous, sustained.
contour, outline; winding (9).
contourné, twisted.
contourner, skirt, pass round.
contraindre, compel, force; *contraindre à*, compel (108).

contraire, contrary. *Au contraire,* on the contrary.
contrairement, contrary.
contre, against. *Contre les mites* (20), to keep the moths away.
contre-cœur. *A contre-cœur,* reluctantly, unwillingly, grudgingly.
contre-courant. *A contre-courant,* against the stream.
contredire, contradict.
contrée, region, district.
contre-expertiser, re-value, take or seek another expert's valuation or advice.
contre-feu, counter-fire, fire lighted to combat a forest fire.
contre-ordre, counter-order, countermand.
contre-pente, counter-slope, reverse slope.
contrôle, control (39); inspection, examination, check (150).
contrôler, inspect, examine (2); verify (11).
contrôleur, ticket collector, inspector.
convaincre, convince.
convenable, suitable (14).
convenablement, properly.
convenances, proprieties, good manners, social conventions.
convenir, suit, fit: *comme il convient,* as is fitting (44). *Convenir de,* agree on.
convenu, agreed, stipulated (25).
convoiter, covet.
convoquer, summon, convene.
coq, cock.
coque, hull.
coquet, trim, dainty, neat.
coquillage, shell-fish, shell.
coquille, shell.
corbeau, raven, crow.
cordage, rope.
corne, horn; gaff (71).
corneille, crow, rook.
corps, body.
correction, correctness (17).
corrompre, spoil, taint (67).
corse, Corsican.
cossu, well-to-do.

côte, rib (57); hill (141). *Côte à côte,* side by side.
côté, side; direction. *A côté de,* beside (15, 78). *De tous côtés,* on all sides, in every direction (2, 3, 59). *Le restaurant d'à côté,* the restaurant near by, next door (111). *Du côté de,* in the direction of, towards. *De notre côté,* in our direction, towards us. *Du côté opposé,* in the opposite direction.
coteau, slope, hillside.
coton, cotton; swab (115).
côtoyer, run along the edge of, keep close to.
cotre, cutter.
cou, neck.
couard, cowardly.
couche, layer (159).
couchette, bunk.
couché, lying (26, 162).
coucher, put to bed (88); sleep (37, 80); find a bed (108); make heel over, throw on her beam-ends (69). *Se coucher,* go to bed, lie down; heel over (70); lose one's footing (128). *Le coucher du soleil,* sunset.
coude, elbow; bend (5).
coudre, sew; *machine à coudre,* sewing-machine.
couler, flow. *Couler le long de,* run down (113). *Couler à pic,* sink like a stone.
couleur, colour. *Fort en couleurs,* with a florid, ruddy, complexion.
couloir, corridor.
coup, blow; shot (122); *un gros coup,* something big (173). *Coup d'accélérateur,* acceleration (15). *D'un coup d'épaule,* with a thrust of his shoulder (76). *Coup de feu,* shot. *Coup d'œil,* look, glance (114, 150). *Il avait jugé la situation d'un coup d'œil infaillible* (15), he had sized up the situation with an unerring glance. *Au premier coup d'œil,* at the first glance, immediately. *Coup de pied,* kick. *Coup de poing,* punch. *Le coup du retournement*

français légendaire, the legendary French trick of turning the tables on the enemy. *Coup de téléphone*, ring: *ils donnèrent plusieurs coups de téléphone* (6), they made several telephone calls. *Coup de vent*, gust of wind. *D'un coup*, at once, immediately. *Tout à coup*, suddenly. *Tout d'un coup*, all at once. *A coup sûr*, assuredly, for certain.

coupable, guilty person (149).

coupe, cup: *il y a loin de la coupe aux lèvres*, there's many a slip twixt the cup and the lip; bowl (97).

couper, cut; cut across, intersect (9, 63); cut down (30). *Couper par les champs* (10), cut across the fields.

coupole, cupola.

coupon. *Coupon de retour* (152), return half (of railway ticket).

cour, courtyard (4, 33, 111); court (45); playground (98).

courant, current. *Etre au courant de*, be conversant with, know. *Mettre au courant de*, inform, acquaint with.

courbe, curved.

courber, bend. *Courber en deux*, bend double.

courir, run; circulate (12). *Par les temps qui courent*, nowadays.

courroie, strap.

cours, course. *Au cours de*, in the course of. *Cours d'eau*, stream, river, waterway.

course, excursion. *Prendre ta course*, make a start (in life).

court, short. *Etre à court de*, be short of.

courtier, dealer (171).

courtilière, mole-cricket.

courtisan, courtier.

courtois, courteous.

courtoisement, courteously.

coussin, cushion.

couteau, knife.

coûter, cost.

coûteux, costly, expensive.

coutume, custom. *Avoir coutume de*, be in the habit of. *De coutume*, usual (68, 87).

couvert, cover, plate, napkin, etc., laid for each person at table.

couvre-chef, headgear.

couvrir, cover.

craindre, fear.

crainte, fear.

craintif, timid.

cramoisi, crimson.

cran, catch. *Cran d'arrêt*, safety-catch; pluck (13, 114).

crapaud, toad.

craquement, crack(ing).

craquer, crack, crackle.

cré (= *sacré*). *Cré nom d'un chien*, damn it.

crédule, credulous.

crème, cream-coloured (24).

crémeux, creamy.

crépitement, crackling.

crépiter, crackle.

crépuscule, twilight.

crête, crest; ridge.

crétin, cretin, idiot.

creuser, bore (59, 151). *Creuser les reins*, hollow the back.

creux, hollow.

crever, burst, split, stave in.

cri, cry, shout, call.

crier, cry, shout.

crinière, mane.

crise, crisis.

crisper, contract, clench.

crisser, grate.

croire, believe, think. *En croire*, be guided by (70).

croiser, meet (2); cruise (62); cross (133); fold (134).

croisière, cruise.

croisillon, cross-bars. *A croisillons* (97), with a criss-cross pattern.

croître, grow, increase.

croix, cross.

crouler, collapse, fall.

croupe, ridge, brow, crest.

cruauté, cruelty.

cruchon, stone hot-water bottle.

cueillir, gather, pick, pluck.

cuiller, spoon.

cuillerée, spoonful.

cuir, leather.
cuirasse, cuirass.
cuire, cook.
cuisine, kitchen; cooking (65, 172).
cuisinier, cook.
cuisinière, cook.
cuisse, thigh.
cuivre, copper.
culbute, somersault.
culbuter, turn a somersault, topple over.
culminant, culminating. *Point culminant,* height, climax.
culot, dottle.
culotté, seasoned.
cultivateur, farmer.
culture, cultivation, tillage; (plural) crops.
curé, parish priest.
curieux, curious, odd, queer.
cuvette, wash-basin; bowl.
C.V. = (*cheval-vapeur*). *Une superbe 20 CV,* a superb twenty horsepower car.

dada, pet subject, hobby.
dague, dagger, dirk.
dame, lady; indeed, to be sure (88, 152).
damier, draught-board.
dater, date.
datte, date (fruit).
davantage, more.
déballer, unpack.
se débarrasser de, take off (113); get rid of (171).
se débattre, struggle.
débiter, recite (100).
déblayer, clear.
déborder, outflank (12). *Etre débordé,* be overwhelmed, be unable to cope with the situation.
débouché, exit, opening.
déboucher, debouch, emerge. *Déboucher dans* (160), open out into, run into. *Déboucher sur la place* (18), emerge into the square. *Nous débouchâmes en plein sur la sacrée métallurgie allemande* (15), we ran right, slap, into the confounded German armour.
debout, standing; up (70); upright, standing up (76).
début, beginning.
débuter, begin.
décapotable, car with folding hood.
décapoté, with the hood folded back.
déceler, disclose, reveal.
décharger, unload.
déchiqueter, cut to pieces, slash, tear into shreds.
déchirer, tear.
déchirure, tear, rent.
de-ci de-là, here and there.
se décider, come to a decision, make up one's mind.
décollage, taking off.
décollé, prominent, sticking out.
décollement, unsticking.
décoloré, colourless.
se décomposer, become discomposed.
déconcerté, disconcerted, baffled.
décor, scenery. *L'envoya net dans le décor,* sent him spinning, flying (15).
découper, cut out.
découragement, discouragement, dejection.
découverte, discovery.
découvrir, discover; expose, lay bare (94, 118). *Se découvrir,* take off one's hat (108).
décrire, describe.
dédale, labyrinth, maze.
dedans. *En dedans,* inwardly (34); inwards (112).
se défaire de, get rid of, sell off.
défait, unmade, not yet made.
se défendre. *Il se défendait, de toutes ses forces, contre* (119), he was doing his utmost to hold out against.
défenseur, supporter.
déferler, break.
défiler, march past. *Les critiques défilent* (170), there was a constant procession of critics.
définitif, final. *En définitive,* finally.

GLOSSARY 191

défricher, clear, bring into cultivation.
dégagé, clear (130).
dégager, extricate (13); clear (16). *Se dégager,* clear (65).
dégeler, thaw.
dégingandé, loosely built, ungainly.
dégringoler, tumble down.
dégrisé, sobered.
dehors. *Au dehors,* outside. *Du dehors,* from the outside (86). *Toutes voiles dehors,* with all sails set, with every stitch of canvas.
déjà, already.
déjeuner, lunch; breakfast (65).
délabré, shabby.
délabrement, dilapidation, tattered state, shabbiness.
délaisser, forsake.
déléguer, delegate, send.
délire, delirium.
délit, offence, misdemeanour.
délivrer, rescue; free (27).
démailloter, remove the clothing from.
demain, to-morrow.
demander, ask (for). *Se demander,* wonder.
démarche, step. *Ma démarche,* the step I was taking; gait (129).
se démasquer, show up (167).
dématérialiser, free from materialism.
démêler, unravel, disentangle, make out.
déménager, remove (37).
démesuré, excessive, inordinate.
demeurant. *Au demeurant,* however (80).
demeure, dwelling. *Mettre en demeure de,* call upon to, summon to, require to.
demeurer, remain.
demi-douzaine, half a dozen.
demi-heure, half an hour.
demi-jour, half-light.
demi-tour. *Faire demi-tour,* turn back.
démonté, heavy (63, 71).
démuni, stripped, deprived.
dénicher, discover, unearth.
dénommer, give a name to.

dénoncer, proclaim, denote.
dent, tooth.
dentelle, lace.
départ, departure.
dépasser, pass (10, 14, 15, 30, 173); overtop (72, 141); exceed (25, 69).
se dépêcher, hurry. *Dépêchons!* (115), we must be quick.
dépeindre, depict.
dépendre de, depend on. *Ne dépendent pas de moi* (16), do not belong to my command.
dépérir, waste away, pine.
dépit, spite, chagrin. *De dépit,* with vexation.
déplacé, out of place, amiss.
déplacer, shift. *Se déplacer,* move about (70).
déplaisir, displeasure, dislike.
déplier, unfold, open out, spread out.
déploiement, display.
déployer, spread.
déposer, place, lay down, deposit; lodge (98).
depuis, since, for. *Depuis le départ,* since the departure (64). *De ses autres amis, il ne savait plus rien depuis longtemps,* of his other friends he had had no news for a long time. *Depuis quinze ans il est . . . ,* for fifteen years it has been (21).
depuis que, since.
député, deputy, member of French parliament.
déranger, upset, change.
dérapage, skid.
dériver, drift.
dernier, last.
dérobée. *A la dérobée,* stealthily, furtively.
dérober, take, steal. *Nous dérobait à leurs coups,* screened us from their shots. *Se dérober,* give way (4).
se dérouler, go off (69); stretch out (135).
déroute, rout, disorderly flight.
derrière, behind.

dès, from (3, 121). *Dès maintenant* (38) already. *Dès longtemps* (53) = *depuis longtemps*. *Dès ce jour* (70), that very day. *Dès le lendemain* (93), the very next day. *Dès lors* (62), consequently. *Dès que,* as soon as.

désastre, disaster.

desceller, unseal; unfasten.

descendre, let down (77).

désespéré, despairing (145).

se désespérer, be in despair, give way to despair.

désespoir, despair.

désigner, point out, show; indicate (49).

désinvolture, ease, unconcern.

désobligeant, unkind, disagreeable.

désordonné, disordered, confused.

désordre, disorder.

désormais, henceforward, henceforth.

desséché, wizened (17); dried up (31).

se dessécher, dry up, wither.

desserrer, unclench (57).

desservir, clear (the table).

dessin, drawing, sketch (60); design (108).

dessous, below, underneath; secret facts (99).

dessus, above. *Pour monter à califourchon dessus* (93), to mount astride it. *Nous allons tout de suite arriver dessus* (115), we shall get to it immediately. *D'ici là vous mettrez la main dessus* (150), by then you'll perhaps have put your hand on it.

destin, destiny, fate.

destituer, dismiss, remove from office.

détacher, draft, send; unfasten (113). *Se détacher,* come undone, unfastened, loose. *Se détacher sur,* stand out against.

détailler, relate in detail.

dételer, unharness, unhitch.

détendre, steady (115). *Un bref sourire détendit son visage* (126), his face lost its severity in a brief smile.

détourner, divert, turn aside; turn away (107, 157).

détroit, strait(s).

détromper, undeceive.

détruire, destroy.

devant, before, in front of.

devanture, shop-window.

dévaster, devastate, ravage.

développer, undo, open (117).

devenir, become.

déverser, pour out.

dévier, change the course of, deflect, set aside.

deviner, guess; divine (38).

dévisager, stare at; look in the face (168).

dévisser, unscrew.

devoir (noun), duty.

diable, devil. *Un grand diable de cheval,* an enormous beast of a horse. *Au diable les skis,* drat the skis.

dicter, dictate.

diète, low diet, starvation diet.

Dieu, God.

différer, delay (150).

difficile, difficult.

difforme, mis-shapen, deformed.

digne, worthy (49); dignified (81).

diligence, stage-coach.

dimanche, Sunday.

diminuer, abate (70).

dire, say, tell; indicate (2, 44). *On dirait de* (50), you would think it was, it looks like. *A vrai dire,* truth to tell. *Vouloir dire,* mean: *ça veut dire ce que ça dit* (93), it means what it says. *Dire qu'il faut que je vous apprenne* (120), to think I should have to teach you.

directeur, editor (151).

diriger, direct. *Se diriger,* make for.

discours, talk, conversation (54).

discuter de, discuss. *Discuter,* argue (150).

disparaître, disappear.

disposer, lay out, place, arrange (24, 114). *Disposer de,* have at one's disposal.

disposition, arrangement (17); disposal (59, 125). *Changeaient de* *disposition à son égard* (102), changed their attitude towards him.

disque, record.

dissemblable, dissimilar, unlike.

dissimuler, hide.

se dissiper, vanish, disappear.

se dissoudre, dissolve.

distancer, outdistance.

distant, stand-offish.

distraitement, absent-mindedly.

diversion. *Faire diversion,* create a diversion.

se divertir, amuse oneself.

divertissement, recreation, amusement.

dixième, tenth.

dix-neuf, nineteen.

dizaine, about ten.

dogue, mastiff.

doigt, finger. *Montrer du doigt,* point at.

doigté, adroitness, tact.

domestique, servant.

dominer, tower above (29); dominate, command, overlook (59).

dommage, damage, injury.

donc, therefore, then. *Que voulais-tu donc faire de ce manteau?* (21), whatever did you want to do with this cloak?

données, data.

donner, give. *S'en donner à cœur joie* (174), enjoy themselves, let themselves go, to their heart's content.

doré, golden.

dorénavant, henceforward.

dormeur, sleeper.

dormir, sleep.

dos, back. *Sur leur dos,* about them (61).

dot, dowry.

doter, provide with a dowry.

douane, customs.

douanier, custom-house officer.

doubler, line.

doublure, lining.

doucement, softly (5, 36); gently (78, 123).

douceur, gentleness, kindness.

douche, shower-bath.

douleur, suffering, sorrow.

douloureux, painful.

doute, doubt. *Sans doute,* probably, doubtless. *Sa culpabilité ne fait point de doute* (106), there is no doubt about his guilt. *Se douter,* suspect.

douteux, dubious.

doux, gentle; sweet (166). *Eau douce,* fresh water.

douze, twelve.

drap, cloth. *Drap (de lit),* sheet.

dresser, draw up (13); rear (40, 135); erect (60, 122). *Se dresser,* stand up (20); rise (59).

droit, right: *être dans son droit,* be within one's rights; straight (14, 26, 32, 68, 158); straightforward, honest (80). *A bon droit,* with good reason.

droite. *A droite,* to the right.

droiture, straightforwardness, honesty.

drôlement, oddly.

dru, strong, thick-set.

dur, hard. *Ça monte dur* (129), it's a steep ascent.

durement, vigorously, roughly.

durant, during. *Deux jours durant,* for two whole days.

durer, last.

eau, water.

ébahi, dumbfounded, amazed, stupefied.

ébahissement, amazement, astonishment, stupefaction.

ébats, gambols, frolics.

ébénier, ebony-tree.

éblouir, dazzle.

éblouissant, dazzling.

ébonite, ebonite, vulcanite.

ébouriffé, ruffled, rumpled.

ébranler, shake. *S'ébranler,* start ringing (40); move off, get under way (126), start (35).

ébruiter, report, make known, divulge.

écart, swerve, sudden start, shy.

écarteur, retractor.

écarter, keep, bush, away (28); move aside, push back (78, 116);

move away (152); keep away (31, 53). S'écarter, get, move, away from (9, 74, 113); move aside (111); open, part (26).
ecchymose, severe bruise.
échange. En échange de, in exchange, return, for.
échanger, exchange.
échapper (à), escape (from); escape the notice of (103). Ne laissait échapper aucune occasion (143), let no opportunity slip. S'échapper, escape (12, 31, 90). L'échapper belle, have a narrow escape.
écheveau, hank, skein.
échotier, gossip-writer.
échouer, run aground (75); fail (101).
éclabousser, splash, bespatter.
éclair, flash of lightning; flash (120).
éclairage, lighting.
éclairer, light, illuminate, give light to. L'éclairera d'un jour nouveau (169), will make it appear in a new light.
éclaireur, scout.
éclat, burst (of noise) (31), (of laughter) (146); splinter: il fait voler en éclats les carreaux (76), he shatters the panes; lustre (129); glare (160).
éclatant, bright, dazzling.
éclatement, bursting, explosion.
éclater, burst into, give vent to (78); burst (147, 157). Eclater de rire, burst out laughing.
éclipse. Piège à éclipse (156), winking decoy (à éclipse = "occulting" of light).
s'éclipser, vanish, disappear.
écluse, lock.
écœurant, nauseous.
écœurer, sicken, nauseate.
écolier, schoolboy.
économe, economical, thrifty.
économies, savings. Faire des économies (89), save up.
économiser, save.
écorcher, graze, bark, take the skin off.

s'écouler, flow away, drain off (63, 69); elapse: deux mois s'étaient écoulés (69), two months had gone by.
écouter, listen (to).
écran, screen.
écrasant, crushing.
écraser, crush. S'écraser, crash (155). La petite s'est fait écraser (110), the child has got run over.
s'écrier, exclaim, cry.
écrire, write.
écroulé. Etait assis ou plutôt écroulé (36), was sitting or rather had collapsed.
s'écrouler, collapse.
écume, foam. Pipe d'écume, meerschaum.
écurie, stable.
édifier, build.
éducation, breeding, manners (17).
effacer, take out (144). S'effacer, fade away (41); stand aside (35).
effaré, dismayed (55); frightened, scared (144).
effectivement, and in fact (78). C'était effectivement Hitler (140), and it *was* Hitler.
effet, effect. En effet, in fact, indeed.
s'efforcer de, strive to.
effrayé, frightened, scared.
s'effrayer, become frightened, scared.
effronté, impudent (53, 61).
égal, equal; even, steady (142). Cela m'est égal, it's all the same to me.
également, equally, also.
égard, respect, consideration. A son égard, see disposition.
égaré, lost, stray (129, 158); who had strayed (13).
s'égarer, lose one's way, go astray.
église, church.
s'égrener, slip by one by one (42).
égrotant, sickly; "invalid" (83).
élan, momentum. Prendre son élan, take a spring.
s'élancer, spring forward.
électriser, electrify.

GLOSSARY

élève, pupil.
élevé. *Le plus élevé en grade,* the senior.
s'élever, rise.
éloigné, distant.
éloigner, keep away (33, 105). *S'éloigner,* move off, move away.
embarcation, boat.
embarras. *Faiseur d'embarras,* man who puts on airs.
embaumer, give off a delightful scent (82).
emblave, land sown with corn.
emblée. *D'emblée,* from the outset, from the very first.
embouchure, mouth.
embouteillage, congestion (of traffic), traffic jam.
embouteiller, bottle up, block up.
emboutir, crash (into).
embrasse, curtain-loop.
embrasser, kiss (88); embrace, take in.
émerveiller, fill with wonder or admiration.
emmailloter, wrap up (120).
emmener, take (7); take away (37, 94, 110, 126).
émoi. *Mettre en émoi,* agitate, alarm.
emplir, fill.
émouvant, stirring (166).
s'emparer de, take possession of.
empêcher, prevent. *Ne pus-je m'empêcher de dire* (39), I couldn't help saying.
empilé, piled up.
empoigner, grasp, seize, grip.
emporter, take, carry away; take (49, 133). *S'emporter* (23), become furious.
empressé, eager, assiduous, zealous, attentive.
s'empresser (de), hurry, hasten (55, 99, 144). *Tandis que mon retour s'empresse* (142), while I hurry home.
emprunter, go along, avail oneself of (159).
en, as, in the manner of: *en homme pressé et habitué à conclure vite* (16), as a man in a hurry and accustomed to rapid conclusions.
encadrer, surround (17); encircle (32); frame (169).
encaisser, accept (15).
encens, praise, flattery (121).
enchaîner, carry on, continue (16).
enchanteur, enchanting, delightful.
enchère, bid(ding). *Vente aux enchères,* auction.
enclin, inclined, prone.
enclume, anvil.
encombrement, obstruction, traffic jam.
encombré, littered (28); congested (138).
encore, still, yet. *Encore un* (14), another one. See *qu'est-ce que.*
encre, ink.
s'endormir, fall asleep.
endroit, place, spot. *Par endroits,* here and there, in places.
s'énerver, become irritable, excited (96); become nervy, jumpy (122).
enfance, childhood.
enfant, child. *Les Enfants Malades* (111) = L'hôpital des Enfants Malades, founded at Paris in 1802.
enfantin, childish, simple.
enfer, hell. *D'enfer* (78), infernal.
enfermé, shut up.
s'enfermer, shut oneself up. *S'enferma au verrou* (22), bolted himself in.
enfin, finally, at last.
s'enflammer, blaze, burst, into light (137).
enflé, swollen.
enfler, swell, increase.
s'enfoncer, sink, plunge.
s'enfuir, flee, run away.
enfumé, smoke-blackened (171).
engagement, promise, pledge (105).
s'engager dans, enter. *Où j'étais engagé* (4), which I had got into, which I was following. *Engagés dans un virage* (15), taking a bend.
engin, machine, contrivance. *Engin à moteur* (11), engined contrivance.
engloutir, swallow up, engulf.

s'engouffrer, be engulfed, swallowed up.
engourdir, numb. *Engourdie* (141), sleepy.
enhardi, emboldened.
s'enhardir, grow bolder, pluck up courage.
enjamber, step over, clear; span (11, 135).
enlever, carry away, remove; carry off (33); remove (54, 113, 117); take off (108).
ennui, trouble, worry (21, 24). *Avec ennui* (151), awkwardly.
ennuyé, bored, tired.
enquête, enquiry, investigation.
enrager, be enraged, fume.
enregistrer, register, record.
enroulé, coiled (117).
(s')enrouler, wind.
ensanglanté, blood-stained.
enseigne, sign (-board).
enseigner, teach.
ensemble, together, at the same time.
ensevelir, bury, engulf.
ensoleillé, sunny, sunlit.
ensuite, then, next, afterwards. *Et puis, ensuite,* and then.
entamer, start (25).
entasser, heap (up).
entendre, hear. *J'entends* (18), I shall expect; I mean (57). *Mes hôtes ne l'entendaient pas ainsi* (80), such was not the intention of, that did not suit, my hosts. *Entendre raison,* listen to reason. *S'entendre* (170), agree. *S'entend,* of course. *Entendant par là* (24), meaning by that.
entendu. *Il est entendu que,* it is understood, agreed, that. *Bien entendu,* of course.
entêtement, obstinacy.
s'entêter, persist (47).
enthousiasmé, enraptured, with enthusiasm (15).
entier, whole, entire.
entièrement, wholly, entirely.
entourer, surround.
entrailles, entrails, bowels.
entraînement, training.

entraîner, bring about, involve (22); sweep along (33); drag along (95); drag away (104). *Entraîna de nouveau la colonne* (128), once more led the column along. *S'entraîner,* train (62).
entre, between, among. *Les hommes parlaient entre eux* (4), the men were talking to each other. *La forêt ... sépare entre eux les districts habités* (29), the forest separates the inhabited districts from each other. *D'entre,* (from) among: *l'un d'entre eux,* one of them.
s'entrecroiser, cross each other.
entrée, entrance. *L'entrée en gare* (108), the coming into, arrival at, the station. *Avoir ses entrées à,* have free access to.
entreprendre, undertake.
entrevoir, catch a sight of, glimpse.
(s')entr'ouvrir, entrouvrir, half-open.
envahir, invade: *l'immense soulagement qui ... l'envahissait* (119), the immense relief that came over him.
envahisseur, invader.
envelopper, envelop; wrap up (120).
envers, towards.
envergure, importance (173). *De petite envergure* (173), of not very extensive activities, of no great importance.
envie, desire, longing. *J'ai envie d'applaudir,* I feel inclined to clap (23). *Leur faisaient envie* (132), made them envious.
environ, about.
environs, surroundings, vicinity. *Aux environs de,* in the vicinity of.
environner, surround.
envisager, contemplate, look forward to (64); consider (112).
envoi, consignment.
s'envoler, take flight.
envoyer, send. *Envoyer promener quelqu'un,* send someone away, packing, about his business.
épagneul, spaniel.

épais, thick; dull (80).
épargner, spare.
éparpiller, disperse, scatter.
épars, scattered.
épaule, shoulder.
épave, wreck.
épeler, spell out (137).
éperdu, distraught.
s'épeurer, grow frightened.
épicier, grocer.
épine, thorn-bush.
épineux, thorny, prickly.
épingle, pin.
épingler, pin.
épisser, splice.
éponger, sponge, mop up.
époque, epoch; time, period (87). *A cette époque*, at that time.
épouser, marry; follow exactly, take the shape of (9).
épousseter, dust.
épouvantable, dreadful, frightful, terrible.
épouvantail, scarecrow.
épouvante, terror.
épouvanté, terror-stricken.
épouvanter, frighten, terrify. *S'épouvanter*, become frightened, panic-stricken.
épreuve, test. *A toute épreuve*, proof against anything.
épris de, in love with.
éprouver, experience, feel.
épuisé, exhausted.
épuisement, exhaustion.
épuiser, exhaust; use up (119). *Nous aurons épuisé le grand jeu* (120), we shall have done all we can. *S'épuiser*, become exhausted.
équipage, apparel, attire (54); crew.
équiper, attire, dress (45).
équivoque, ambiguous, uncertain.
errant, rambling, wandering.
escale, port of call. *Sans escale*, non-stop.
escalade, climb. *Faire l'escalade de*, climb up.
escalader, climb, scale.
escalier, staircase, stairs.
escamoter, make vanish, whisk away. *La grappe est escamotée*, the cluster has been conjured away, has vanished.
esclandre, scandal, scene.
espace, space.
s'espacer, become less numerous, become fewer and farther between.
espèce, kind, sort, species. *L'espèce humaine*, mankind.
espérance, hope.
espérer, hope.
espoir, hope.
esprit, mind; wit.
esquisser, make (3, 44).
essayer, try; try on (25).
essence, petrol.
essoufflé, out of breath.
essuie-plumes, pen-wiper.
essuyer, wipe.
est, east.
estampe, print, engraving.
estomac, stomach.
estropié, crippled, disabled, maimed.
établir, establish; set (70).
étage, storey.
étagère, set of shelves, shelf.
étaler, spread out.
étape, halting-place (62); distance between two halting-places (166).
état, state.
été, summer.
éteindre, put out, extinguish. *S'éteindre* (37), be put out, go out; die away (41).
étendre, stretch out (35); lay (110). *S'étendre*, lie down.
étendu, stretched out.
étendue, extent, stretch.
étincelant, sparkling.
étiquette, label.
étoffe, stuff, fabric.
étoile, star.
étonnant, astonishing.
étonné, astonished.
étonnement, astonishment.
s'étonner, be astonished, surprised.
étouffant, stifling.
étouffer, suffocate, smother.
étourneau, starling; scatter-brain (53).
étrange, strange.

étrangement, strangely.
étranger, stranger; foreigner. *Etranger à*, ignorant of, unacquainted with (41); *il était étranger à toute cette affaire*, he had nothing to do with all this business (172).
étranglé, strangled.
s'étrangler. *D'une voix qui s'étrangle* (165), in a voice choked with emotion.
être (noun), being.
être, be. *Nous fûmes pour les vacances à Royan* (85), we went for the holidays to Royan. *Etre pour: qui ne seront pas pour vous étonner* (80), which are not likely to astonish you; and see *arranger. Etre à*, belong to. *Il était des bras pour me recevoir* (164), there were arms to receive me. *Où en sommes-nous?* (118), where are we? how much have we used? how much have we got left? *Oui, mais c'est que* (95), yes, but the fact is, but you see.
étrier, stirrup. *Qui te mettra le pied à l'étrier?* (105), who will help you into the saddle?
étroit, narrow; tight (-fitting) (146).
étude, study.
étudier, study.
euphorie, euphory, well-being.
évadé, fugitive (5).
évaluer, appraise, assess.
évangile, gospel.
s'évanouir, disappear, vanish.
éveil. *En éveil*, wide-awake, on the alert.
éveillé, awake.
éveiller, wake up.
événement, event.
évidence. *De toute évidence*, clearly, obviously.
évident, obvious, evident.
évidemment, obviously.
éviter, avoid. *Leur en eût évité les coups* (57), would have saved them from the blows.
évoluer, perform evolutions.
examen, examination.
exemplaire, copy.

exemple. *Par exemple*, for example.
excès. *A l'excès*, excessively, in the extreme.
exhiber, exhibit.
exiger, require.
exode, exodus.
expédier, dispatch; send (49).
expérience, experiment.
expertise, valuation.
expertiser, value.
explication, explanation.
expliquer, explain.
exposer, exhibit.
exprès, deliberately, purposely.
exprimer, express.
exquis, exquisite.
extase, ecstasy.
exténué, exhausted, worn out.
extérieur, outer.
extrait, extract.

fabriquer, manufacture, make.
face. *En face de*, opposite; facing (7); in front of (26). *Je pouvais rire en face d'eux* (68), I could laugh at the sight of them (68). *De face*, full face. *Face à*, facing.
fâché, displeased; sorry.
se fâcher, get angry.
facile, easy.
facilement, easily.
façon, way, manner. *De toutes façons*, in any case.
factice, spurious, artificial (98).
faible, weak, feeble; small (16); poor, slight (159).
faiblement, slightly, faintly (149).
faiblesse, weakness.
faillir. *Il . . . faillit se casser la tête*, he nearly broke his head (146). *Il faillit tomber en syncope*, he nearly swooned away (49). *Faillit nous faire capoter*, nearly made us overturn (14).
faim, hunger. *Avoir faim*, to be hungry.
faire, do; make; cause. *Faites vite* (17), be quick. *Ah! fit-il* (112), "Ah", he said. *Faites, faites* (111), carry on, please. *Ils ne firent que confirmer* (139),

they only confirmed. *Je fais du Nord-Nord-Est* (156), I'm heading NNE. *Il fait chaud*, it is hot. *Il fait jour, nuit*, it is daylight, dark. *Il faisait noir*, it was dark. *Nous étions faits à ce désordre titanesque* (16), we were accustomed to this titanic disorder. *Ma notoriété peut faire que l'incident d'aujourd'hui aille réveiller celui d'autrefois* (152), my repute may cause to-day's incident to revive memories of that one in the past. *Faisaient l'objet de* (31), were, formed, the object of.

faisceau, beam, pencil (of light).

faiseur, See *embarras*.

fait, fact. *En fait*, in fact, as a matter of fact.

faîte, top, summit.

falloir, be necessary; be lacking, wanting.

familial, family (adjective).

famille, family.

familier, familiar; familiar, intimate associate (34).

fanfare, fanfare; brass band. *Un peu trop tôt, la fanfare* (115), the band's starting up a bit too soon.

fantaisie, whim, fancy.

fantastique, fantastic, fanciful.

fantomal, ghostly.

fantôme, phantom, ghost.

farine, flour.

farouche, fierce.

fasciner, fascinate.

fatal, fateful.

fatalement, inevitably: *ils devaient fatalement marcher* (174), they were absolutely bound to be taken in.

faubourg, suburb, outlying part.

faubourien, suburban. *Accent faubourien*, uneducated, common accent.

se faufiler, insinuate, edge, oneself. *Il se faufilait à contrecourant de la retraite* (11), he threaded his way against the stream of the retreat.

faute, fault. *Sans faute*, without fail. *Faute de*, for lack, want, of. *Faute de mieux*, for want of something better.

fauteuil, armchair.

faux, false, not genuine; spurious (29); (noun) forgery (170, 173).

fébrilement, feverishly.

féerie, enchantment; fairyland.

feindre, pretend.

feint, feigned, assumed.

se féliciter de, congratulate oneself on, be pleased with, express satisfaction at.

femme, woman; wife (39, 56).

femme de chambre, lady's maid; housemaid.

femelle, female.

fémorale, femoral artery (112).

fendu, split; marked, lined (129).

fenêtre, window.

fer, iron. *Fer à repasser*, flat-iron.

ferme, firm; farm (45).

fermé, blind (13).

fermer, shut, close.

fermeté, firmness.

ferraille, old iron, scrap-iron. *Ferrailles*, bits of iron, metal (157).

festin, feast, banquet.

feu, fire; light (155). *Faire feu*, shoot. *Ouvrir le feu*, open fire. *N'avoir ni feu ni lieu*, have neither hearth nor home.

feuillage, foliage.

feuille, leaf.

feuilleté, laminated, flaked.

feutre, felt hat.

ficelle, string.

se ficher de, make fun, game, of.

fidèle, faithful, loyal, staunch.

fier, proud.

se fier à, rely on (13).

fierté, pride.

fièvre, fever. *Avoir la fièvre*, be feverish, be running a temperature.

fiévreux, feverish.

fiévreusement, feverishly.

figure, face.

figurer, represent.

fil, wire; thread (42, 118): *fils de la Vierge* (117), gossamer.

filant. *Etoile filante*, shooting star.
filer, go, slip along (14, 156); glide past (42). *Dépêche-toi de filer*, get a move on (129).
filet, net; wisp (of smoke) (40).
fille, daughter; girl (145). *Petite fille*, little girl. *Jeune fille*, girl.
fillette, little girl.
fils, son.
filtrer, filter.
fin (noun), end. *Prendre fin*, come to an end.
fin (adjective), fine, choice; delicate (20); refined-looking, delicate (80, 149). *Du fin fond du royaume* (44), from the very ends of the kingdom. *Elle voulut en avoir le fin mot* (93), she wanted to get to the bottom of the mystery. (Adv.) *Fin comble* (139), chock-full.
finir, finish. *Nous n'en finirons pas* (130), we shall never be through.
fiole, phial.
fixe. *L'œil fixe* (119), with a blank look.
fixement, fixedly.
fixer, determine (60).
flacon, bottle.
flagrant. *Surpris en flagrant délit*, caught in the act, red-handed.
flair. *Avoir du flair*, be shrewd, perspicacious, discerning.
flamber, flame, blaze.
flammèche, spark, flake of fire.
flanc, flank, side.
flâneur, saunterer, stroller.
flanquer, flank. *Flanqué de* (16), accompanied by.
flaque, pool, puddle.
flasque, flabby, limp.
flatter, stroke (27); delight, please (50).
flèche, arrow.
fléchir, sway (101); weaken, give way (107).
flétrir, brand, stigmatise, condemn.
fleur, flower.
fleurer, smell of.
fleurir, suffuse (21).
fleuve, river.
flocon, flake.

flot, flood, torrent (147).
flotte, fleet.
F.M. (= *fusil mitrailleur*), Bren gun.
foi, faith. *Je vois bien que vous êtes de bonne foi* (152), I can quite see that you're bona fide. *Ma foi*, indeed.
foie, liver.
foire, fair.
fois, time, occasion. *A la fois*, at one and the same time: *à la fois imagé et précis* (80), both vivid and precise.
folie, madness; mad action, act of folly. *La folie des grandeurs*, megalomania.
foncer sur, rush at.
fonctionnaire, official.
fond, bottom (59, 160); end (9, 44, 143); seat (of trousers) (78); back (42, 94); background (100).
fondant, luscious, melting (in the mouth).
fondre sur, bear, swoop, down on.
se fondre, merge.
force, strength; force. *De toutes ses forces*, with all one's might: see *se défendre*. *Il rassembla ses forces*, he summoned up all his strength (146). *A force de*, by dint of: *à force de parler du loup, nous finîmes cependant par en voir la queue* (134), by talking of the devil long enough, however, we finally got him to appear. *A la force des bras* (76), (hoisting himself up) by his arms alone.
forme, form, shape. *N'ont plus forme* (42), become shapeless, indistinct, blurred. *Un chapeau haute forme* (53), *un chapeau haut de forme* (134), top hat.
formel, positive, categoric: *Je suis intervenu d'urgence parce que l'indication était formelle* (121), I intervened because it was a case of urgent necessity.
formidable, terrific (15).
fort, strong; rough, stormy (66, line 3); large, heavy (152): heavy (66, line 18, 70).

GLOSSARY

fort (adverb), strongly, violently (55); loudly (84). *Fort bien*, quite well, very well (5, 62).
fortement, intensely.
fortuit, accidental, fortuitous. *Les cas fortuits*, chance occasions, emergencies (110).
fou, mad(man). *Un trac fou* (87), appalling stage-fright. *Un argent fou*, a fortune, tons of money (91).
foudroyant, of lightning speed.
fouet, whip. *Coup de fouet*, stimulus, fillip.
fougue, spirit, fire, passion.
fouiller, search (2); explore (23); rummage in (156); scan, scour (158). *Se fouiller*, go through one's pockets (149).
foule, crowd.
fouler, tread down.
four, oven.
fourmiller, swarm.
fourneau, cooking-stove, kitchen-range.
fournir, furnish, provide.
fournisseur, supplier, tradesman.
fourré, thicket.
fourrer, fur, line with fur; stuff, cram (149). *Fourré de gris* (23), with a grey coat.
fourrure, fur.
foyer, seat (115).
fracas, noise, din. *Qui mène grand fracas* (56), the man who makes a lot of noise.
fracasser, shatter, smash to pieces.
fraîcheur, coolness.
fraîchir, freshen; grow colder.
frais (adjective), cool (42); fresh (21).
frais, expenses, cost. *Aux frais de*, at the expense of.
franchement, quite (117).
franchir, cross (2, 5, 159); pass through (139); jump over, clear (146).
frapper, knock (79); strike (126, 166).
fraude, fraud.
frayer. *Frayer un chemin*, clear, open up, a path.

fredonner, hum.
freiner, put on the brakes.
frêle, frail, fragile.
frémissant, quivering, trembling.
frémissement, quivering, tremor.
fréquemment, frequently.
frère, brother.
friandise, dainty, delicacy.
frisson, shiver, shudder.
frivole, frivolous, trifling.
fromage, cheese.
froid, cold.
froidure, cold(ness).
froissement, rustle, rustling.
froisser, offend (143).
frôler, brush, rub, against.
froment, wheat.
froncé, serious, reflective, (80).
se froncer, pucker, gather.
front, brow, forehead. *Autrement que de front apprends à l'aborder* (48), learn to grapple with it by other than a frontal attack.
frotter, rub; strike, thrash (57).
fruitier. *Arbre fruitier*, fruit-tree.
frustrer, deprive, defraud (163).
fuir, flee, fly; run (62).
fuite, flight.
fulgurant, flashing, lightning.
fulmicoton, gun-cotton.
fumant, steaming (80, 117).
fumée, smoke.
fumer, smoke.
fumeur, smoke.
funèbre, funereal, gloomy.
fureur, fury, rage.
furie, fury.
fusée, rocket.
fusil, rifle.
fusiller, shoot.

gâchette, trigger.
gagner, win (4, 52, 90); spread over, infect (85); reach (38, 51).
gaillard, strong, hefty, fellow.
gaine, sheath.
galette, cake of flaky pastry.
gammé, marked with a swastika (*croix gammée* = swastika).
ganter, glove.

garage. *Voie de garage*, siding.

garant. *Se porter garant de*, answer for.

garantie, guarantee.

garçon, boy; fellow, chap (11, 13). *Garçon d'écurie*, ostler, stable-boy.

garder, keep (20, 38, 69, 70, 71, 82, 83, 95, 150); keep to oneself (34); guard (29). *Se garder de*, refrain from, forbear to.

garde à vous, attention. *En prenant instinctivement le garde à vous* (18), springing instinctively to attention.

gare, station.

garnir, furnish, provide.

garrot, tourniquet.

gars, lad.

Gascogne, Gascony. *Golfe de Gascogne*, Bay of Biscay.

gaspillage, wasting.

gâter, spoil. *Se gâter*, go bad (22).

gauche, left.

gaze, gauze.

géant, giant.

geindre, whine, complain.

geler, freeze.

gémir, groan.

gémissement, groan.

gênant, impeding.

gêne, constraint, embarrassment, uncomfortableness, uneasiness.

gêné, embarrassed, awkward, ill at ease.

gêner, inconvenience (55, 165); embarrass (79).

génie, engineers (in the army).

genou, knee. *Se mettre à genoux*, kneel (down).

genre, kind; fashion, "done thing" (83).

gens, people.

gentil, pretty, nice.

gentilhomme, nobleman.

gentiment, aimably, pleasantly, nicely.

gerbe, sheaf.

geste, gesture.

gibier, game.

giboulée, sudden shower.

gicler, spirt (out).

gifler, slap, smack, in the face.

gigantesque, gigantic.

gilet, waistcoat.

gîte, shelter, home, lodging.

glace, ice.

glacer, freeze. *Glaçait les pas* (127), chilled the feet at every step.

glacis, slope, bank.

gland, tassel.

glaner, glean.

glapir, cry out shrilly (110).

glissade, slip.

glissement, gliding, sliding.

glisser, slip (20, 27, 102); slide (55, 72, 136); slip, glide, along (42). *Se glisser*, slide, glide, along (9); slip (15).

gloire, halo (136).

gonflé, swollen (115); swelling (147).

(se) gonfler, swell.

gorge, throat.

gosse, kid.

goudronné, tar.

gouffre, gulf, abyss.

goulot, neck (of bottle).

gourmandise, greediness.

goût, taste.

goûter, relish (68); taste (144); eat an afternoon snack, have tea (89); (noun) afternoon snack, tea (49).

goutte, drop.

gouvernail, rudder.

gouverner, steer.

G.Q.G. (= *Grand Quartier Général*), G.H.Q. (= General Headquarters).

grâce, *Grâce à*, thanks to. *De grâce*, pray, for pity's sake. *Action de grâces*, thanksgiving.

grade, rank.

grain, squall (66, 69, 72).

graisse, fat.

graissé, greased, lubricated, oiled.

grand, grown up (143). *Grande personne*, grown-up. *Au grand soleil*, in the broad sunlight, in the bright sunshine.

grandeur. See *folie*.

grandir, increase (98, 103); grow up (88).

grand ouvert, wide open.
grand-père, grandfather.
Grand-Prêtre, high priest.
grand-route, highway, high road.
grand'voile, main sail.
grange, barn.
grappe, bunch, cluster.
gratte-ciel, skyscraper.
gratter, scratch.
gravir, mount (6, 48); climb (141).
gré. *De bon gré,* willingly. *De son plein gré,* of his own accord.
gréement, rigging.
grêle, hail.
grelotter, jingle (7).
grenier, granary, store-house (56).
grief, grievance, ground for complaint.
griffonner, scribble.
grignoter, nibble.
grille, iron gate (6); railing (76).
griller. *Pain grillé,* toast.
grimacer. *Grimacer un sourire,* give a wry smile.
grimper, climb.
grincer, grate out (84); grate (175).
gris, grey.
grive, thrush.
grommeler, mutter, grumble, growl.
grondement, rumbling, muttering.
gronder, rumble.
gros, big, large; coarse, heavy (42).
groseille, currant.
grossir, grow bigger.
grossissant, magnifying.
gué, ford.
gueule, mouth.
guère. *Ne . . . guère,* not much, scarcely.
guérir, cure.
guerre, war.
guerrier, warrior.
guêtre, gaiter.
guetter, watch (2); lie in wait for, be on the look-out for (26, 102, 104).
gueux, beggar, tramp, vagabond.
Guinée, Guinea.
guirlande, garland, wreath.

habileté, skill, cleverness.
habiller, dress.

habillement, clothing, dress.
habit, coat; (plural) clothes.
habitant, inhabitant.
habiter, live (7, 137); dwell in (80).
habitude, habit.
habituer, accustom. *S'habituer à,* become accustomed to.
hache, axe.
haie, hedge(-row). *Faire, former, la haie,* stand in a line, line a route.
haine, hatred.
haïr, hate.
haleine, breath. *D'une haleine,* in one breath, without stopping.
haler, veer, shift. *Le vent hale nord-ouest* (62), the wind veers to the north-west.
haletant, panting, breathless.
hallucinant, hallucinating.
hallucinatoire, hallucinatory.
halte. *Faire halte,* halt.
hanche, hip.
hanter, haunt.
hantise, obsession.
harassant, wearying, tiring, fatiguing.
harceler, harass, torment.
harde, herd.
hardi, bold, daring.
hardiment, boldly, daringly.
hasard, hazard, accident, chance. *Au hasard,* at random: *j'ai sauté, au hasard, dans un wagon de seconde classe* (35), as luck would have it, I jumped into a second-class coach. *On le laissait pousser à peu près au hasard* (143), he was allowed to grow up in a more or less happy-go-lucky fashion. *Au hasard des mains libres* (23), with whichever hands happen to be free. *A tout hasard* (120, 121), just in case.
hâte, haste. *Avoir hâte de,* be in a hurry to.
hâter, hasten. *Hâter le pas,* quicken one's pace.
se hâter, hurry. *Se hâter de,* hasten to.
hâtivement, hastily.

hausser les épaules, shrug one's shoulders.
haut, high; loud (104); (noun) top. *Du haut de* (59), from. *De haute taille,* tall. *Tout haut,* aloud. *A haute et intelligible voix,* audibly and distinctly.
hautain, haughty, lofty, supercilious.
hauteur, height. *Lorsqu'elle fut à ma hauteur, la patrouille . . .,* when they drew level with me, the patrol . . . (3). *A la même hauteur,* level with him (31). *Le colonel fut très à la hauteur,* the colonel rose worthily to the occasion (15). *Les interprètes n'étaient pas toujours à la hauteur des œuvres* (85), the artistes were not always up to the standard of, equal to, the works.
hâve, pale, pinched, thin.
hébétude, hebetude. *Avec hébétude,* dazedly, bewilderedly.
hélas, alas.
Helvétie, Helvetia, Switzerland.
helvétique, Helvetic, Swiss.
herbe, grass.
héréditaire, hereditary.
hérisser, cause to bristle. *Qui la hérissaient* (76), which bristled on it.
hétéroclite, queer, odd, incongruous.
heure, hour. *A l'heure qu'il est,* at the present time, by this time. *De bonne heure,* early. *Tout à l'heure,* in a few minutes, shortly (30); just now, a few minutes ago (128); just before, a few minutes previously (30, 95).
heureusement, happily, luckily, fortunately.
heureux, happy.
heurté, choppy (63, 64).
heurter, run into (38). *Se heurter à,* run into (12); bang against (84).
hideux, hideous.
hier, yesterday.
hisser, hoist (up), pull up, raise.
histoire, story; (plural) fuss: *est-ce besoin de tant d'histoires?* (51), is there any need for so much fuss? *Il n'y a pas de quoi faire tant d'histoires* (150), there's nothing to make so much fuss about.
hiver, winter.
hivernage, winter season, rainy season (in tropics) (28).
homme, man.
honte, shame; *avoir honte,* be ashamed.
honteux, shameful.
hoqueter, hiccup.
hors de, out of, outside (of). *Hors de saison,* unseasonable. *Hors d'usage,* out of commission, unserviceable, unfit for use. *Hors d'haleine,* out of breath.
hôte, host.
hôtelier, hotel-keeper.
houle, swell.
houleux, stormy, rough (42).
huée, boo, hoot.
huile, oil. *Huile de foie de morue,* cod-liver oil. *Mer d'huile,* sea like a mill-pond.
huiler, oil.
huit, eight.
humer, inhale, breathe in.
humide, damp, wet, moist.
humidité, humidity, dampness, moisture.
hurlement, yell(ing), howl(ing).
hurler, yell, howl; roar (31).

ici, here. *D'ici demain,* until tomorrow.
ici-bas, here below, in this world.
idée, idea. *Venir à l'idée de,* occur to.
ignorer, not to know, be unaware of.
île, island.
illuminant, illuminating.
illuminer, illuminate, light up.
image, image; reflection (42).
imagé, vivid, picturesque (80).
imaginer, imagine: *imaginez seulement* (39), just suppose. *En imaginant que,* supposing, assuming, that (9).

imbiber, soak.
imbuvable, undrinkable.
imiter, imitate.
immeuble, house, large building divided into flats (7); (business) premises.
impassible, unmoved, impassive.
impatienté, losing his composure, impatiently (114).
imperméable, waterproof, rain-coat.
importer, be of importance, matter: *il importe que ton père la connaisse* (100), it is important that your father should know it. *Qu'importe la tempête* (68), what matters the storm. *N'importe*, never mind. *N'importe où*, anywhere. *N'importe quel*, any, no matter what (94). *N'importe quoi*, anything, no matter what.
impressionnant, impressive.
impressionner, impress, make an impression on.
imprimer, imprint, stamp (78, 166); print (92).
improbation, disapproval.
inappréciable, inestimable.
inapte, inapt: *tant il était inapte à soupeser . . .* (112), so unsuited was he to weigh up . . .
inattendu, unexpected, unforeseen.
incapacité, incapacity, incapability. *Il est dans l'incapacité de les restituer* (99), he is powerless to, cannot possibly, return them.
incendie, fire, burning.
incendier, set fire to.
inciser, make an incision.
inclinaison, slant (70).
incliner, incline, bend. *S'incliner*, heel over (71, 72).
incomptable, uncountable.
inconnu, unknown; stranger (7).
incontesté, undisputed.
incroyable, unbelievable, incredible.
inculper, inculpate, charge.
indéchiffrable, inscrutable.
indécis, indistinct, blurred.
indélébilement, indelibly.
indemniser, indemnify, compensate.
indescriptible, indescribable.

index, forefinger.
indicateur, indicatory: *panneau indicateur*, sign-board.
indice, indication, sign.
indicible, unutterable, indescribable.
indifférent, unconcerned (149); casual (3). *Cela m'est tellement indifférent* (162), it is so immaterial, so unimportant, to me.
indigné (de), indignant (at).
indiquer, indicate, show.
inédit, novel, original (137).
inexpérimenté, inexperienced, unpractised.
inférieur, lower (149).
s'infiltrer, filter, find one's way.
infime, of the lowest rank, insignificant (149).
infini, infinite.
influent, influential.
informe, formless, shapeless.
infortune, misfortune, adversity.
ingénieur, engineer.
ingéniosité, ingenuity.
injure, insult; (plural) abuse.
injurieux, insulting.
inonder, flood (62); drench (115); flood into (162).
inouï, unheard of, outrageous.
inquiet, anxious, apprehensive, uneasy.
inquiétant, disquieting, alarming.
inquiéter, worry, molest. *On a inquiété deux ou trois commissaires innocents* (172), two or three innocent valuers received attention from the police.
inquiétude, anxiety, apprehension.
inscrire, enter (108). See *conducteur*.
insensé, senseless.
insensible, insensitive, unfeeling.
insister. *Insistèrent pour que nous venions* (139), insisted on our coming.
insouciance, unconcern.
installer. *Nous nous installions à la table du repas*, we sat down at the dinner-table (106).
instant. *A l'instant même* (18), at once, this very moment.

instantanément, instantaneously.
d'instinct, instinctively.
instruction, enquiry (99): *on ouvre une instruction* (99), a judicial enquiry is being opened. *Juge d'instruction,* magistrate in charge of a judicial enquiry, examining magistrate. *Ministère de l'Instruction publique* (49) (= nowadays, *Ministère de l'Education Nationale*), Board (now Ministry) of Education.
insupportable, unbearable, intolerable.
intensément, intensely.
interdire, forbid; prohibit (134, 139).
s'intéresser à, take an interest in.
intérêt, interest.
intérieurement, inwardly; to himself (151).
interloqué, disconcerted, nonplussed.
intermédiaire, intermediary, agent.
interne, inner (112).
interpeller, challenge.
interprète, interpreter; actor, artiste. (85).
interroger, question.
interrompre, interrupt.
intervenir, intervene.
intime, intimate.
intimidé, frightened.
intoxiquer, poison.
intriguer, puzzle, arouse the curiosity of.
introduire, usher in, show in.
inutile, useless; no need, don't trouble (116).
inventaire, inventory, list.
inverse. *En sens inverse,* in the opposite direction.
involontairement, unintentionally.
invraisemblable, unlikely; extraordinary, enormous, "impossible" (140).
iode, iodine.
irréel, unreal.
isoler, isolate. *Isolé,* lonely, remote; detached (8).
ivre, intoxicated.
ivresse, intoxication.

jabot, frill.
jaillir, spring (up).
jalousement, jealously.
jamais. *Ne . . . jamais,* never. *Jamais de la vie,* never, by no means.
jambe, leg.
jardin, garden. *Jardin potager,* kitchen garden.
jardinage, gardening.
jardinier, gardener.
jaune, yellow.
jaunir, yellow.
je ne sais quoi, (an indefinable) something.
jet, throw(ing): *à un jet de pierre* (26), a stone's throw; jet, gush, stream: *jet de sang* (112), spurt of blood. *Jet d'incendie* (155), stream of water from a fire-hose.
jeter, throw, cast. *Je jetai mes derniers regards à la terre* (64), I cast a last look at the land. *J'ai dû tout jeter à la fois* (150), I must have thrown the whole lot away together. *Jeter un cri,* utter a cry, shout. *Jeter l'ancre,* cast anchor.
jeu, game, sport, play. *Ils avaient percé mon jeu* (9), they had seen through my game. See *épuiser.*
jeune, young.
jeunesse, youth.
joie, joy. *A cœur joie,* to one's heart's content.
se joindre à (29), join.
joli, pretty, good-looking.
jonc, cane (*i.e.* fishing-rod, 55).
joue, cheek. *Mettre en joue,* aim at.
jouer, play; act (88, line 22).
jouet, toy, plaything.
joueur, player.
jouir de, enjoy.
joujou, toy, plaything.
jour, day(light). *Le petit jour,* the first light. *Au petit jour,* in the grey of the morning, at daybreak. *Mettre à jour* (169), reveal, uncover. See *éclairer.*
journal, newspaper. *Journal de bord,* log(-book).
journée, day.

se jucher, perch oneself.
juge, judge. See *instruction*.
juger, judge.
Juif, Jew.
juillet, July.
jument, mare.
jupe, skirt.
jurer, swear; clash (78).
juridique, juridical: *j'étais assez au courant des choses juridiques* (99), I knew enough about legal matters.
jusque, as far as, up to: *jusqu'à lui* (5), to him. *Jusqu'aux larmes* (145), to the point of tears. *Jusqu'au niveau* (59), to the level. *Jusqu'aux genoux* (4), up to my knees. *Aller jusqu'à* (174), go so far as to; until: *jusqu'à minuit,* until midnight. *Jusqu'à l'heure du dîner* (8), until dinner time. *Jusqu'au moment où,* until. *Jusqu'au soir,* until the evening. *Jusque-là,* until then. *Le bord descendit jusqu'à n'être plus qu'à une main de la surface* (123), the side went down until it was only a hand's breadth from the surface. *Jusqu'à ce que,* until.
juste, just; precise (100). *Au juste* (33, 147), exactly. *Calculer ... au plus juste* (133), calculate to a nicety (and therefore reduce to a strict minimum).
justement, as a matter of fact: *que je pensais justement à des jouets* (20), that toys were just what I did think of.
justesse. *De justesse,* only just: *Raph l'évita de justesse* (14), Raph avoided it by a hair's breadth. *Pour rattraper de justesse une mitrailleuse* (126), only just in time to save a machine-gun from falling.
juvénile, youthful (120).

là, there. *J'entends par là,* I mean by that (93).
à- bas, over there.

labour, ploughing.
labourer, plough.
lacérer, lacerate.
lacet, hairpin bend: *Une route en lacets,* a zig-zag road (59).
lâche, coward.
lâcher, abandon (29); drop (104, 115); let go (168). *Lâcher une rafale,* let fly a burst of gunfire (15)
lacté. *Voie lactée,* Milky Way.
lad, stable-boy, stableman.
là-dessus, thereupon. *Par là-dessus* (138), on top of them.
laid, ugly, unsightly.
laine, wool.
laisser, let, allow; leave (129). *Laisse* (21), enough, don't you worry. *Se laisser aller à* (103), give way to.
lait, milk.
laitue, lettuce.
lambeau, shred, scrap, fragment.
lame, blade.
lamé d'or, spangled, worked, with gold.
lampe, lamp; torch.
lancer, throw, fling. *Lancés à cent* (15), dashing along at sixty (*cent = cent kilomètres à l'heure*). *Se lança* (146), hurled himself, rushed, forward.
lancinant, stabbing.
lande, heath, moor.
langue, tongue. *Durent donner leur langue au chat* (43), had to give it up.
lanière, thong.
lard, bacon.
large, wide, broad. *Au large,* at sea, in the open sea.
larme, tear.
las, tired, weary.
lasser, tire, weary.
lavande, lavender.
laver, wash.
lé, width.
lécher, lick.
leçon, lesson.
lecture, reading.
ledit, the (afore)said.
léger, slight (8, 166); light (64, 117).

légèrement, slightly (123, line 26, 125); lightly (123, line 27); gently (129).
léguer, bequeath.
lendemain. *Le lendemain,* the next day, the following day.
lent, slow.
lentement, slowly.
lenteur, slowness.
lentille, lentil (90); lens (49).
lésé, wronged (98); injured (115).
lever, raise; weigh (62). *Lever du soleil,* sunrise. *Lever du rideau,* rise of the curtain. *Se lever,* rise, get up.
lèvre, lip.
lézard, lizard.
libérer, set free, release.
libre, free. *Libre à vous de* (152), you're at liberty to; you can, if you like.
lié. *Etre lié avec,* be an intimate friend of.
lier, bind.
lierre, ivy.
lieu, place. *Avoir lieu,* take place. *Tenir lieu de,* take the place of, stand instead of.
lieue, league (= four kilometres).
lièvre, hare.
ligne, line. *Pêcheur à la ligne,* angler.
ligue, league.
lilas, lilac.
linceul, shroud.
linge, linen, cloth.
lire, read.
lisible, which could be read (21).
lisière, edge, border.
lisse, smooth, glossy, polished.
lit, bed.
literie, bedding.
livraison, delivery.
livre (masculine), book.
livre (feminine), pound.
livrée, livery.
livrer, deliver. *Pour lui livrer passage* (35), to make way for him. *Se livrer à,* surrender to, give oneself up to (159); indulge in (149, 172).
livreur, delivery man.

locataire, tenant.
loch, log (for gauigng speed of ship).
Locuste, Locusta (Roman poisoner).
logis, house.
loin, far (away). *De loin,* from a distance.
lointain, distant; (noun) distance.
long (noun), length: *un petit bateau de sept mètres de long* (62), a small boat seven metres in length. *Le long de,* along: *le long du quai* (62), along the quay. *La sueur coulait le long de ses joues* (113), the sweat ran down his cheeks. *Au long de la Rivière* (55), along the river. *Avec des portières tout le long* (35), with doors all along it, the whole length. *Lafcadio n'en écouta pas plus long* (76), Lafcadio did not wait to hear more.
longue. *A la longue,* in the long run, after a time.
longer, go, run, along, skirt.
longtemps, long, for a long time.
longuement, for a long time; at length, lengthily.
lorgnon, pince-nez.
lors de, at the time of, on the occasion of.
lorsque, when.
loup, wolf. *A pas de loup,* stealthily. *Quand on parle du loup, on en voit la queue,* talk of the devil and he will appear.
lourd, heavy.
lourdement, heavily.
lueur, gleam, glimmer. *A la lueur de,* by the light of.
lugubrement, lugubriously, dismally.
luire, shine, gleam.
luisant, gleaming, shining, glistening.
lumière, light.
lumineux, luminous, bright.
lundi, Monday.
lune, moon.
luné. *Bien luné,* in a good mood, well disposed.
lunettes, glasses, spectacles.
lutte, struggle.

GLOSSARY

lutter, struggle. *Lutter d'excellence* (132), vie in excellence.
lycée, school.
lyncher, lynch.

mâcher, chew, masticate.
machinalement, mechanically, unconsciously, without thinking.
machination, machination, plot.
machine (73), engine.
machiniste, scene-shifter.
mâchoire, jaw.
madeleine, sort of sponge-cake.
Madère, Madeira.
magasin, shop; warehouse, store.
magie, magic.
magnifique, magnificent.
maigre, thin, lean, skinny.
maigriot, thin.
mail, mall, sheltered walk as promenade.
maille, mesh (of net).
main, hand.
maint, many. *Maintes fois,* many times, many a time.
maintenant, now.
maintenir, maintain; uphold.
mais, but.
maison, house. *A la maison,* at home.
maître, master.
maîtresse, mistress. *Devinrent maîtresses,* took possession of (31).
maîtriser, master, subdue, overcome, get the better of.
majestueusement, majestically.
majuscule, capital letter.
mal, badly, ill; bad: *j'avais couvert 66 milles dans les dernières vingt-quatre heures, ce qui n'était pas mal* (69), I had covered 66 miles in the last twenty-four hours, which was not bad (going); wound, pain, ache, hurt: *ma gorge me fait très mal* (67), my throat is hurting me a lot. *Point de mal?* (157), not hurt?, you all right?
malade, ill, unwell. *Je n'oublie pas que c'est votre malade,* I'm not forgetting that she's your patient (121).
maladie, illness, disease.
maladroit, unskilful, clumsy, awkward.
malédiction, malediction, curse.
malgré, in spite of.
malheur, misfortune, bad luck, ill luck.
malheureux, unhappy, unfortunate, wretched; wretched boy (104).
malhonnête, impolite, rude (144).
malintentionné, ill-disposed.
malle, trunk.
malmené, ill-treated, severely handled.
manant, peasant.
manche (feminine), sleeve.
manger, eat.
manie, mania, craze.
maniement, handling, management.
manier, handle; wield (30).
manière, manner, way, fashion. *De manière que,* so that.
mannequin, dummy; scarecrow.
manœuvre, rope (66).
manœuvrer, work, handle (62).
manquer, miss (27, 108, 122, 159). *Manquer de,* lack, be short of: *vais-je aussi manquer de viande?* (67), am I also going to be short of meat? *Ne pas manquer de faire,* not to fail to do: *ne manqueraient pas d'ouvrir le feu,* would not fail to, would be sure to, open fire.
manque, lack
manteau, cloak.
marbre, marble.
marchand, dealer (170). *Marchand de journaux,* news-agent, newspaper seller. *Marchande de journaux,* woman at the newspaper kiosk (110).
marche, step, stair; walk(ing), march. *Se mettre en marche,* set off, start out. *Mettre en marche,* set going, start working: *ils avaient remis leurs machines en marche* (74), they had started their engines going again. *Le train se remit en marche* (151), the train started off again.

marché, market. *Par-dessus le marché,* into the bargain.

marcher, walk; go, move, travel: *marchant à cent-vingt,* doing seventy-five (14). *Je crois que ça marchera très bien,* I think that it'll go well (87); be taken in, "fall for it" (174).

mardi, Tuesday.

mare, pool, pond.

marge, margin.

mari, husband.

se marier avec, marry; blend with (31).

marin, sailor. *Mille marin,* nautical mile.

marine, marine: *la vieille marine à voile,* the old sailing-ships (69).

marmite, (cooking-)pot.

marmonner, mutter, mumble.

marmot, small child, kid.

marque, brand (65).

marqué, marked, pronounced.

marquer, indicate, show (25).

marteau, hammer.

martèlement, hammering; beat (9).

martyre, martyrdom.

mas, farm in South of France.

masque, face, expression (6, 104).

masquer, hide (156).

massacrer, smash, destroy, mangle, ruin (14).

mat, mat, dull, unpolished.

mât, mast.

matelot, sailor.

matériel, implements, stores, (war) material.

maternel, maternal; motherly. See *souci.*

matin, morning.

matinal, morning, early (morning).

matinée, morning.

matricule, number.

mâture, masts.

maturité, ripeness (82).

maudire, curse.

maussade, sullen, surly; unpleasant (76).

mauvais, bad. *Mauvais œil,* evil eye.

mazout, fuel oil.

mécanicien, mechanic; engine-driver; flight engineer.

méchanceté, wickedness.

méchant, miserable, wretched; spiteful, vicious (94); wicked; unkind.

mèche, fuse (12, 18).

médecin, doctor.

médiocrement, moderately, tolerably: *n'est pas médiocrement,* more than moderately (173).

méfiance, mistrust.

méfiant, mistrustful, suspicious.

se méfier, be on one's guard, beware, be cautious. *Se méfier de,* mistrust.

mégarde. *Par mégarde,* inadvertently.

meilleur, better; best (56).

mélange, mixture, blend (65).

mélanger, mix. *Se mélanger à,* mix with.

mêler, mingle, mix. *Se mêler à,* mingle, mix, with. *Se mêler de,* take a hand in (170).

même, same: *en même temps,* at the same time; very: *le matin même,* that very morning (90); even: *fût-il même un chien phénomène* (57), even if he is a phenomenal dog. *De même,* likewise, in the same way. *Tout de même,* all the same.

menaçant, threatening.

menacer, threaten.

ménager, arrange, contrive, prepare (50).

ménager (adjective), connected with the house (work), domestic.

menées, intrigue, scheming.

mener, lead, conduct, take. *Mener grand fracas,* make a great din, commotion (56).

menton, chin.

se méprendre, be mistaken, make a mistake.

méprisable, contemptible.

méprisant, contemptuous, scornful.

mépriser, despise.

mer, sea. *Biscuit de mer,* ship's biscuit. *Est-ce la mer à boire?* (51), is that a very difficult thing to do?

merci, thank you; no, thank you (50).

mère, mother.
mériter (de), deserve (to).
merveille, marvel, wonder.
mésaventure, misadventure, misfortune.
mesure, measure. *A mesure que*, in proportion as, as fast as.
mesuré. *Route mesurée*, steady course (55).
mesurer, measure.
métallurgie, metallurgy; armour (15).
métamorphosé, transformed.
métier, work, profession, occupation, job.
métro, Paris Underground railway.
métropole, capital.
mets, dish.
mettre, put; wear, put on (47). *Mettre la table*, lay the table. *Se mettre à*, begin to. *Se mettre à table*, sit down to table.
meubler, furnish; fill out (5).
meugler, low.
meunier, miller.
meunière, miller's wife.
miche, loaf.
midi, noon.
miel, honey.
mieux, better; improvement (118). *Mieux vaut*, (it is) better.
mignon, dainty, tiny and graceful.
migraine, sick headache.
mi-hauteur. *A mi-hauteur*, half-way up.
milieu, middle: *au milieu de*, in the middle of, in the midst of; (social) circle, sphere (105).
militaire (noun), soldier, military man.
mille, a thousand (36, 138); mile (69).
milliardaire, multi-millionaire.
millier, (about) a thousand. *Par milliers*, in thousands.
mince, slim, slender, thin.
mine, mien, look, appearance. *Je fis mine de repartir* (80), I made as if to set off again.
mineur, in a minor key (84).
ministère, ministry.
minon, pussy.

Minorque, Minorca.
minuit, midnight.
minuscule, tiny, minute.
minute. *Minute* (6), just a minute, wait a bit.
mise, dress, style of dressing: *est de mise* (53), is the correct wear. *Mise en bouteille*, bottling. *Mise à feu*, firing.
misère, misery; poverty.
mite, moth.
mitrailler, pepper with machine-gun.
mitrailleuse, machine-gun.
mi-voix. *A mi-voix*, in an undertone, under one's breath.
mobile. *Garde mobile*, a French police force used for special duties.
mobilier, furniture.
mode (feminine), fashion. *Ne pas passer de mode*, not to go out of fashion.
modicité, lowness, reasonableness.
moindre, least, smallest, slightest.
moine, monk.
moineau, sparrow.
moins, less. *A moins que*, unless. *Le moins*, the least. *Au moins*, at least, at the lowest figure, at any rate. *Du moins*, at least, at any rate. *De moins en moins*, less and less.
moire, ripple of light (154).
mois, month.
moisson, harvest.
moite, moist.
moitié, half. *A moitié*, half.
moment. *Du moment que*, since, seeing that. *Par moments*, at times, now and again.
monde, world: *mettre au monde*, give birth to, bring into the world; society (53). *Tout le monde*, everybody.
mollement, softly, gently.
molesquine, imitation leather, American cloth.
monceau, heap, pile.
monotone, monotonous; uniform, unvarying (100).
monstrueux, monstrous.

mont, mountain.
montée, ascent, slope, rise.
monter, climb (up), mount, ascend; go upstairs (22); put up (132); rise (42). *Se monter à,* amount to.
montre, watch.
montrer, show. *Se montrer,* appear.
morceau, piece.
mordre, bite.
morgue, arrogance, haughtiness.
mort, death. *Avoir la mort dans l'âme,* be sick at heart.
mortier, mortar.
morue, cod.
mot, word. *Mot de passe,* password.
moteur, engine.
motiver, be the cause of.
mouche, fly.
mouchoir, handkerchief.
moudre, grind.
moue, pout. *Faire la moue,* pout.
mouiller, wet, moisten.
moulin, mill.
mourir, die.
mousseline, muslin.
moussu, mossy, moss-grown.
moustique, mosquito.
mouton, sheep.
mouvement, movement; impulse (144); gesture (98).
mouvementé, eventful, full of incident; thrilling.
se mouvoir, move.
moyen (adjective), middle (135); average: *de taille moyenne,* of average height.
moyen (noun), means, way (139, 146).
moyenne, average.
muet, mute, silent.
mufle, muzzle.
mule, mule; bedroom slipper.
mulet, mule.
muni de, furnished, provided, equipped, supplied, with.
mur, wall.
mûr, ripe; worn (78).
muraille, wall.
mutisme, dumbness, muteness, silence.

mutuellement, mutually. *Nous nous félicitâmes de ne nous être mutuellement rien dit* (9), we congratulated ourselves on not having said anything to each other.
myope, short-sighted.
mystification, mystification, hoax.

nacelle, skiff.
nage. *Traverser à la nage,* swim across. *Etre en nage,* be bathed in perspiration.
nager, swim.
nageoire, fin.
nageur, swimmer.
naguère, not long ago, but lately.
naïf, innocent, unsophisticated, credulous.
naissance, birth; beginning (113). *Prendre naissance,* spring up, come into being.
naître, be born, spring into existence.
naïvement, artlessly, ingenuously.
nappe, table-cloth; expanse, sheet (166).
narquois, mocking.
narrer, narrate, relate.
natation, swimming.
natte, plait (of hair).
nature. *Nature morte,* still life.
naufrage, shipwreck.
navire, ship, vessel.
néanmoins, nevertheless, none the less.
négligemment, casually, nonchalantly (34, 123).
nègre, negro.
neige, snow.
neiger, snow.
nerf, nerve.
nerveux, on edge, fidgety (87).
net, clear, distinct, sharp; (adverb) flatly, plainly, outright. *S'arrêter net,* come to a dead stop, stop dead.
nettoyage, cleaning. *Nettoyage à fond,* spring-cleaning.
nettoyer, clean.

GLOSSARY

neuf, new; nine (95).
newyorkais, of New York. *Newyorkais,* New-Yorker.
nez, nose. *Nez à nez,* face to face.
niche, recess, nook (147).
nid, nest.
nier, deny.
niveau, level.
nivôse, fourth month of the French Republican calendar (December 21-January 20).
noblesse, nobility.
noces, wedding. *Repas de noces,* wedding breakfast.
nocturne, nocturnal.
noir, black. *Nuit noire,* pitch-darkness. *Le noir,* the darkness.
noirâtre, blackish, darkish.
noiraud, swarthy.
noircir, blacken.
noisette, hazel-nut.
nom, name. *Nom de nom,* confound it.
nombre, number.
nombreux, numerous.
nombril, navel.
nommer, name; call (20). *Se nommer,* state one's name.
nonchalant, unhurried, sluggish (55).
non-lieu, no true bill. See *conclure.*
nord, north.
Norvège, Norway.
note, note: *prendre note de,* make a note of; bill (25).
notoriété, repute.
nouer, knot, tie.
nourrir, feed.
nourriture, food.
nouveau, new; fresh, further. *A, de, nouveau,* once more, again.
nouvelle, (piece of) news. *Demander des nouvelles de quelqu'un,* enquire after somebody.
(se) noyer, drown.
nu, bare.
nuage, cloud.
nuance, nuance; shade (of colour), hue. *Sans nuances,* expressionless (100).
nuée, cloud.

nuit, night; darkness. *De nuit,* by night.
nul, none; no one.
numéro, number.

obéir, obey.
obscur, obscure, dark.
obscurci, obscured, darkened.
obscurité, obscurity, darkness.
obséder, obsess, haunt: *qui l'obsédait depuis le matin,* which he had not been able to get out of his head since the morning (119).
obstiné, persistent, dogged (28).
s'obstiner (à), persist (in).
obtenir, obtain, get.
obtus, obtuse, dull.
occasion, occasion; opportunity.
occident, west.
occurrence, occurrence. *En l'occurrence,* in this case.
odorat, (sense of) smell.
œil, eye.
œsophage, oesophagus.
œuvre, work; creation.
officine, dispensary (84).
offrir, offer.
offusqué, offended (95).
oiseau, bird.
ombre, shade; shadow; darkness, gloom. *A l'ombre de,* in the shade of.
ombré, shaded.
ombreux, shady.
oncle, uncle.
onde, wave; water (46, 55).
onduler, wave, undulate, wind.
ongle, nail.
opportunité, opportuneness, expediency, advisability.
opprimer, oppress.
opprobre, opprobrium, shame, disgrace, reproach.
or, now. *Or donc,* well, now, well then.
or (noun), gold. *Deux fils d'or* (118), two golden threads.
orage, storm.
orageux, stormy.
oranger, orange-tree.

ordinaire, ordinary. *A l'ordinaire, d'ordinaire*, usually, ordinarily, as a rule.
ordonnance, orderly (5); (police) regulation (36); prescription (116).
ordonner, order.
ordre. *Service d'ordre*, police barrier (139).
orée, edge, border, skirt.
oreille, ear.
oreiller, pillow.
orgueil, pride.
orner, ornament, adorn, decorate.
os, bone.
oser, dare, venture.
osseux, bony.
osier, osier, water-willow; withy, wicker.
ôter, take off, remove.
ouate, wadding.
oublier, forget.
ouest, ouest, west.
ouragan, hurricane.
ours, bear.
outil, tool, implement.
outillage, gear, equipment, outfit.
outre. *Outre mesure*, unduly. *En outre*, in addition.
ouvrage, work. *Ouvrage d'art*, engineering work, bridge, tunnel, etc.
(s')ouvrir, open.
ouvrier, workman.

pagaille, disorder.
paille, straw.
pain, bread.
paître, graze, browse.
paisible, peaceful.
paisiblement, peacefully, quietly.
paix, peace. *En paix*, at peace.
palais, palace.
palier, landing.
pâlir, grow pale. *Faire pâlir*, put into the shade (133).
palme, palm(-tree).
palper, palpate, feel, finger.
panache, plume, tuft.
pancarte, placard, bill; sign-board (39)

panier, basket.
panne. *Mettre en panne*, heave to. *Etre en panne*, be at a standstill.
panneau, board, hoarding.
pansement, dressing.
pansu, bulging (55).
pantalon, trousers.
pantin, puppet.
paquebot, liner, steamer.
paquet, packet, parcel.
par. *Par deux fois*, twice (141). *Deux fois par an*, twice a year (21). *Plusieurs fois par semaine*, several times a week (5). *Un verre d'eau par jour*, a glass of water a day (67). *Par un soir d'hiver*, on a winter's evening (137). *Par cette nuit sans lune*, on this moonless night (4). *Par tous les temps*, in all weathers (62). *Par une mer d'huile*, with a sea like a mill-pond, in a dead calm (66).
parage. *Dans ces parages*, in these parts, whereabouts.
paraître, appear.
parapluie, umbrella.
parc, park; enclosure; paddock.
parce que, because.
parcourir, travel over, cover (160).
parcours, distance, way, journey (125).
par-dessus, over (the top of): *par-dessus bord*, overboard. *Par-dessus son épaule*, over his shoulder. *Par-dessus tout*, above all.
paré, clear (63).
pare-brise, wind-screen.
pareil, like, similar; such. *Sans pareil*, unequalled, without parallel.
parente, relation (76).
parents, parents; relations.
parenthèse, parenthesis; bracket. *En parenthèses*, (shaped) like brackets (93).
parer. *Parer au grain*, be ready to take in sail.
paresse, laziness, idleness.
parfait, perfect, faultless. *Parfait!* excellent! capital!

GLOSSARY

parfaitement, perfectly; that is so, yes (91).
parfois, sometimes, at times, now and then.
parfum, perfume.
parfumé, fragrant (82).
pari, bet.
paria, pariah, outcast.
parier, bet.
parler, speak, talk.
parleur, talker, speaker. *Beau parleur,* glib.
parmi, among(st); amid(st).
paroi, wall.
parole, word; speech: *l'usage de la parole* (95), the use, power, of speech. *Retrouver la parole* (145), find one's tongue again.
parquet, floor (22); public prosecutor (99).
parsemer, sprinkle.
part, share (69). *De la part de* (169), on behalf of. *De ma part,* from me (90). *A part: me prenant à part* (107), taking me aside. *Quelque part,* somewhere. *Nulle part,* nowhere. *D'autre part,* on the other hand, besides.
partager, share. *Les avis sont partagés* (170), opinions are divided.
parti, party; decision: *prendre un parti,* come to a decision, make up one's mind; *en prendre son parti* (21), reconcile oneself to the inevitable, make the best of it; advantage, profit: *tirer parti de,* make use of, turn to account, take advantage of. *En tirer tout le parti possible* (11), make the most of them.
partie, part: *en partie,* in part, partly. *Faire partie de,* be, form, part of (69), be a member of, belong to (122); game: *gagner la partie,* win the game (4, 90).
partir, depart, leave, set off. *A partir de,* from.
partout, everywhere.
parure, set (of jewellery).

parvenir, arrive. *Parvenir à,* reach. *Parvenir à faire quelque chose,* succeed in doing, manage to do, something.
pas, step, pace, gait, walk. *Sur le pas de la porte* (7), on the doorstep.
pas, not, no: *pas un livre dans cette pièce, pas une photographie* (8), not a book in this room, not a photograph. *Pas un bruit* (4), not a sound. *Attention, pas de lumière et pas de bruit!* (39), mind, no light and no noise. *Ne ... pas,* not.
passage, passage: *sur son passage* (98), as he passed, as he went by; thoroughfare, roadway (16).
passager, passenger; (adjective) fleeting, ephemeral (85).
passe. See *mot*.
passé, past. *Comme par le passé,* as in the past.
passer, pass; cross (4, last line); spend (27); go down (83); insert, put in (13). *Se passer,* happen, take place. *Se passer de,* do without.
passerelle, foot-bridge (12). *Passerelle de commandement* (73), bridge.
passe-temps, pastime.
passionnant, exciting, thrilling.
pasteur, Protestant minister.
patelin, small place, village.
pathétique, moving.
patienter, have patience, possess one's soul in patience (79).
patrie, native land, fatherland.
patron, owner, proprietor (108).
patronne, mistress (176).
patronage, young people's club, guild.
patrouille, patrol.
patte, foot; leg; paw (129).
paume, palm (of the hand).
paupière, eyelid.
pauvre, poor. *Un pauvre,* a poor person: *un petit pauvre* (145), a little poor boy.
pauvresse, poor woman, beggar.
pavé, paving-stone; paved road, highway.

pavillon, flag (75).
pays, country; district: *dans mon pays,* where I come from.
paysage, landscape; scenery.
paysan, peasant, countryman.
peau, skin.
pêche, fishing.
pêcheur, fisherman.
peigner, comb.
peignoir, dressing-gown, morning wrapper.
peindre, paint; depict (7).
peine, pain, sorrow, affliction (40); difficulty (65, 84, 141): *avoir peine à,* have difficulty in. *A peine,* hardly, scarcely, barely.
peintre, painter.
peinture, painting; paint (160).
pelouse, lawn.
penché, leaning.
pencher, incline (107); list (123). *Se pencher,* bend, incline, lean, stoop.
pendant, during. *Pendant des heures,* for hours on end (27). *Pendant que,* while, whilst.
pendillon, pendant; drop (of glass chandelier).
pendre, hang.
pénétrer, penetrate.
pénible, painful.
pénombre, half-light, semi-darkness.
pensée, thought, idea.
penser (à), think (of).
pension, boarding-school (90).
pente, slope.
percer, pierce. See *jeu.*
percevoir, perceive; hear, catch the sound of (3).
perdre, lose; ruin (99). *Se perdre,* lose one's way (79).
perdreau, young partridge.
père, father.
perfectionner. *Demain, nous perfectionnerons,* to-morrow we'll improve on it (120).
permettre, permit, allow.
perpétuer, perpetuate.
perplexe, perplexed.
perron, flight of stone steps before a house.

Perse, Persia.
persienne, Venetian shutter.
personne, person. *Ne ... personne,* nobody, no one.
perte, loss. *A perte de vue,* as far as the eye can reach.
pesant, heavy.
peser, weigh.
pester, inveigh, grumble, storm.
pétillant, sparkling.
petit, small, little; (noun) little child, little boy, little girl, baby, little one; (plural) young (of animals). See *jour.*
petits-enfants, grand-children.
petit-fils, grandson.
peton, little foot.
pétrole, petroleum (135); paraffin (65). *Peu après,* shortly after, not long after.
peu, little; few; not very. *Un peu,* a little; rather, somewhat, slightly: *un peu au petit bonheur,* in a rather happy-go-lucky way (12). *Peu à peu,* gradually, little by little. *Peu de chose,* (very) little, not much.
peuple, people, nation: *le peuple nègre* (27), the negro race; denizens (31).
peur, fear. *Avoir peur,* be afraid. *Faire peur à,* frighten.
peureux, timid, easily frightened, nervous.
peut-être, perhaps. *Peut-être que si je partais* (6), perhaps if I went off.
phare, lighthouse; beacon (155, line 15); head-light.
pharmacien, chemist.
phénomène, phenomenon. See *même.*
phonographe, gramophone.
phrase, sentence.
physionomiste, good judge of faces.
physique, physics (49).
pic, pick; peak. See *couler.*
pichet, jug, pitcher.
pie, magpie.
pièce, piece; room; barrel, cask (21); gun (125).

pied, foot; footing, foothold: *avoir pied*, feel the ground under one, be within one's depth (124). *Perdre pied*, get out of one's depth. *Pied à terre* (15), dismounted.

piège, trap. *Tendre un piège à*, set a trap for. See *éclipse*.

pierre, stone. *Fusil à pierre*, flint-lock.

piétiner, stamp.

pilleur, plunderer, pillager.

piloter, pilot; drive (11, 13).

pince, pincers, pliers; (artery) clip (114). *Pince à poinçonner*, ticket-punch (150).

piqué, dotted, studded (14).

piquer, prick, sting; puncture; stick, insert (118). *Piquer sur*, dive down on (14).

piqûre, injection (117).

pirogue, (dug-out) canoe.

pis. *Tant pis*, so much the worse.

piste, track, trail.

piton, eye-bolt.

pivoter, revolve, swivel.

place, place, position; seat; square (16, 166); room (35). *Sur place*, on the spot (13). *Rester sur place* (159), remain still, stay where we are.

se placer, find employment (143).

plage, beach, shore.

plaidoyer, pleading, appeal (100).

plaie, wound.

se plaindre, complain.

plainte, plaint (84); complaint, accusation, charge (98).

plaire, please. *Se plaire à*, take pleasure in.

plaisant, amusing; ridiculous, absurd (54).

plaisanterie, joke, jest, pleasantry. *Voyage de plaisanterie*, trivial, unimportant, journey (33).

plaisir, pleasure.

planche, board, plank.

plancher, floor.

planté, laid out, placed (3); standing (145).

plaque, plate, sheet (of metal) (59, 94); patch (166). *Plaque tournante*, turn-table.

plastron, shirt-front.

plat, flat. *A plat ventre*, flat on the ground, on one's stomach. *A plat*, flat. *Calme plat*, dead calm. *Le plat de la main*, the flat of the hand.

plat (noun), dish.

plateau, plateau; tray. *Plateau à billes*, platform, flat surface, on ball-bearings.

plate-bande, flower-bed.

plâtre, plaster.

plein, full, filled. *A pleines mains*, lavishly, liberally: boldly, unshrinkingly (3). *Je mordis à pleines dents* (82), I sank my teeth. *En plein*, in the middle, midst, of. *En pleine voie lactée*, right in the middle of the Milky Way. *En plein vol*, in full flight. *En plein azur* (84), in the open sky.

plein (noun). *On commence le plein d'essence* (155), they begin filling up with petrol.

pleinement, fully, entirely, to the full.

pleur, tear.

pleurer, cry, weep.

pleuvoir, rain.

pli, fold; crease (144); envelope, letter, message (2). *Pli de la bouche* (149), curl of the lip.

plier, fold (up); furl (42).

plisser, pleat; crease; crinkle, wrinkle (118).

plomb, lead; shot (27).

plongée, dive.

plonger, dive; plunge; dip. *Le regard plonge ... sur* (59), the eye looks down on.

pluie, rain.

plume, feather; pen.

plupart. *La plupart*, most.

plus, more. *Ne ... plus*, no more, no longer, not again. *Plus de pain ni de sucre* (29), no more bread or sugar. *Plus de route* (134), the road finished. *De plus*, moreover, besides. *De plus en plus*, more and more. *Non plus*, (not) either, nor: *Les décors non plus* (85), nor the scenery either.

plusieurs, several.

plutôt, rather, sooner. *Plutôt la mort!* (89), I would rather have died, I would have died first.

poche, pocket.

poêle (masculine), stove; (feminine) frying-pan. *Poêle à frire*, frying-pan.

poids, weight.

poignard, dagger.

poignée, handful; handle (2).

poignet, wrist.

poil, hair.

poilu, hairy.

poinçonnage, punching: *appareil de poinçonnage* (149), punching machine, ticket-punch.

poing, fist.

point, point; dot, speck, spot; degree, extent: *au point que*, to such an extent that, so much so that. *Sait-il à quel point?* (129), does he know how much? *Ne . . . point*, not. *Non point*, not. *Non point que*, not that.

pointe, point, tip; spit, tongue (of land).

pointer, aim, train: *pointée vers*, pointing towards (64); rise, jut upwards (141).

pointu, pointed, sharp.

poire, pear.

poisson, fish.

poitrine, chest.

poli, polished (135).

polichinelle, Punch, puppet.

poliment, politely.

politique, politics (134).

polonais, Polish.

pomme, apple. *Pomme de terre*, potato.

pompe, pump.

pompier, fireman.

pont, bridge; deck.

porc, pig; pork.

porc-épic, porcupine.

port, port; harbour.

portatif, portable.

porte, door; gateway.

portée, reach.

porter, carry; wear (25, 73, 91); reach (31); bear (82); raise, lift (90). *Se porter*, betake oneself, go, proceed.

porte-voix, megaphone.

portière, door (35); curtain hung over door (106).

portillon. *Portillon d'entrée*, ticket barrier (149).

portugais, Portuguese.

poser, place; put (14, 93); lay (39, 76); fix (88); set (90).

posséder, possess; dominate (18).

poste. *Poste d'équipage*, forecastle.

potable, drinkable.

potage, soup.

pouce, thumb.

poudreux, dusty.

pouls, pulse.

poupée, doll.

pourchasser, pursue.

pour, for; in order to. *Pour que*, in order that, so that: *c'est pour qu'il ne les voie pas dans la rue que . . .* (96), it's so that he shan't see them in the street that . . . *Pour . . . que*, however: *pour stupide qu'il puisse sembler* (6), however stupid it may seem.

pourpre, crimson.

pourquoi, why.

poursuite, pursuit. *A la poursuite de*, in pursuit of.

poursuivre, pursue; prosecute, proceed against (100, 134). *Poursuivre sa route*, proceed on one's way.

pourtant, however, nevertheless, yet.

pourvu que, provided that, so long as.

poussée, push, thrust: *écarter d'une poussée*, thrust aside (116).

pousser, push: *se poussant des nageoires* (51), nudging each other with their fins; utter (35, 113); grow (44); grow up (143).

poussière, dust.

pouvoir, be able; (noun) power.

prairie, meadow.

pratique, practice (49).

pré, meadow.

préau, playground (103).

précédent, preceding.

précipité, hurried, hasty, sudden, swift.

précipitamment, hurriedly, hastily.

se précipiter, precipitate oneself; rush forward (122).

précis, precise.

préciser, specify.

préjuger, prejudge.

premier, first.

première, first night.

prendre, take, seize. *Prendre le trot,* begin to trot, break into a trot. *Prendre le vent,* have the weather gauge. *Je ne sais ce qui lui prit* (78), I don't know what came over him. *Se prendre,* catch, be caught.

préparatifs, preparations.

préposé, official (149).

près, near. *Près de,* near, nearly: *près de deux mètres de long,* nearly two metres long (48). *De trop près,* too closely (50). *Etre tout près de,* be on the verge of (71). *A peu près,* almost, nearly, pretty much. *A dix centimètres près* (15), with a clearance of only ten centimetres. *A quatre cents kilomètres près, dans le désert!* (158), to be within four hundred kilometres of one's destination makes no odds in the desert.

présentement, now.

présenter, introduce (144). *Se présenter,* present oneself, appear.

presque, almost. *Presque jamais,* scarcely ever.

pressant, pressing, urgent, insistent.

pressé, in a hurry (16, 38).

pressentir, have a presentiment, foreboding of (104, 140); feel, have a presentiment (70).

presser, urge on (55, 128); press: *le temps pressait* (117), time was running short. *Se presser,* hurry.

prestement, swiftly.

prêt, ready.

prétendre, claim, profess.

prêter, lend; attribute (102); pay (52).

prétention, pretension, claim, assertion.

prétexter, make a pretext of, plead, offer as an excuse.

preuve, proof. *Faire preuve de,* give evidence of, display.

prévenir, inform, give notice to, warn (6, 76, 139); ward, stave, off (71).

prévision, forecast (70).

prévoir, foresee, forecast, anticipate.

prévu, provided for (18).

prier, pray (79). *Prier quelqu'un de faire quelque chose,* beg someone to do something.

prière, prayer.

principe, principle. *Par principe,* on principle.

printemps, spring.

prise, capture, prize (13).

priver, deprive.

prix, price (25, 149); prize (52); value (60).

problème, problem.

procédé, process, way, method.

prochain, next.

proche, near, neighbouring.

prodigieux, prodigious, tremendous.

produire, produce. *Se produire,* occur, happen (95).

produit, product.

proférer, utter.

professeur, teacher, master, mistress.

profil. *De profil,* in profile.

profiler, outline, reveal the outlines of: *d'autres maisons profilaient leurs masses sombres* (4), the dark masses of other houses were outlined, stood out.

profit, profit, benefit, advantage.

profiter de, avail oneself of, take advantage of.

profond, deep, profound.

profondément, profoundly, deeply. See *agripper.*

profondeur, depth, profundity.

proie, prey, victim. *Etre en proie à,* be a prey to, be given over to.

se projeter, throw, fling, oneself.

projecteur, (landing) flood-light (155).

promenade, walk(ing); excursion, trip: *promenade à la voile* (73), sail; casting: *par la promenade de son seul regard* (168), merely by casting his eyes round.

promener, take out for a walk, lead; pass: *promener la main sur,* pass, run, his hand over (34). *Se promener,* walk (about), go for a walk, a drive, a ride, a sail, etc. See *envoyer.*

promeneur, walker, pedestrian, stroller.

prompt, prompt, quick, ready, hasty; swift to anger (103).

prononcer, pronounce; utter, say (81, 152).

propos, word; utterance, remark: *je me ressouvenais des propos tenus* (99), I recalled the remarks made.

proposition, proposal, proposition, offer.

propre, clean (39, 79, 143); own (105, 118).

proprement, neatly, nicely.

propriété, property, estate, house.

propriétaire, owner.

protecteur, patronising (143).

protection. *Un ton de protection* (146), a patronising tone.

protéger, protect, cover.

provenir, come, proceed, derive.

province. *En province,* in the provinces, in the country. *De province,* provincial, country.

proviseur, headmaster.

provisoire, provisional, temporary.

provision, store, stock (157).

proximité. *A proximité de,* close to.

psaume, psalm.

publier, publish.

puis, then, afterwards, next.

puéril, puerile; childish; of childhood days (105).

puisque, since, seeing that, as.

puissant, powerful.

puits, well; shaft (59).

pullulant, swarming.

punir, punish.

pur, pure; absolute (43).

quai, quay; embankment (51); platform (35, 91).

qualité, quality; profession, occupation, capacity (14).

quand, when. *Quand même,* even if, even though, although; all the same, nevertheless, in any case.

quant à, as for, as regards.

quarantaine, about forty.

quarante-deuxième, forty-second.

quarante-cinquième, forty-fifth.

quart, quarter. *Quart d'heure,* quarter of an hour.

quartier, quarter, district, neighbourhood.

quasi, almost.

quatre, four.

quatre-vingt-huit, eighty-eight.

que. *Ne ... que,* only.

que de (= *combien*), how many (40).

quelconque, ordinary, commonplace (140).

quelque, some, any.

quelqu'un, someone, somebody; anyone, anybody. *Quelques-uns,* some, a few.

qu'est-ce que, what. *Qu'est-ce que c'est encore que* (78), whatever is.

queue, tail. See *loup.*

Quichotte, Quixote.

quinconce, quincunx (= group of five objects so arranged that one is at each corner of a square and one in the middle); (by extension) in alternate rows.

quinze, fifteen.

quinzième, fifteenth.

quitter, leave, quit. *Quitter des yeux, du regard,* take one's eyes off.

quoi. *Donnez-moi de quoi écrire* (116), give me something to write with, some writing things, a pencil and paper. *Il n'y a pas de quoi s'étonner* (13), there's no reason to be astonished. *De quoi,* enough, the wherewithal (151). See *histoire.*

quoi que, whatever: *quoi qu'il pût arriver* (69), whatever might happen.

quotidien, daily.

raccompagner, go with, to show out (78).
race, breed, stock (133).
racine, root.
raclement, rasping.
racler, scrape.
raconter, relate, tell.
racorni, hardened, shrivelled up.
radieux, radiant, beaming.
radis, radish.
rafale, squall. See *lâcher*.
raffiné, subtle (146).
raffiner, refine.
rafraîchir, refresh, revive (27); cool (115).
rageur, angry, passionate, violent-tempered.
rageusement, angrily, passionately.
raid, raid; long-distance flight (133).
raide, stiff.
raillerie, raillery, banter, scoffing.
railleur, mocking, bantering.
raisin, grape(s).
raison, reason. *En raison de*, by reason, on account, of. *Avoir raison*, be right.
rajeunir, rejuvenate, make young again.
rajuster, readjust, set straight.
ralentir, slacken, slow down.
se rallumer, light up again.
ramage, floral design, pattern.
ramasser, collect, gather; pick up. *Se ramasser*, crouch (in readiness for a spring).
rame, oar.
ramée, green boughs forming an arbour.
rameur, rower, oarsman.
ramener, bring back; take back (79).
rampant, crawling.
ramper, crawl.
rampe. See *accès*.
rancune, rancour, grudge.
randonnée, outing, trip, excursion, run.
rang, row, line; rank.
rangée, row; array (151).
ranger, arrange, array, marshal.
ranimer, bring back to life, revive.

rapiécé, patched.
(se) rappeler, recall.
rapporter, bring back; take back (110); report, relate (100).
se rapprocher, draw near(er).
rarissime, extremely rare.
ras, close-cropped. *Chiens au poil ras* (57), short-haired dogs.
raser, shave; pass close to, hug (38). *Se raser*, shave.
rasoir, razor.
rassasié, satisfied.
rassemblement, crowd.
rassembler, reassemble, muster, gather together. *Se rassembler*, collect. See *force*.
se rasseoir, sit down again.
rassurer, reassure. *Se rassurer*, feel reassured, overcome one's fear.
rat, rat; close-fisted, stingy, miserly (5).
rater, miss.
rattacher, link (129).
rattraper, catch up, overtake; save from falling (23, 126).
ravager, devastate, play havoc with.
ravir, ravish, delight, enrapture.
ravissant, ravishing, delightful, enchanting, exquisite.
ravissement. *Etre dans le ravissement*, be in raptures, ecstasies.
rayer, streak.
rayon, ray (67, 170); shelf (152); department (in shop) (133).
rayonnement, radiance.
réaliser. *Réaliser une assez bonne affaire* (173), do pretty well. *Se réaliser*, come true (103).
reboucler, rebuckle.
recel, receiving.
récemment, recently.
recette, recipe.
recevoir, receive.
receveur, conductor; ticket inspector (150).
réchaud, small stove.
réchauffer, warm. *Se réchauffer*, warm oneself.
rêche, rough.
recherche, search, pursuit. *A la recherche de*, in search of.

rechercher, search for.
récit, narrative.
réciter, recite, say.
réclamer, demand.
récolte, harvest.
recommander, recommend, instruct.
reconduire, escort, show out.
réconforter, cheer up, comfort.
reconnaissance, gratitude (39, 106); reconnoitring, reconnaissance (11).
reconnaître, recognise; be grateful for (58); reconnoitre (12). *Se reconnaître,* know where one is, find one's way about, be at home. *Tu t'y reconnais maintenant?* (129), have you got your bearings now?
recours. *Avoir recours à,* have recourse to, call in.
recouvrer, recover, get back, regain.
recouvrir, cover (5, 12, 78).
recracher, spit out again.
recréer, recreate, create anew.
recueilli, devout (80); collected, meditative, silent (106).
recueillir, collect, gather.
reculer, move, draw, back.
reculons. *A reculons,* backwards.
redescendre, go down again.
redevenir, become again.
rédiger, draw up, draft.
redire, repeat, say again.
redoublement, redoubling, increase.
redoubler (de), redouble, increase.
redouter, dread, fear.
se redresser, straighten, draw, oneself up, sit up (80).
réduction, reduction, reduced copy. *En réduction,* reduced in size, on a reduced scale.
réduire, reduce; (= *réduire les gaz*), throttle back, reduce speed.
réduit, retreat, lodging, hovel.
refermer, shut, close, again.
réfléchir, reflect.
reflet, reflection.
se refroidir, cool down, grow cold.
refroidissement, chill.
se réfugier, take refuge, find shelter.

régal, feast, banquet, delicious dish, treat.
regagner, regain, get back to; win back (105).
regard, gaze, look, glance.
regarder, regard; look at.
régisseur, stage manager.
règle, rule. *Règle à calcul,* slide-rule.
règlement, regulation(s), statutes.
régler, arrange, settle.
régner, reign.
régulièrement, regularly; as normally (38).
reine, queen.
reins, loins, (small of the) back.
rejeter, throw back, again.
rejoindre, (re)join.
réjouir, delight, gladden, rejoice.
relâche, respite, relaxation, rest. *Sans relâche,* without respite, without stopping, unceasingly.
relation. *Etre en relations avec,* be in touch with.
reléguer, relegate, consign.
relever, raise. *Se relever,* rise (again), get up (again).
relier, bind; link, connect.
relire, re-read.
reliure, binding.
remarque, remark. *Faire la remarque de quelque chose,* remark on (91).
remarquer, notice.
remède, remedy, cure.
se remémorer, recall.
remerciements, thanks.
remercier, thank.
remettre, hand over, deliver (7, 8, 18, 24); put again: *il ne remettrait plus les pieds dans la maison* (78), he would not set foot in the house again. *Vous en remettrez* (114), put some more on; postpone (170).
remiser, put, stow away, push out of the way.
remonter, go up again (11); come up, appear, again (122); go back along (157). *Ses doigts remontèrent lentement* (112), his fingers travelled slowly up.

remorquer, tow.
remplaçant, substitute, deputy, locum.
remplacer, replace.
remplir, fill up, refill.
remuer, move, stir, agitate; turn over (32). *Se remuer,* bestir oneself, exert oneself, take pains.
renard, fox.
rencontrer, meet (with), come across.
rendre, render (9); run, turn over (14); return (17); give out, emit (26); make (78). *Se rendre,* surrender. *Se rendre à,* go to.
renforcer, strengthen.
renoncer à, give up.
renseignement, (piece of) information.
rentrée, return (home), homecoming.
rentrer, return.
renverser, knock over, down (33, 110); spill (70).
renvoyer, send away, expel.
repaire, den, lair.
reparaître, reappear.
se répandre, spread.
réparateur, restoring, refreshing.
réparer, repair.
repartir, set off again.
repas, meal.
repasser, call again, look in again, come back (121); cross, pass over, again (11); rehearse, go over (88). See *fer.*
repêcher, fish out (124).
repentir, repentance; misgiving, qualm, regret (127).
repère, landmark.
repérer, locate, spot.
répéter, repeat.
répétiteur, assistant teacher.
replier, fold up again; bend (128). *Se replier,* fall back, retire.
réplique, rejoinder, retort.
répondre, reply, answer.
réponse, reply, answer, response.
reporter, carry back; cast again: *Antoine reporta les yeux sur* (118), Antoine's eyes went back to; transfer (21).

repos, rest.
se reposer, rest; settle (135).
reprendre, resume; recover (128); take up again (1); take back (98).
représentation, performance.
reprise, acceleration (15). *A plusieurs reprises,* several times, again and again.
réprobateur, reproving, reproachful.
reprocher, reproach. *D'autres faits . . . pourraient être reprochés à l'antiquaire* (98), the antique dealer could be taxed with other facts.
se reproduire, recur, happen again.
réprouver, disapprove of.
requête, request, petition.
requin, shark.
réseau, network.
réservoir, reservoir; tank, cistern, holder, container.
résolument, resolutely.
résoudre, solve (123); resolve. *Se résoudre à,* resolve, decide.
respiration, breathing.
respirer, breathe, inhale.
respectueux, respectful.
resplendir, be resplendent, shine.
resplendissant, shining, glittering.
se ressaisir, recover oneself.
ressembler à, resemble, be like.
ressentir, feel.
se ressouvenir de, recall, remember.
se restaurer, refresh oneself, take refreshment.
reste. *Du reste,* besides, moreover. *Restes,* remains.
rester, remain.
restituer, return, restore.
résultat, result.
rétablir. *Une traction le rétablit,* he pulled himself up by a double short-arm stretch (76).
rétablissement, double short-arm stretch.
retard, delay. *Etre en retard,* be late. *Encore un qui avait vingt-cinq ans de retard,* another one twenty-five years behind the times.

retenir, remember (92, 101); follow up (99); hold back, detain, delay (127); retain (141).

retenir, (re)sound, echo.

retirer, pull off (14, 94); withdraw (105, 120); pull, snatch, back (167). *Se retirer,* withdraw, retire.

retomber, fall back (3, 135); fall, drop (4). *Laisser retomber le bras,* drop his arm (108).

retour, return.

retournement. See *coup.*

retourner, return. *Se retourner,* turn round. *S'en retourner,* return.

retracer, recount, recall.

retrancher. *Nous étions retranchés d'avec* (166), we were cut off from.

se rétrécir, contract, narrow.

retrouver, find again; meet again (15, 40). *Se retrouver,* find oneself (149).

réunir, assemble, convene (51).

réussi, successful, successfully done, well executed.

réussir, succeed.

revanche, revenge.

rêve, dream.

rêver, dream (of).

réveil, awakening; alarm-clock.

réveille-matin, alarm-clock.

réveiller, awaken, wake up. See *faire.*

revendre, sell again.

revenir, come back.

revêtir, line (59).

rêveur, dreamer.

rêveusement, dreamily, pensively.

revoir, see again.

rhum, rum.

rhume, cold.

ricaner, laugh sneeringly, derisively.

riche. *Les deux petits riches,* the two rich children (146).

ride, wrinkle.

rider, ruffle, wrinkle.

rideau, curtain, screen.

rien, nothing; anything. *Ne ... rien,* nothing. *Rien que,* merely (129); only, nothing but (133). *Un rien,* just a little (149).

rieur, laughing, merry.

rigoureux, rigorous, strict.

rigueur, rigour. *Avec rigueur* (2), closely, strictly.

rire, laugh.

risée, flurry; cat's-paw.

risquer, risk, venture.

rissoler, brown.

rivage, shore, beach.

rive, bank, side (of river).

robe, robe (44); dress (56). *Robe de chambre,* dressing-gown.

robuste, robust, stout, sturdy.

robustesse, robustness, sturdiness.

rocaille, pebbles, rubble.

rocher, rock.

rocheux, rocky, stony.

rôder, roam about (27).

roi, king.

romain, Roman.

roman, novel; Romanesque (59).

romanesque, romantic.

rompre, break.

rond, round; circle: *nous tournons en rond* (128), we're going round in a circle; napkin-ring (120).

ronde, round, patrol; round, roundelay (94). *A une lieue à la ronde* (132), for four kilometres round.

ronflant, whirring, humming.

ronfler, snore.

ronger, gnaw. *Rongé par les vers,* worm-eaten.

ronronner, purr: *ronronnant, l'ascenseur s'éleva rapidement* (7), the lift purred its way swiftly up.

rose (adjective), pink (111); rosy (44).

roseau, reed.

rosée, dew.

rosse, worn-out horse.

rotonde, rotunda.

rotule, knee-cap.

roturier, commoner, plebeian.

roue, wheel.

rouge, red.

rougir, redden, make red (56, 175); blush (107); turn red (160).

roulement. *Roulement de tonnerre,* roll of thunder.

rouler, roll (along); roll up, furl (71). *Je roule vers le phare*, I taxi towards the beacon (155). *Fit rouler ses persécuteurs* (147), sent his persecutors rolling off. *Le train roulait . . . à toute allure* (35), the train was travelling at full speed.

roulotte, caravan.

route, route; road; course (70). *En route* (126), let us start, let us get going. *Faire route*, sail, steer (68).

rouvrir, open again, reopen.

roux, red, reddish-brown.

royaume, kingdom.

rude, rough, rude; coarse (80, line 25).

rudement, harshly.

rudesse, harshness, bluntness, ungraciousness.

rudoyer, treat roughly.

rue, street.

ruer, kick, lash out.

rugissant, roaring.

ruisseau, stream, brook.

rumeur, distant murmur, dull noise, hum (of traffic, etc.).

ruminer, ruminate, meditate, ponder.

rutilant, glowing red.

sable, sand.

sabord, port-hole.

sabot, hoof.

sac, sack, bag. *Prendre quelqu'un la main dans le sac* (98), catch someone red-handed.

sacoche, satchel, wallet.

sacré, confounded.

sacrer, curse and swear.

sage, sensible (39); sage (50).

saint, holy (80).

saisir, seize. *Christophe en fut saisi* (144), Christopher was astonished, dumbfounded, by it. *Se saisir de*, seize upon.

saisissant, striking, startling.

sale, dirty; foul (70); filthy (102). *Il a une sale tête* (125), he looks a nasty customer.

salé, salt.

salir, dirty, soil, sully.

salive, saliva.

salle, room. *Salle d'opération* (113), operating theatre. *Salle à manger*, dining-room.

salon, drawing-room.

saluer, salute (3, 17); hail (121); greet (6). *Salua sèchement d'un "Bonjour, monsieur"* (153), gave him a curt "good day".

salut, salute (17); bow (104); safety (129).

sang, blood.

sanglant, blood-red (32).

sanglé, tightly buttoned.

sanglier, wild boar.

sanglot, sob.

sangloter, sob.

sanitaire, sanitary.

sans, without. *Sans que*, without: *sans qu'il le sût*, without his knowing it (143).

santé, health.

sapin, fir.

sarcler, hoe.

sargasses, sargasso, gulf-weed. *La mer des Sargasses*, the Sargasso Sea.

satisfaire, satisfy.

saumâtre, brackish.

saut, jump, leap, spring; hop (22).

sauter, jump, leap, spring; blow up, explode (17, line 22); jump over (4). *Faire sauter*, blow up.

sautiller, hop, skip.

sauvage, wild.

se sauver, run away, escape.

sauvetage, rescue.

saveur, flavour, savour, taste.

savoir, know. *Qu'il ne saurait être question pour moi de la franchir* (6), that there could be no question of my passing through it.

savoir (noun), knowledge.

savon, soap. See *barbe*.

savoureux, savoury, tasty.

scellé, seal.

scène, scene; stage (93, 166).

schupo, German policeman.

science, knowledge (44).

scruter, scan.

sculpté, carved.
sculpture, carving.
séance, sitting, performance.
seau, bucket.
sec, dry; sharp (14); dried (132). *Les rompit d'un coup sec* (113), snapped them apart. *Le claquement sec des ciseaux*, the snip of the scissors (116).
sèchement, curtly, tartly.
sécher, dry; dry up (166).
sécheresse, drought (30); baldness (136).
second. *Au second*, on the second floor (76).
secouer, shake.
secourir, help, aid: *on ne pourra plus nous secourir*, we shall be past helping (167).
secours, help, aid. *Pompe de secours*, reserve pump (157).
secousse, shaking, jolt, jerk.
secret, secret; privacy. *Dans le secret de mon esprit* (38), at the back of my mind.
séduire, fascinate, please the fancy of (47).
séduisant, charming, engaging, attractive.
seigneur, lord.
sein, breast, bosom. *Le sein de la terre*, the depths of the earth.
sel, salt.
semaine, week.
semblable, similar, like. *Un chapeau semblable* (53), such a hat; (noun) fellow: *lui et ses semblables*, him and his fellows (33), *ton semblable*, one like you (27).
semblant, semblance, appearance. *Un semblant de début*, an apology for a beginning (2).
sembler, seem.
semelle, sole (of shoe).
semeur, sower, spreader.
sémite, Semitic.
sens, sense, meaning (34, 166); direction, way: *en tous sens* (31), in every direction; judgment: *à son sens*, in his opinion. *Ça tombe sous le sens* (119), that's obvious.

sensibilité, sensitiveness.
sensible, sensitive.
sentier, path.
sentiment, feeling.
sentine, bilge, well (of ship).
sentir, feel (1, 15, 35, 41, 62, 69, 104, 147); smell: *sentaient la lavande* (80), smelt of lavender. *Et elles sentent bon* (90), and they smell sweet, nice; scent (122).
séparément, separately, singly.
sérieux, serious. *Prendre au sérieux*, take seriously (54).
sermonner, sermonise, lecture; exhort (79).
serpenter, wind.
serré, tight (144). *Nouer serré*, knot tightly (113). *Il avait la gorge serrée*, he had a lump in his throat (147).
serrer, squeeze, press, clasp; clench, set (104, 113). *La taille serrée dans une robe de chambre* (7), in a closely fitting dressing-gown. *Se serrer*, press (156).
serrure, lock.
servant, gunner.
servante, (maid-)servant.
service. See *ordre*.
serviette, napkin (120); dispatch-case, brief-case (2); French schoolboy's leather satchel without straps (102).
servir, serve; be useful, be of use: *Que sert une grandeur . . .*, of what use is a greatness (46). *Ça n'aura servi à rien*, it won't have been of any use, it won't have served any purpose, it will have been useless (117). *Mes prétextes ne me serviraient plus de rien* (9), my excuses would not be of any further use, help, to me. *Servir de*, serve as, be used as (39, 79). *Table servie*, table with the food ready laid out on it. *Se servir de*, use.
serviteur, servant.
seuil, threshold.
seul, sole (4, 6); alone (29, 74); only (57).

seulement, only, merely, solely.
seyant, becoming.
si, if; yes: *Si! Elle respire encore* (116), she *is* still breathing.
siège, seat.
sien. *Faire des siennes,* be up to one's tricks (126).
siffler, whistle; hiss (33).
siffloter, whistle softly.
signe. *Faire signe à,* beckon to (18, 100); make a sign to (114, 150).
se signer, cross oneself.
signifier, mean.
silencieux, silent.
sillage, wake, track.
sillon, furrow.
sillonner, furrow; streak (135).
singe, monkey.
sinon, if not (36); otherwise (155).
sirop, syrup.
sobre, sober, unostentatious.
soc de charrue, ploughshare.
sœur, sister.
soi-disant, ostensibly (90).
soie, silk.
soif, thirst. *Avoir soif,* be thirsty.
soigné, neat, well looked after.
soigner, look after.
soigneusement, carefully.
soin, care; (plural) attentions, solicitude. *Premiers soins,* first aid.
soir, evening; afternoon (24).
soirée, evening.
soit, so be it, agreed, all right.
soixante, sixty.
sol, soil, earth, ground; floor.
soldat, soldier.
soleil, sun(shine). *Au soleil,* in the sun(light).
solennité, solemnity.
solide, solid; strong.
solitude, solitude; wilderness.
solliciter, beg.
sombre, sombre, dark; dull, overcast (72). *Rouge, vert, sombre,* dark red, green.
sommation, challenge (131).
somme. *En somme,* on the whole.
sommeil, sleep.
sommet, top, summit; zenith (15).
sonde, probe.

songer (à), think (of): *qui songerait même à lui* (37), who would even give him a thought?
sonner, ring.
sonnette, bell.
sonore, sonorous.
sorcier, wizard.
sort, fate, lot.
sorte, sort. *De toute(s) sorte(s),* of all kinds, sorts. *De sorte que,* so that, with the result that.
sorti, out (123).
sortie, exit; going, coming, out; sortie.
sortir, go, come, out; take out (39, 116).
sou. *Je n'avais sur moi que quelques sous* (79), I had only a few pence on me.
souche, stump, stub.
souci, anxiety, worry. *Sans souci* (86), carefree. *Le maternel souci* (50), his mother's care, solicitude.
soucieux, anxious, worried.
soudain, sudden; suddenly.
Soudan, Sudan.
souffle, breath(ing).
souffler, blow; breathe (99, 163): *deux minutes pour souffler* (113), two minutes' breathing-space; recover one's breath (99), prompt (115); whisper (134, 145).
souffleter, slap; flick (110).
souffrance, suffering.
souffrir, suffer.
souiller, stain (112).
soulagement, relief.
se soulager, relieve his feelings.
soulever, lift (up). *Se soulever,* raise oneself.
soulier, shoe.
soumettre, submit; subject (49).
soumis, submissive, obedient.
soumission, submission.
soupçon, suspicion.
soupçonner, suspect.
soupçonneux, suspicious.
soupeser, weigh (up).
soupir, sigh.
soupirer, sigh.

souplesse, suppleness, flexibility.
source, spring.
sourcil, eyebrow.
sourd, deaf; dull, secret (164).
sourdement, dully, with a muffled sound.
sourire, smile.
sous, under(neath), below, beneath.
sous-lieutenant, second lieutenant.
sous-officier, non-commissioned officer.
sous-préfecture, sub-prefecture.
sous-sol, basement.
soustraire à, preserve, remove, from.
soute aux voiles, sail locker.
soutenir, sustain, support; withstand (108).
souterrain, subterranean (157); underground passage (59).
souvenir, memory. *Se souvenir de*, remember; *se souvenir que*, remember that.
souvent, often.
spacieux, spacious.
spécieux, specious.
spectacle, spectacle, sight.
spontané, spontaneous.
spontanément, spontaneously.
squelette, skeleton.
stigmate, scar, mark (17).
stuka, German dive-bomber.
stupéfait, stupefied, dumbfounded, amazed.
subalterne, subaltern.
subir, suffer, endure.
subitement, suddenly.
subsister, subsist; continue (101).
succéder à, succeed. *Succédant à son père*, taking over his father's business (91).
sucer, suck.
sucre, sugar.
sucré, sweetened.
sud, south.
sud-américain, South American.
sueur, sweat.
suffire, suffice, be sufficient.
suffisamment, enough.
suisse, Swiss. *Les Suisses*, the Swiss. *La Suisse*, Switzerland.
suite, continuation, sequel; consequence, result, issue. *Tout de suite*, immediately, at once. *Par suite de*, as a result of, in consequence of, through. *Par la suite*, subsequently, later on.
suivant, following.
suivre, follow.
sujet, subject. *Au sujet de*, about, relating to, regarding.
supérieur, top, upper (65).
superposé, superimposed.
supporter, withstand, stand up to (62), tolerate, stand (78).
sûr, sure; safe (123). *Bien sûr*, of course.
sûrement, surely, certainly; safely, reliably; confidently.
surgir, rise, emerge, appear suddenly.
sur-le-champ, at once, immediately.
surlendemain. *Le surlendemain*, two days after.
surmounter, surmount.
surplomb. *En surplomb*, overhanging.
surplomber, overhang, tower over.
surplus. *Au surplus*, furthermore, moreover, besides.
surprendre, surprise.
sursaut. *En sursaut*, with a start.
sursauter, start, give a jump.
surtout, above all.
surveillance, superintendence.
surveillant, master on duty.
surveiller, watch, observe; superintend.
survenir, arrive unexpectedly, turn up.
survoler, fly over.
susciter, create, give rise to.
syllabe, syllable.
syncope. *Tomber en syncope*, faint, swoon.
synonyme. *Etre synonyme de*, be synonymous with.

tabac, tobacco.
tableau, picture. *Tableau noir*, blackboard.
tablette, slab, bar (of chocolate); shelf.

GLOSSARY

tablier, apron.
tache, stain; spot.
tâcher, try, endeavour.
taille, size (25, 32); height (5).
tailleur, tailor.
tailler, cut, hew.
se taire, become silent. *Tais-toi* (131), be quiet, hold your tongue. *Prévot se tait.* Prévot says nothing (158).
talon, heel. *Tourner les talons,* turn on one's heels.
talus, bank, slope.
tambour, drum.
tam-tam, tom-tom; prolonged beating on tom-toms.
tamponner, collide with.
tandis que, whilst.
tangentiellement, tangentially.
tanguer, pitch.
tant, so much, so many; so: *tant leur prudence est grande* (31), so great is their prudence. *Tant mieux,* so much the better. *Tant que,* as long as (11).
tapage, din, uproar, disturbance.
tape, rap, slap (147).
tapi, crouching.
tapisser, paper (a room). *Tapissés de gris* (5), papered in grey, with grey wall-paper.
taquiner, tease, plague, torment.
tard, late.
tarder à, be long in (2).
tardif, belated (95).
tas, heap.
tasse, cup.
tâter, feel.
tâtons. *A tâtons,* gropingly.
tâtonner, grope, feel one's way.
teinte, shade, tint, hue.
teinture, tincture (110).
tel, such; like: *tels des fous,* like madmen (29); such and such, this or that: *tel de mes camarades savait déjà* (92), this or that school-fellow of mine knew already. *Prenez tel livre* (82), take such and such a book.
tellement, so, to such an extent: *nous avons déjà tellement soif* (160), we are already so thirsty.

témérité, daring speech or action; bold deed.
témoigner, show, evince.
témoin, witness.
tempête, storm.
temps, time; weather. *A temps,* in time. *De temps à autre,* from time to time, now and then. *En même temps,* at the same time. See *courir.*
tenancier, hotel-keeper (108).
tendance, tendency.
tendre, strain (36); stretch out (55): *les mains tendues* (38), with outstretched hands; offer (81); hold out (45, 90, 121, 150); drape, hang (100); hand (114). See *piège.*
tenir, hold, keep; remain, hold out (161); be contained (45); keep, observe (39). *Tenir à,* value, set store by, cling to (38). *Je tiens à vous avertir* (152), I must warn you. *Il tenait à la chaise* (78), he stuck to the chair. *Etre tenu de,* be obliged to, be held responsible for (137). *Tenir pour,* be in favour of (170). *Se tenir,* be, stand (15, 35).
tentation, temptation.
tentative, attempt.
tenter, attempt (36, 64, 173); try (49, 117); make (101). *Tenter de,* try to (10, 171). *Tenté par* (47), tempted by.
tenue, dress, uniform.
terminer, finish. *Se terminer,* end.
terrain, ground.
terre, earth; land (132); ground (4). *Par terre,* to the ground, on the ground. *Nous vous aurions ramenés à terre* (124), we would have brought you back to land, to the shore.
tertre, mound, knoll, hillock.
tesson, piece of broken glass or earthenware.
tête, head. *En tête,* in front (4, 31). *Tenir tête à,* oppose, stand up to.
théorique, theoretic.
thermos, Thermos, vacuum, flask.
tiède, tepid, lukewarm, mild.

tiédir, warm.
tiens, hullo (145).
tige, stem, stalk; shaft, rod.
tilleul, lime-tree.
tintement, ringing, tolling.
tinter, ring, toll; tinkle (84).
tirage, difficulty (89).
tirailleur, rifleman, sharp-shooter.
tirant d'eau, draught.
tirer, pull (out); draw (18); shoot; derive, get (106); fire (122). *Se tirer*, extricate oneself, emerge, come off (11). See *parti*.
tiroir, drawer.
tissu, material, fabric, cloth.
titre, title.
toile, linen; canvas; sail; canvas, picture (169).
toiser, eye from head to foot. *Il la toisa*, he looked at her commandingly (116).
toit, roof.
tôle, sheet iron; steel-plate; sheet (of metal).
tomate, tomato.
tombeau, tomb.
tombée, fall. *Tombée de la nuit*, nightfall.
tomber, fall.
ton, tone.
tonne, ton.
tonneau, barrel; ton (62).
tonnerre, thunder.
torchon, duster.
tordre, twist. *Se tordre (de rire)*, split one's sides laughing: *Hittemans, au deux, m'a fait tordre* (87), Hittemans, in the second act, made me scream with laughter.
tordu, twisted.
tornade, tornado.
se tortiller, wriggle, twist, writhe.
tortionnaire, torturer.
tôt, soon; early (80).
toucher, touch, affect. *Toucher à*, meddle, interfere, with (21); be near (116).
touffe, tuft; clump, cluster.
touffu, thick, bushy; tufted.
toujours, always, ever; nevertheless, all the same (37); still (160).

tour (feminine), tower; (masculine) turn: *à mon tour*, in my turn: *tour à tour*, by turns, in turn(s); circuit: *faire le tour de*, go round. See *bras*.
tourbe, mob, rabble.
tourbillon, whirlwind.
tournemain. *En un tournemain*, in an instant, a twinkling.
tourner, turn; outflank (12). *Tourner à*, tend to become, turn into (11). *Se tourner vers*, turn to(wards).
tournevis, screw-driver.
tournoyer, turn round and round, wheel.
tousseur, cougher.
tout (adjective), all, every; any: *tout homme qui insulte une femme* (88), any man who insults a woman; (adverb), quite, entirely, completely: *tout contre une muraille*, right up against a wall (26). *Tout en parlant*, while speaking (6, 114). *Nous risquions le tout pour le tout* (14), we were staking everything, it was neck or nothing. *Du tout* (= *pas du tout*), not at all.
tout de suite. See *suite*.
toutefois, however, yet, nevertheless, still.
toux, cough.
trac, stage-fright.
tracé, layout.
tracer, draw, outline.
tracté, tractor-drawn.
traction, pull; pulling. See *rétablir*.
traduction, translation.
trahir, betray.
train. *Etre en train de*, be in the act of, engaged in.
traîne, train.
traîner, lie about (120); drag (147).
traînée, trail.
traiter de, call.
traits, features.
trajet, journey, distance.
trame, woof, weft; texture (103).
tramway, tram(car).
trancher, decide, speak, peremptorily (18).

GLOSSARY

tranquilliser, reassure, set at rest.
transe, trance; (plural) apprehension, anxiety, fear.
transmettre, convey, take (74).
transpirer, perspire.
trapu, squat.
travail, work.
travailler, work.
travers. *A travers*, across, through: *à travers champs*, across country. *En travers*, crosswise, transversely.
traversée, crossing, passage.
traverser, cross; come through (36).
traversin, bolster.
trébucher, stumble.
treize, thirteen.
tremblement de terre, earthquake.
trempé, soaked, wet through.
trentaine, about thirty.
trente, thirty.
trépigner, stamp.
trésor, treasure.
tressaillir, start, give a start.
tresser, plait, braid, weave.
tribu, tribe.
triomphal, triumphal.
triomphant, triumphant.
triompher de, triumph over.
triporteur (de livraison), box-tricycle (for the delivery of goods).
triste, sad; dismal, cheerless, gloomy (2).
triturer, reduce to dust, churn up (33).
trogne, red face.
tromper, deceive. *Se tromper*, be mistaken.
trop, too (much), too many.
trottoir, pavement.
trou, hole.
trouble, agitation, uneasiness. *Dès les premiers troubles*, at the first signs of illness, disorder, indisposition (171).
troublé, flustered (113), confused (34).
troubler, disturb.
troupe, troop, body of soldiers.
troupeau, herd, flock.
trousse. See *campagne*. *A ses trousses*, at his heels.

trouvaille, find.
trouver, find; consider. *Se trouver*, find oneself; be; happen, turn out: *un coffre-fort qui se trouve être un des vingt-huit ascenseurs* (135), a safe which turns out to be one of the twenty-eight lifts. *Le wagon ... se trouvait être ...* (35), the coach happened to be. *Je la trouvais jolie—il se trouve qu'elle l'était extrêmement* (89), I thought her good-looking—it so happens that she *was* extremely good-looking.
tue-tête. *A tue-tête*, at the top of one's voice.
tuer, kill.
tuile, tile.
turlututu, tut-tut.
tussor, tussore silk.
tutoiement, use of *tu* and *toi* in addressing someone.
tuyau de descente, rain-water pipe.
type, chap, fellow.

ultérieur, later.
uni, level, smooth.
unir, unite. *S'unir*, join forces.
unité, unit (11, 16).
urgence, urgency. See *formel*.
usage, usage; use. See *hors*.
usine, factory.
usé, worn.
user, use up (167). *User de*, use, resort to.
usure, interest (151).
utile, useful.

vacances, holidays.
vacillement, vacillation, wavering.
vague, wave.
vaillant, valiant, courageous, stout.
vaillance, stoutness (69).
vaincre, vanquish, defeat, overcome.
vainqueur, victor, conqueror.
vaisseau, vessel, duct.
valet, man-servant.

valeur, value, worth.
vallon, dale, small valley.
valoir, be worth; be as good as, be equivalent to: *rien ne vaut la pratique* (49), there is nothing like practice. *Mieux valoir*, be better: *des plaisirs que mieux vaudrait ne pas approfondir* (50), pleasures which it would be better not to probe deeply into. *Mieux valait peut-être qu'il n'y eût pas de lune* (127), it was perhaps as well that there was no moon.
vapeur, steamer.
vareuse, field-service tunic, blouse.
vaudou, voodoo.
veau, calf.
vedette. *Bien en vedette*, well to the fore, conspicuously displayed.
veille, day before, eve.
veiller, watch, be on the look-out; be awake (43); stay up (80). *Veiller à ce que*, see to it that (12).
veilleur de nuit, night-watchman.
veine, vein (118); luck (115).
velours, velvet.
vendeur, seller.
vendre, sell.
venir, come. *Venir de*, have just: *je venais de gagner la première partie* (4), I had just won the first game.
vent, wind.
vente, sale.
ventre, belly. See *plat*.
venue, coming, arrival, approach.
ver, worm, canker.
verdure, green(ery).
véreux, shady, of dubious character.
verger, orchard.
véritable, genuine (20); true (162).
vérité, truth.
vernisser, varnish, glaze.
verre, glass; (plural) lenses (115).
verrou, bolt.
verrouiller, bolt.
vers, line (of poetry), verse.
vers, towards; about: *vers midi* (63), about noon.
versant, slope, side.

verser, pour (out).
vert, green.
vertige, vertigo, dizziness.
vertigineusement, dizzily, in a whirl.
vertigineux, dizzy.
vertu, virtue.
veste, coat.
veston, coat.
vêtement, garment; (plural) clothes.
vêtir, dress.
veuf, widower.
viande, meat.
vibrant, resonant, ringing.
vibrer, vibrate.
vide, empty; (noun) void, space: *suspendu dans le vide* (35, 59), hanging in empty space.
vider, empty, clear out; turn out (109).
vie, life.
vieillard, old man.
vieillir, grow old.
vieux, old; (noun) old man.
vieille, old woman.
vif, keen (6); quick, brisk (7); bright (13).
vignoble, vineyard.
ville, town.
vin, wine.
vingt, twenty.
vingtaine, score.
violemment, violently.
violer, violate.
virage, bend (15); turn (155).
virer, bank (155).
visage, face.
viser, aim (at).
visite, visit(or).
vite, quickly.
vitesse, speed.
vitrage, glass partition.
vitre, (window)-pane.
vitré, glazed.
vivacité, vivacity; hastiness of temper: *avec vivacité* (99), heatedly.
vivant, living, alive.
vivement, sharply (151); eagerly, keenly (122).
vivre, live, be alive.
vivres, provisions, food.

voici, here is, here are. *Et voici que s'éteint la dernière rumeur* (41), and now the last murmur dies away. *Mais voici que le Dieu du Fleuve a réuni ses humides sujets* (51), but now the river God convened his humid subjects.

voie, way. *Par (la) voie des airs* (59, 159), by air. See *garage*.

voilà, there is, there are. *Enfin, vous voilà* (7), there you are at last. *Eh bien! voilà, il est mangé* (20), well, there it is, it's (moth) eaten. *Oui, mais c'est que . . . voilà, madame, il en faut deux!* (95), yes, but the fact is . . . well, there you are, madame, we need two. *Voilà qui est aussi bien* (115), here's something that will do as well, something just as good. *Voilà-t-il pas, voilà qu'ils virent leur petit garçon dépérir* (43), blest if they didn't see their little boy wasting away before their very eyes.

voile (masculine), veil; (feminine) sail: *je fis voile le long de l'île Longue* (75), I sailed along Long Island. *Faire voile pour Gibraltar,* set sail for Gibraltar.

se voiler, become veiled, hidden.

voilure, sails.

voir, see.

voire, even.

voisin, neighbour; (adjective) neighbouring.

voisinage, neighbourhood.

voiture, car; carriage, coach (35).

voix, voice.

vol, theft; flight.

volant, steering-wheel; (adjective) flying: *poisson volant,* flying fish.

voler, steal; fly; rob, swindle (65).

voleur, thief.

volontaire, firm, determined (108).

volontairement, deliberately, intentionally.

volonté, will.

volte-face. *Faire volte-face,* turn about, turn round.

vouloir, want, wish, like: *il eût voulu se sauver* (143), he would have liked to run away. See *bien* and *dire*.

voûter, arch, bend: *sa démarche pesante le voûtait un peu,* his heavy gait gave him a slight stoop.

voyage, journey(ing): *un vieux complet délabré après trois mois de voyage* (24), an old suit shabby after three months of travel.

voyageur, traveller.

vrai, true. See *dire*.

vraiment, truly, really.

vraisemblable, probable, likely.

vu, given, considering, seeing.

vue, sight. See *perte*.

Vulcain, Vulcan.

wagon, coach.

y. *Enfin, ça y est* (162), we're saved at last.

zigzaguer, zig-zag.

PRINTED IN GREAT BRITAIN BY UNIVERSITY TUTORIAL PRESS LTD, FOXTON, NEAR CAMBRIDGE